DUMONT

Ostern 1942: Die 19-jährige Norwegerin Lillian verliebt sich in den deutschen Soldaten Helmut. Doch sie darf diesen Mann nicht lieben, nach allem, was die Deutschen ihrem Land angetan haben. Als sie Helmut zur Rede stellt, nimmt dieser ihr ein Versprechen ab: »Erzähl niemandem, was ich Dir jetzt sage«. Dann offenbart er ihr, dass seine Mutter Jüdin ist und er sich in der deutschen Wehrmacht versteckt hält. »Ich werde Dich nie mehr verlassen«, ist Lillians Antwort.
Dass sie jüdische Wurzeln hat, erfährt Randi Crott erst, als sie erwachsen ist. Und genau wie ihre Mutter 1942 soll auch sie jetzt – über zwei Jahrzehnte nach dem Krieg – mit niemandem darüber sprechen. Bis zum Tod des Vaters bleibt seine Geschichte verborgen. Weggepackt in alten Briefen und Dokumenten.
Mit großer Leidenschaft rekonstruiert Randi Crott zusammen mit ihrer Mutter den Lebensweg ihrer Eltern. Sie macht sich in diesem bewegenden Buch auf die Suche nach der Geschichte ihrer Familie – und entdeckt eine Liebe, die alle Hürden überwindet.

Randi Crott, geboren 1951 in Wuppertal, ist Radio- und TV-Reporterin und Moderatorin beim WDR. Sie war u.a. bei der *Aktuellen Stunde,* im *ARD Morgenmagazin* und für *III nach 9* tätig. Neben der Moderation von Sendungen wie *west.art Talk* und *Literatur im Römer,* hat sie für arte, 3sat und den WDR mehrere Filme gedreht.

Lillian Crott Berthung, geboren 1922 im nordnorwegischen Harstad. Seit 1947 lebt sie in Deutschland. 1989 veröffentlichte sie den Gedichtband »Det var en gang et lite sted«. Für die Tageszeitung *Harstad Tidende* schreibt sie Erzählungen. Heute lebt sie in Mülheim an der Ruhr.

RANDI CROTT
LILLIAN CROTT BERTHUNG

Erzähl es niemandem!

Die Liebesgeschichte
meiner Eltern

DUMONT

Für Yannick

FSC
www.fsc.org
MIX
Papier aus verantwortungsvollen Quellen
FSC® C083411

Dritte Auflage 2013
DuMont Buchverlag, Köln

Umschlag: glanegger.com
Umschlagabbildung: privat, Shutterstock (Montage)
Satz: Fagott, Ffm
Gesetzt aus der DTL Dokumenta und der Proforma
Druck und Verarbeitung: CPI – Clausen & Bosse, Leck
Gedruckt auf säurefreiem und chlorfrei gebleichtem Papier
Printed in Germany
ISBN 978-3-8321-6230-6

www.dumont-buchverlag.de

Das Buch beruht auf den Tagebüchern meiner Mutter Lillian Crott Berthung. Ihren Aufzeichnungen hat sie diese Sätze vorangestellt:

Die dünnen Seiten klebten ein bisschen aneinander, fast so, als ob sie meine Gedanken und kleinen Heimlichkeiten nicht freigeben wollten. Und je mehr ich las, desto stärker kamen die Erinnerungen zurück und Ereignisse, die ich längst vergessen hatte, tauchten wieder auf. Tage und Wochen kristallisierten sich heraus, wurden zu Jahren, langen Kriegsjahren, als die Welt wund war und bitter, als die Macht des Hasses größer schien als die der Liebe und es keinen Platz gab für die Zukunftsträume eines jungen Mädchens …

Anstelle eines Vorworts

Ich bin schon fast 18, als meine Mutter mich an einem Sonntagnachmittag im Jahr 1969 ins Wohnzimmer holt. Sie sagt, sie müsse mir etwas erzählen. Auf dem runden Eichentisch steht ein kleiner Henkeltopf aus Emaille. Er ist grau und hat einen schwarzen Rand. Daneben liegt ein hellbrauner lederner Brustbeutel mit einer geflochtenen dünnen Kordel aus Garn. Da, wo die Kordel die Löcher im Leder durchzieht, ist sie ganz stumpf. Fährt man mit den Fingern an den beiden Kordelbändern hoch, dann wird das Garn auf einmal ganz weich, und dort, wo die beiden Enden zu einem Knoten zusammengebunden sind, dort also, wo die Kordel am Hals liegt, wenn man den Brustbeutel trägt, glänzt sie noch ein bisschen weiß und weinrot. Hebt man die kleine, schon ganz blass gewordene Lasche des Brustbeutels hoch, sieht man einen Namen, der mit türkisfarbener Tinte in Schreibschrift auf dem rauen Innenleder steht: *Crott*.

Neben dem Emailletopf und dem Brustbeutel liegt eine Armbinde aus Stoff, beige mit rotem Rand und schwarzem Aufdruck »K. L. Terezín«.

An diesem Nachmittag erfahre ich, dass meine Großmutter, die Mutter meines Vaters, Jüdin war. Dass sie einen Judenstern tragen musste und die Nationalsozialisten sie ins Konzentrationslager Theresienstadt deportiert haben. Ich erfahre, dass mein Großvater seine Stelle bei der Reichsbahn verloren hat, weil er sich nicht von seiner jüdischen Ehefrau Carola scheiden lassen wollte. Ich erfahre, dass mein Vater als »Halbjude« aus dem Sportverein geworfen wurde und dass er nur unter großen Schwierigkeiten studieren konnte. Ich erfahre, dass meine Großtante Henriette in einem Konzentrationslager umgebracht wurde.

Meine Mutter erzählt mir all das gegen den erklärten Willen meines Vaters. Als sie darauf drängte, dass mir auch die dunklen Kapitel der Familiengeschichte nicht länger vorenthalten werden, soll mein Vater sehr wütend geworden sein. Er wollte jene Zeit nicht mehr zum Thema machen.

Ich habe damals die Haltung meines Vaters nicht ganz verstanden, aber ich habe sie respektiert. Vor allem aber tat ich, um was meine Mutter mich bat: Erzähl es niemandem! Daran habe ich mich gehalten. Vielleicht ahnte ich, dass mir so Enttäuschungen erspart bleiben sollten. Mein Schweigen sollte mich vor Verletzungen bewahren. Und deshalb schien es mir am besten zu sein, wenn ich mich einfach mit dem, was ich von meiner Mutter erfahren hatte, nicht weiter beschäftigte.

Ich weiß heute, dass es vielen Töchtern und Söhnen deutscher Juden und »Halbjuden« so ergangen ist. Auch ihre Mütter oder Väter haben nichts von ihrem Leid, ihrer Verfolgung und dem Tod ihrer Angehörigen in den Konzentrationslagern erzählt, weil die Angst auch nach 1945 noch immer da war. Und wohl auch jene Scham, die mir eigentlich unbegreiflich wäre, hätte ich sie nicht selbst in mir gespürt.

Es ist an der Zeit, dass diese Geschichte erzählt wird. Ich konnte ihr freilich erst zwei Jahre nach dem Tod meines Vaters nachgehen.

Randi Crott, im Dezember 2011

Norwegen: Entfernung Oslo–Harstad 1417 Kilometer

Reise an den Anfang

Juni 2009

Den schwarzen Rucksack mit dem roten Rand habe ich ins Gepäckfach über meinem Sitz gelegt. In dem Rucksack befindet sich, sorgfältig eingewickelt in zwei Handtücher, eine Urne. Es ist die Urne mit der Asche von Helmut Crott, meinem Vater.

30 Minuten nach dem Start meldet sich eine Stimme aus dem Cockpit, aber das Rauschen des Lautsprechers lässt mich die Ansage nur in Bruchstücken verstehen: »*Her er flykaptein Hansen … vil lande planmessig … ønsker dere en behagelig flytur.*«

Meine Mutter und ich sind unterwegs nach Nordnorwegen. Der Flug ist ruhig, und tief unten zieht unter weißen Wolkenfetzen jene Landschaft vorbei, deren Schönheit eigentlich zu groß für Menschen ist. Das blaue Meer scheint mit der langen zerklüfteten Küste zu spielen, und wie immer, wenn ich diesen Anblick genieße, fühle ich so etwas wie Stolz, dass auch ich zu diesem Land gehöre. Die Maschine ist bis auf den letzten Platz besetzt, und fast alle Passagiere sind Norweger. Das ist eigentlich immer so zwischen Oslo und Evenes. Wie oft bin ich diese Strecke geflogen! Als ich einmal in letzter Sekunde und völlig außer Atem ins Flugzeug stürzte, war die Maschine voll mit norwegischen Soldaten, die mich, weil mein Name offenbar oft genug ausgerufen worden war, fröhlich begrüßten: »Heia, Miss Crott!«

Vorne beginnt die Stewardess mit dem Servieren der Getränke. Die meisten wählen Kaffee, denn Norweger lieben Kaffee und trinken ihn eigentlich rund um die Uhr. Im Sommer auch nach Mitternacht, wenn die Nächte im Norden hell sind und man sowieso nicht ins Bett will.

Während des Fluges schaue ich immer wieder dorthin, wo der schwarze Rucksack mit der Urne liegt. Als ich der Frau am Schalter der SAS in Oslo die Überführungspapiere gezeigt hatte, war ihr warmer Blick für mich fast wie eine Umarmung gewesen.

Meine Mutter sitzt mit geschlossenen Augen neben mir und greift ab und zu nach meiner Hand. Mir tut es weh, dass sie so traurig ist, und ich merke, wie sich ihre Trauer über meine eigene legt.

Wir fliegen nach Harstad, einer Hafenstadt auf Hinnøy, der größten Insel Norwegens, 300 Kilometer nördlich des Polarkreises, denn jetzt gilt es das zu tun, was sich meine Eltern schon vor vielen Jahren gegenseitig versprochen hatten: dass ihre Grabstätte einmal dort sein wird, wo sich das norwegische Mädchen und der deutsche Soldat kennengelernt und ineinander verliebt hatten. Da war sie 19 und er 28. Wie oft hatten sie in all ihren Ehejahren darüber gesprochen, wer wohl als Erster auf dem Friedhof von Trondenes liegen würde. Nun wird die Asche meines Vaters als Erste ihren Platz unter dem Gras des Friedhofs finden. Genau an der Stelle, die sich die beiden ausgesucht hatten. Von dort geht der Blick weit über das Meer zu den anderen Inseln und zum Festland mit seinen Bergen, die erhaben und unbeugsam aus dem Wasser ragen. Es ist ein Ort, von dem man gar nicht mehr fort will, ein guter Ort, um für immer zu bleiben.

Mein Vater ist vor sieben Monaten, am 7. Dezember 2008, gestorben, aber wir mussten warten, bis der Schnee in Harstad geschmolzen und die Erde nicht mehr gefroren ist.

Fast wäre es mit der ausgesuchten Grabstelle nichts geworden, denn auf dem Friedhof in Trondenes gibt es kaum noch Platz. Aber in der Friedhofsverwaltung hat man sich sehr dafür eingesetzt, dass mein Vater noch eines der letzten Urnengräber bekommt – als einziger Deutscher. Ob es wohl Norweger gibt, die das unpassend finden? Gerade dieses Gelände rund um den Friedhof erinnert so sehr an die deutsche Besatzung vor 70 Jahren. Etwas weiter oben auf der Anhöhe befindet sich immer noch die großkalibrige *Adolfkanone*. Eigentlich heißt sie ja *Barbara*, diese größte landgestützte Kanone der Welt, so ist sie jedenfalls 1942 von der deutschen Wehrmacht benannt worden. Aber die Norweger haben einen besseren Namen dafür gefunden.

Unterhalb des Friedhofs steht ein Denkmal für die zu Tode gekommenen russischen Kriegsgefangenen, und 500 Meter weiter liegt das lang gestreckte weiße Gebäude der Folkehøgskole, das 1940 von den Deutschen beschlagnahmt wurde. In diesem Gebäude hat auch mein Vater 1941 als Obergefreiter der Wehrmacht seine erste Unterkunft in Harstad gefunden. Drei ahnungslose Kilometer entfernt von der Frau, mit der er einmal sein Leben teilen würde.

Ohne Hitler und seine Feldzüge gäbe es mich nicht. Welches Gefühl ist für so einen Fall reserviert? Ich bin auf der Welt, weil meine norwegische Mutter sich in einen deutschen Besatzungssoldaten verliebt hat. Aber es gibt noch etwas anderes, das mir lange verschwiegen worden ist.

Ich presse meine Stirn ans Fenster und schaue in den blauen Himmel. Bist du da irgendwo, Paps? Warum hast du nie mit mir darüber geredet, warum hast du mich nicht ins Vertrauen gezogen? Wolltest du nicht, weil alles so weit zurücklag? Oder konntest du nicht, weil es dich immer noch gequält hat? Vielleicht wolltest du deine kleine Tochter ja auch schützen. Vor Hass, Ohnmacht und Wut.

»Es gibt Fragen, auf die die Antwort zu geben unmöglich ist«, sagt der ungarische Schriftsteller Imre Kertész, »doch ebenso unmöglich ist es, sie nicht zu stellen.«

Meine Mutter hat schon vor langer Zeit damit begonnen, ihren Teil der Geschichte aufzuschreiben. Eine norwegisch-deutsche Liebesgeschichte, die sich immer so gefühlvoll und spannend erzählen ließ. In der aber, was ich viele Jahre nicht wusste, etwas Wesentliches fehlte.

Im kleinen Oval des Fensters taucht die markante Bergkette der Lofoten auf. Das bedeutet, dass es nicht mehr weit bis Evenes ist. Unsere Maschine senkt sich sanft nach unten. *»Vi går nu inn for landing på Harstad-Narvik-Evenes lufthavn. Vi ber dere feste sikkerhetsbeltet og rette opp stolryggene.«*

Bitte kommen Sie in Zivil!

Harstad, März 1942

John Berthung kann nicht ahnen, was später einmal aus der Einladung werden sollte, die er an diesem Vormittag im März des Jahres 1942 ausspricht. Der Norweger leitet die Druckerei der Zeitung *Harstad Tidende*, und seitdem die deutsche Wehrmacht die nordnorwegische Stadt Harstad besetzt hält, ist man dort gezwungen, auch Aufträge für die Besatzungsmacht auszuführen. Meist hat John es dabei mit dem deutschen Unteroffizier Robert Teschner zu tun, einem mittelgroßen Mann von Ende zwanzig, der für John mit seinen blonden Haaren und seinen blauen Augen eher wie ein Schwede aussieht. Der Soldat ist ihm fast ein wenig sympathisch, weil er glaubt, hinter der Uniform des Deutschen ein Unbehagen zu spüren.

Die Menschen in Harstad bemühen sich so gut es geht mit der Situation umzugehen, in der sie schon seit zwei Jahren leben müssen. Auch Berthungs Familie versucht das, seine Frau Annie, der 20-jährige John, der als Erstgeborener nach seinem Vater heißt und seit einiger Zeit im südnorwegischen Elverum arbeitet, die 19-jährige Lillian, die 12-jährige Eileen und der 5-jährige Bjørn.

Harstad, 1940

Aber oft ist die Stimmung in dem grünen einstöckigen Holzhaus in der Halvdansgate 16 gedrückt, auch deshalb, weil es immer schwieriger wird, genug zu essen auf den Tisch zu bekommen. Dann fährt Annie mit dem Bus hinaus aus der Stadt zu den Bauernhöfen nach Kilhus, Kanebogen oder Kilbotn, um Lebensmittel zu organisieren, denn in den Geschäften gibt es kaum noch Eier, Butter, Gemüse oder Kartoffeln. Lebensmittel sind seit langem rationiert. In diesem dritten Besatzungsjahr wagen sich immer weniger Schiffe mit Nachschub durch das verminte Meer nach Nordnorwegen. Wenn der Schnee geschmolzen ist, fährt Annie mit dem Rad von Hof zu Hof, um das zu besorgen, was zu Hause fehlt: »Ihr müsst genügend Vitamine bekommen«, sagt sie zu Lillian, Eileen und Bjørn, wenn sie nach einem solchen Tag zu Hause ihren Rucksack auspackt. Ihr Mann liebt sie dann noch mehr, als er es sowieso schon tut. Und er bewundert seine zarte Frau für die Kraft und Zähigkeit, mit der sie diese schweren Zeiten meistert.

John, der aus Sandnessjøen, einem kleinen Ort wenige Kilometer südlich des Polarkreises, als junger Buchdruckermeister nach Harstad gekommen war, hatte Annie Anfang 1920 dort kennen- und lieben gelernt, und sie, die aus einer strenggläubigen Baptistenfamilie stammte, hatte in ihrer Zuneigung zu dem großen gutaussehenden Mann einfach ignoriert, dass sie es in John mit einem Freidenker zu tun hatte. Ihre frommen Eltern hatten zudem noch darüber hinweggesehen, dass ihre Tochter diesen Mann am Ende heiraten musste, denn John junior war bereits vor der Hochzeit unterwegs gewesen.

Im Gegensatz zu den Norwegern sind die Soldaten der Wehrmacht gut versorgt. Sie erhalten ihr Essen zum Teil aus der Heimat und bedienen sich außerdem noch großzügig bei den

Fischern am Hafen. In der Küche in der Halvdansgate 16 sieht Lillian dagegen wieder, wie verzweifelt ihre Mutter ist, wenn das Brot auch nach zwei Stunden Backzeit innen noch ganz roh aus dem Ofen kommt. »Das liegt an dem feuchten Brotmehl. Jetzt muss ich es noch mal eine Stunde backen.«

Lillian schaut, ob genügend Kohle im weiß emaillierten Kohleofen ist, denn niemand kann sagen, ob am Abend nicht wieder der Strom abgestellt wird. Deshalb muss in diesen Märztagen darauf geachtet werden, dass es, wenn die Elektroöfen ausgehen, warm bleibt. Die Rationierung des Stroms ist auch eine Folge der deutschen Besatzung. Die fremden Bataillone in Harstad benötigen so viel Elektrizität, dass die Stromversorgung der Kommune an ihre Grenzen stößt.

Lillian betrachtet Annie, die das Brot wieder in den Backofen schiebt. Sie hängt sehr an ihrer Mutter. Als kleines Mädchen war sie im Garten immer wieder zu dem Fenster, hinter dem sie ihre Mutter vermutete, gelaufen und hatte gerufen: »*Mama, Mama, se på meg og si at du er glad i meg* – Mama, Mama, guck mich an und sag, dass du mich lieb hast!« Vielleicht war sie auch getrieben von jener Eifersucht und Verunsicherung, die Kinder oft empfinden, wenn nach sieben Jahren ein weiteres Kind im Haus ankommt, in diesem Falle die süße kleine Eileen, die von allen nur *Pus* genannt wird. Jetzt, in diesem Frühjahr 1942, ist Pus 12 Jahre alt und sieht mit ihren blonden Locken wie der amerikanische Kinderstar Shirley Temple aus. Pus ist längst, so sehen es jedenfalls die Geschwister Lillian und ihr Bruder mittlerweile mehr oder weniger gelassen, der Liebling des Vaters geworden. Und in den fünfjährigen Bjørn sind sowieso alle vernarrt.

Einmal gelingt es John Berthung, zwei Kaninchen zu ergattern. Das ist eigentlich ein Festtag, aber alle haben Angst, dass der Duft des gebratenen Fleisches nach außen dringt und die Nachbarn misstrauisch macht oder den Soldaten auf der Straße einen Anlass gibt nachzuschauen, ob die Norweger in dem grünen Haus nicht etwa Lebensmittel gehamstert haben, denn das ist bei Androhung hoher Strafe verboten. Verboten haben die Deutschen den Norwegern auch, Radio zu hören. Lillian und die Eltern konnten es gar nicht fassen, als ihr Radiogrammofon mit dem glänzenden Mahagonideckel im Herbst 1940 beschlagnahmt wurde. »Was bilden die sich eigentlich ein, wer sie sind?«, hatte John durch die Lippen gepresst, während er das Gerät auf dem Handwagen festzurrte, um es zu den ebenfalls beschlagnahmten Räumen der Heilsarmee in die Skolegate zu bringen. Dort stapelten sich bereits Hunderte von Radioapparaten. Und Lillian hatte traurig bemerkt: »Jetzt können wir nicht mehr sonntags zusammen die schönen Platten hören.« Im Radioschrank hatte sich auch der Plattenspieler befunden, vor dem sich sonntags die ganze Familie zu versammeln pflegte, um eine der vielen Schallplatten mit klassischer Musik zu hören.

Eines Tages bringt John, als er nach Hause kommt, noch eine weitere Hiobsbotschaft: »Jetzt wollen die Deutschen auch unser Auto haben.«

Auch das müssen sie hinnehmen. Alle Privatautos werden von der Besatzungsmacht beschlagnahmt, auch der Chevrolet der Berthungs. Nur die Mitglieder der Nasjonal Samling dürfen sowohl ihre Radios als auch ihre Autos behalten. Die norwegische faschistische Samling-Partei hat zusammen mit der Gestapo die Augen überall und Harstad fest im Griff. Es herrscht eine Atmosphäre der Angst, und John, Annie, Lillian und Pus können sich kaum vorstellen, dass das so bald ein Ende haben wird. Alle Zeitungen sind längst gleichgeschaltet und überschlagen sich Tag für Tag mit Meldungen über neue Eroberungen von Hitlers Armeen. Die Menschen fühlen sich allein und schutzlos, vor allem seitdem der König das Land verlassen musste und nach England geflüchtet ist.

John Berthung hat sich schon als Buchdruckerlehrling sehr für die deutsche Sprache und Literatur interessiert. Deshalb kann er mit Unteroffizier Robert Teschner in dessen Muttersprache reden. Als Teschner an jenem Vormittag im März 1942 in der Druckerei der *Harstad Tidende* steht, um einen Auftrag der Wehrmacht zu besprechen, bemerkt der Norweger, dass Teschner eine Trauerbinde am Arm trägt und sehr niedergeschlagen und unglücklich wirkt. »Darf ich fragen, was passiert ist?«, sagt er zu dem Deutschen, und Teschner erzählt, dass seine Frau umgekommen sei. Er habe aber nicht einmal eine Erlaubnis bekommen, zu ihrer Beisetzung in die Heimat zu reisen.

John ist voller Mitgefühl. Ohne weiter darüber nachzudenken, lädt er den Deutschen zu einem Besuch auf seine Hütte ein. »Ich bin dort Ostern mit meiner Familie, aber bitte kommen Sie in Zivil.« Als er merkt, dass Teschner zögert, fügt er noch hinzu: »Wenn Sie nicht allein kommen mögen, bringen Sie doch einen Kameraden mit.«

Am Nachmittag verlässt John die Druckerei, und weil die Märzsonne an diesem Tag schon ein bisschen wärmt, geht er langsamer als sonst nach Hause. Von der Storgate biegt er nach links in die Hvedingsgate ein und stapft jetzt durch den noch sehr hohen Schnee den Berg zur Halvdansgate hoch. Vom Haus der Berthungs hat man einen freien Ausblick über das Meer, und John bleibt für einen Moment vor dem schmiedeeisernen Tor stehen. Er blickt über die Dächer und die Anlegestellen am

Kai auf den strahlend blau schimmernden Vågsfjord und die dahinter liegenden schneeweißen Berge des sich nach Norden ziehenden Festlandes. In diesem Augenblick kommt ihm besonders schmerzlich zu Bewusstsein, dass die Deutschen, deren Bücher er so gerne gelesen hat, nun in Uniform gekommen sind und sein Land für sich beanspruchen.

Einige Minuten später sitzt er mit Annie, Lillian, Pus und Bjørn an dem großen ovalen Tisch im Esszimmer. Es ist halb drei, und die Standuhr in der Ecke links vom Fenster schlägt ihren Westminster-Schlag. John mag diesen Klang. Die drei Viertelnoten mit einer punktierten Halben, die jede Viertelstunde in einer anderen Abfolge erklingen. Er und Annie lieben ihr Zuhause, das sie im Laufe der Jahre mit schönen Möbeln stilvoll eingerichtet haben. Über dem Esstisch hängt der Leuchter mit den Kerzen. Auf dem dunklen Eichenbuffet an der Wand stehen links und rechts die beiden großen Bleikristall-Schüsseln, die John vor einigen Jahren eigens aus Böhmen hat kommen lassen. Die Fenster sind eingerahmt von hellen Gardinen aus feiner weißer Spitze.

Annie hat gerade den Kabeljau auf die Teller verteilt, als John von seiner Begegnung mit dem deutschen Unteroffizier erzählt. »Ich habe ihn zu uns auf die Hütte eingeladen, weil ich Mitleid mit ihm hatte.«

»Meinst du wirklich, dass das eine gute Idee ist?« Annie sieht ihren Mann erstaunt an.

»Nein, vielleicht nicht, aber ich hab es eben gemacht.«

Da wird es auf einmal still am Tisch. Die Frau, die später einmal meine Großmutter sein wird, hofft, dass der Deutsche die Einladung nicht annimmt. Lillian, ihre Tochter, sagt nichts.

Das Vaterland meldet sich in Croydon

Juni 1939

Es regnet an diesem warmen Abend im Juni 1939 in London. Dr. Helmut Crott kommt von der Arbeit nach Hause in seine kleine Wohnung in Croydon. Er ist seit Mai 1939 in der englischen Hauptstadt und von seinem Arbeitgeber, den Vereinigten Stahlwerken Düsseldorf, beauftragt, bei der Londoner Handelsgesellschaft des Unternehmens die Umstellung der Buchhaltung auf ein neuzeitliches Verfahren durchzuführen. Die Stelle hat er nach seinem Jurastudium bekommen. Für einen Berufsanfänger ein großes Glück – die Vereinigten Stahlwerke sind einer der bedeutendsten Konzerne im Reich.

In der Zentrale hat sich Helmut Crott schnell eingearbeitet und bald so gute Fachkenntnisse vorzuweisen, dass sein Unternehmen ihm die wirtschaftliche Überwachung seiner englischen Auslands-Handelsgesellschaft zutraut. Der junge Mann ist darauf nicht wenig stolz, vor allem nach seinen Erfahrungen während der letzten Jahre im Deutschen Reich.

Dr. Crott starrt auf den Brief, den ihm seine Eltern aus Wuppertal nach London nachgesandt haben. Es ist sein Einberufungsbefehl. Das amtliche Schreiben mit dem Hakenkreuz fordert ihn auf, ab dem 18. Juli 1939 an einer sechswöchigen Wehrübung teilzunehmen. Ausgerechnet ihn, der nach den Nürnberger Rassegesetzen als »Halbjude« gilt ... Crott schüttelt den Kopf.

Und überhaupt: Ist das schon ein Hinweis für einen bevorstehenden Krieg? Aber selbst wenn es nur bei dieser Übung bliebe, was würde nach den sechs Wochen passieren? Wird er in London weiterarbeiten können? Wäre es nicht besser, er ginge überhaupt nicht nach Deutschland zurück, sondern bliebe einfach hier?

Auf einmal sind alle Sorgen und Ängste wieder ganz präsent. Er hat natürlich mitbekommen, dass in Großbritannien Wehrpflichtige registriert worden sind, obwohl die britischen Streitkräfte bis jetzt eine Freiwilligenarmee waren. Deutet das nicht doch schon darauf hin, dass auch die Engländer sich auf einen Krieg vorbereiten?

Er beschließt, noch am selben Abend mit seinen Eltern zu telefonieren, um sich mit ihnen zu beraten. Aber ihm ist eigentlich schon jetzt klar, dass ein Missachten dieser Einberufung Konsequenzen für die Seinen zu Hause haben wird. Andererseits könnte ein Eintritt in die Wehrmacht doch auch Schutz für ihn und seine Eltern bedeuten. Wird das Vaterland jemandem, den es in seinen Dienst gerufen hat, auf Dauer die Anerkennung der bürgerlichen Rechte verweigern können?

Er hatte sich ja im Mai mit widersprüchlichen Gefühlen von seinen Eltern verabschiedet. Einerseits voller Erwartung und Vorfreude auf die Arbeit und das Leben in London, andererseits in großer Sorge, wie sich die Dinge in Deutschland und seiner Heimatstadt Wuppertal entwickeln würden. Zum Beispiel für seine Tante Tetta, die in einem jüdischen Altersheim in Wuppertal lebt. Tante Tetta, die stets so sorgenvoll fragte, ob er unter den neuen Gesetzen überhaupt sein Studium würde vollenden dürfen, und der er schließlich doch ein Exemplar seiner Dissertation mit der Widmung schenkte konnte: »Meiner lieben und besorgten Tante Tetta zugeeignet.«

Helmut Crott liebt diese Tante sehr. Vielleicht auch deshalb, weil sie eher wie eine Großmutter für ihn ist. Tetta war noch klein, als ihre Mutter starb. Einige Jahre später heiratete der Vater erneut und Carola kam zur Welt. Kurz darauf starb auch seine zweite Ehefrau. So hatte es Henriette übernehmen müssen, die kleine Schwester, von der sie nur Tetta genannt wurde, großzuziehen. Tettas eigenes Leben ist wegen dieser frühen Pflichten für die Familie auf der Strecke geblieben. Wenn Carola nun ihre ältere Schwester regelmäßig zu sich in die Wohnung holt, soll dies auch ein wenig eine Wiedergutmachung für diese Dienste sein.

Helmut Crott tritt ans Fenster und sieht den Leuten auf der Straße zu. Da gehen sie und leben sie – Mr Smith und Ms Smith, Mr Brown und Ms Brown, Mr Miller und Ms Miller, Menschen, für die es keine Rolle spielt, dass sein Vater 1912 ein Mädchen aus jüdischer Familie geheiratet hat. Hier in London ist alles so angenehm normal. Aber wenn er in Wuppertal Tante Tetta aus dem jüdischen Altenheim in der Königstraße abholt, dann muss er sich jedes Mal erst umsehen, bevor er die Stufen zum Eingang hochgeht. Jetzt heißt die Straße auch nicht mehr nach dem König, sondern »Straße der SA«.

Zum Glück heißt die Blumenstraße noch Blumenstraße, doch selbst der kurze Weg zurück zur Wohnung seiner Eltern kommt ihm jedes Mal wie ein Spießrutenlauf vor. Vor allem, weil die Dienststelle der Geheimen Staatspolizei in der Luisenstraße nicht weit ist.

Der Tante geht es ähnlich. Kaum dass die Tür ins Schloss gefallen ist, sinkt Tetta in den Lehnstuhl am Nähtisch und braucht erst einmal ein Glas Wasser.

Von seinem Vater weiß Helmut Crott, dass Tetta nun fast jeden Tag in die Blumenstraße kommt, denn die Wohnverhältnisse im Altenheim sind unerträglich geworden. In einem Haus, das einmal für 23 Bewohner geplant wurde, leben nun 80 Menschen auf engstem Raum zusammen. So sieht es nämlich die Verordnung über »Mietverhältnisse mit Juden« vor:

Jüdische Wohnungs- und Hauseigentümer müssen jüdische Mitbürger bei sich aufnehmen.

Helmut Crott tritt vor den Kleiderschrank und betrachtet sich im Spiegel. Sieht er jüdisch aus? Wie sehen Juden überhaupt aus? Verrät sein Gesicht, dass er eine jüdische Mutter hat? Das fragt er sich nicht zum ersten Mal. Er fragt es sich, seitdem die Angst Bestandteil seines Lebens geworden ist. Nur zu gut erinnert er sich an den Morgen des 10. November im letzten Jahr. Er sitzt im Zug nach Düsseldorf, auf dem Weg in die Vereinigten Stahlwerke A. G., und hört, wie die Leute darüber reden, dass in der Nacht die Wuppertaler Synagoge gebrannt hat, dass die jüdischen Geschäfte in der Berliner- und Herzogstraße geplündert worden sind. Kaum ist er in seinem Büro in der Düsseldorfer Innenstadt angekommen, ruft er seine Eltern an. Carola ist zunächst noch um Fassung bemüht. Doch dann fleht sie ihn an: »Komm heute Abend gleich nach Hause, hörst du, Junge?«

Helmut Crott hat den Gestellungsbefehl noch immer in der Hand. Wenn er an dieser Übung nun tatsächlich teilnimmt, werden sie ihn dann wieder auf eine Liste setzen, so wie damals an der Universität?

Norwegen kämpft um seine Neutralität

Februar – April 1940

Während Lillian ihrem Vater in den Februartagen 1940 dabei hilft, den Schnee vor dem Haus an der Halvdansgate wegzuschippen, bekräftigen die skandinavischen Außenminister auf einer Konferenz in Kopenhagen noch einmal die »absolute Neutralität« von Dänemark, Norwegen und Schweden. Genau die ist nämlich in den Wochen zuvor plötzlich infrage gestellt worden. Zunächst sogar durch die Alliierten, die inzwischen in ein völkerrechtliches Dilemma geraten sind. England und Frankreich sind bei ihren Überlegungen, wie sie unter dem Druck des zu erwartenden Angriffs auf Frankreich die deutsche Kriegswirtschaft empfindlich treffen können, schnell zu dem Schluss gelangt, dass das schwedische Erz aus Kiruna nicht mehr nach Deutschland gelangen darf.

Das Erz ist für Hitlers Rüstungsindustrie von großer Bedeutung. Im Winter geht der Transport nach Emden über den nordnorwegischen Hafen Narvik, der wegen des Golfstroms eisfrei bleibt. Die Briten haben die Norweger darüber in Kenntnis gesetzt, dass sie gegen diese Erzlieferungen an das Reich vorgehen werden. Außerdem haben sie Norwegen und Schweden um Durchmarscherlaubnis für jene alliierten Truppen gebeten, die Finnland im Krieg gegen die Sowjetunion unterstützen sollen.

Am 30. November 1939 hat der »Winterkrieg« zwischen der Sowjetunion und Finnland begonnen. Es geht um Gebietsansprüche Stalins. Finnland sieht seine Unabhängigkeit durch den mächtigen Nachbarn bedroht. Norwegen und Schweden begrüßen zwar, dass die Alliierten Finnland helfen wollen, verweisen aber auf ihre Neutralität und lehnen einen Durchmarsch fremder Truppen ab. Nach dem 13. März 1940 erübrigt sich die Finnland-Hilfe, weil Finnen und Sowjets einen Waffenstillstand unterschrieben haben.

Die zu verhindernden Erztransporte ins Deutsche Reich stehen aber nach wie vor auf der Tagesordnung der Engländer.

Am 28. März beschließt der Oberste Alliierte Kriegsrat in London, von nun an auch die neutralen Hoheitsgewässer Norwegens zu verminen, um »den Transport von schwedischem Eisenerz nach Deutschland zu stören«. Die Briten sind sich bewusst, dass dies eine Verletzung der Neutralität Norwegens bedeutet. Aber Winston Churchill, 1940 noch Marineminister, liefert bereits am 19. Dezember 1939 in einer Denkschrift die moralische Grundlage für ein solches Eingreifen:

> Im Namen des Völkerrechts, als tatsächlicher Vertreter der Prinzipien des Völkerbundes haben wir das Recht, ja die Pflicht, vorübergehend die Gültigkeit gerade der Gesetze aufzuheben, denen wir wieder Geltung und Sicherheit verschaffen wollen. Die kleinen Nationen dürfen uns nicht die Hände binden, wenn wir für ihre Rechte und ihre Freiheit kämpfen.

Churchills Position ist allerdings auch im englischen Kabinett umstritten und zeigt das Dilemma, in dem sich die Alliierten befinden. Das kommt vor allem in einem Schreiben des Foreign Office von Anfang 1940 zum Ausdruck, in dem der norwegischen Regierung mitgeteilt wird,

> daß es in der Politik Situationen gebe, in denen das geltende Recht und die Forderungen der allgemeinen Moral nicht mehr übereinstimmten ... Die Norweger sollten doch verstehen, daß ein deutscher Sieg das Ende der norwegischen Selbständigkeit bedeute und das Ende jeder nach den Regeln des Völkerrechts geführten Politik.

Der norwegische Außenminister Halvdan Koht erklärt daraufhin im Osloer Kabinett: »Wir sollten uns nicht so einstellen, dass wir auf der falschen Seite in den Krieg hineingeraten, wenn wir es nicht vermeiden können, hineingezogen zu werden.«

Am 8. April 1940 erfährt die norwegische Regierung, dass englische Zerstörer innerhalb ihrer Hoheitsgewässer südwestlich von Narvik im Rahmen der »Operation Wilfred« tatsächlich Minen legen. Das bringt sie in eine schwierige Situation, denn die Norweger wollen ihr Land unter allen Umständen neutral halten. Man verfasst eine Protestnote gegen die britische Minenlegung und hat gleichzeitig die Sorge, dass sich die Deutschen durch die britische Aktion provoziert fühlen. Es ist eine brisante Lage, aber dennoch soll die norwegische Armee noch nicht mobilisiert werden.

In Harstad ist die 6. norwegische Division stationiert. Als ihr Kommandeur, Generalmajor Carl Gustav Fleischer, gegen Mittag von seiner Regierung durch ein Telegramm über die Vorgänge an diesem 8. April informiert wird, ordnet er sofort, ohne auf einen expliziten Befehl aus Oslo zu warten, die Mobilmachung aller in Nordnorwegen stationierten Truppen an. General Fleischer ist 1940, so der Historiker Dirk Levsen, »ohne Zweifel der fähigste aller kommandierenden norwegischen Generäle.«

Kurz vor Mitternacht bekommt der norwegische Admiralstab davon Kenntnis, dass Schiffe unbekannter Nationalität in den Oslo-Fjord eindringen. Zuvor war schon die Meldung eingegangen, dass deutsche Kriegsschiffe Richtung Narvik unterwegs sind.

Premierminister Johan Nygårdsvold ruft daraufhin wieder die Regierung zusammen. Die Minister müssen erfahren, dass deutsche Truppen in Bergen, Trondheim, Narvik und in anderen Hafenstädten an Land gegangen sind.

Um 5.20 Uhr übergibt der deutsche Gesandte Kurt Bräuer dem norwegischen Außenminister Halvdan Koht ein Memorandum, das die norwegische Regierung über die vermeintlichen deutschen Pläne in Kenntnis setzt. Man komme nicht in »feindlicher Absicht«, sondern wolle verhindern, dass England Norwegen zu einem Kriegsschauplatz mache.

> Ich zwang mich dazu, kein Wort zu sagen, während er sprach und ich das Ultimatum durchging. Ich redete mir zu: Du darfst dir keinen Schrecken einjagen lassen. Ich begriff von all dem, was ich hörte und las: Dass die Deutschen die Macht in Norwegen haben wollten. Dass Hitler versprach, wir würden nach dem Kriege unsere Selbständigkeit wieder erhalten, konnte keine Wirkung auf mich haben; ich wusste allzu gut, wie viel seine Versprechungen wert waren. Mit einem Nazi-Regime in Verbindung zu stehen, das würde für ein demokratisches Norwegen ganz und gar undenkbar und unmöglich sein.

Während Bräuer auf eine Antwort wartet, geht Koth in sein Arbeitszimmer, um die dort versammelte Regierung zu informieren. Dann kommt er zurück und sagt: »Wir wollen unsere Selbständigkeit wahren.« Auf den Einwand Bräuers, es würde Kampf geben und es bestünde keine Aussicht auf Rettung, sagt Koth, »der Kampf ist schon im Gange.«

So nimmt der Krieg im Norden seinen Anfang. Trotz des entschiedenen militärischen Widerstandes der Norweger werden innerhalb der nächsten beiden Tage alle wichtigen norwegischen Häfen eingenommen. Gleichzeitig wird das ebenfalls neutrale Dänemark von deutschen Land- und Marinetruppen nahezu kampflos besetzt.

Ab jetzt sprechen wir nur noch Norwegisch

Sommer 1960

Mir wurde immer übel auf den langen Reisen nach Harstad. 3000 Kilometer.

Ich, das Kind hinten auf der Rückbank. Meistens sind wir über Schweden nach Norden gefahren, erst mit dem VW Käfer, dann mit dem Ford und später mit dem hellblauen Mercedes. Insofern wurde es immer komfortabler. Aber ich hasste diese lange Strecke, auf deren erstem Teil die Fahrt mit der Autofähre für mich noch das Spannendste war. Einiges war allerdings merkwürdig. Sobald wir die Fähre hinter uns hatten, stellte mein Vater das Auto immer ein paar Straßen weiter ab, wenn wir in irgendeinem Restaurant essen gehen wollten. Und die Anweisung »Ab jetzt sprechen wir nur noch Norwegisch!« fand ich damals ziemlich komisch.

Auch wenn die Straßen durch Norwegen in viel schlechterem Zustand waren als die Parallelstrecke durch Schweden, machten wir den zweiten Teil der Reise meist über die kurvenreichen, holprigen norwegischen Schotterstraßen. Dafür aber, wie meine Eltern fanden, durch unvergleichliche Landschaften. Keine endlosen Geradeaus-Fahrten durch die immer gleichen schwedischen Wälder.

Oslo, Lillehammer, Steinkjer, Fauske – so hießen die Stationen unserer Strecke, an denen wir übernachteten. Zu der sich verlässlich einstellenden Übelkeit kam später auf den Norwegen-Fahrten bei mir ein Gefühl von Traurigkeit und Einsamkeit dazu. Ich wäre mit 15 doch tausendmal lieber nach Italien oder an die Ostsee gefahren. Dort, wo das Leben war. Und meine Freundinnen aus der Schule. Stattdessen hockte ich 1967 in einem Hotel in einer verlassenen Gegend irgendwo bei Steinkjer, überließ mich einer depressiven Stimmung, dem Kassettenrekorder und *Eleanor Rigby* von den Beatles.

1954 geht es wieder nach Norwegen – diesmal mit Tochter

Vorsichtig löse ich ein Bild aus dem Fotoalbum, in das ich mich schon den ganzen Nachmittag vertieft habe, weil ich in eine andere Zeit eintauchen will. Das Bild stammt aus dem Jahr 1960. Das Foto muss am vierten Reisetag aufgenommen worden sein, denn dann hatten wir immer diese besondere Stelle an der Europastraße 6 von Mo i Rana nach Narvik erreicht. Hier, inmitten einer kargen Steinlandschaft, liegt der Polarkreis, und von hier aus ist es nur noch ein Reisetag bis Harstad. Deshalb blicke ich in meiner hellgrauen Hose und meinem roten Anorak wohl auch irgendwie erleichtert in die Kamera. Ich rechne nach: Ja, ich bin acht Jahre alt. Rechts von mir steht mein Vater in einer Blouson-Wildlederjacke, aus der ein Hemdkragen ragt, der genauso grau ist wie seine Haare. Die Hand meines Vaters liegt auf meiner Schulter. Links von uns dieser Sockel aus hellem Stein, darauf das quaderförmige Polarkreis-Denkmal mit dem stilisierten Globus aus dunklem Metall. Die Norweger nennen diese Stelle am 66. Breitengrad »Polarcirkel«, und so steht es auch auf dem Stein. Zusammen mit zwei Jahreszahlen: 1937 und 1940. Zwischen den Ziffern 19 und 40 gibt es einen weißen Fleck. Ich sehe ihn noch ganz deutlich auf der blass gewordenen Fotografie.

1960 stehen wir wieder am Polarkreis

Heute weiß ich: Hier war einmal ein Hakenkreuz eingeritzt. In einem Buch mit dem Titel »Kampf um Norwegen«, herausgegeben vom Oberkommando der Wehrmacht, schildern Soldaten ihre Erlebnisse in Norwegen 1940:

> Steil steigt die Straße durch enge Täler an, bis wir ein Hochplateau erreichen. Weit und breit ist kein Baum oder Strauch zu sehen. An einer Biegung treffen wir auf einen großen Stein, auf dem eine Erdkugel befestigt ist. In der Erdkugel ist der Polarzirkel eingelassen. Es ist ein geschichtlicher Augenblick: Wir überschreiten als deutsche Soldaten den Polarkreis. Einige Jäger haben sofort Hammer und Meißel herangeholt und graben ein großes Hakenkreuz in den Stein.

Am Tag vor der Ankunft in Harstad war ich immer voller Vorfreude und Aufregung. Ich wusste, morgen, wenn wir endlich in der Halvdansgate ankamen, würden alle da sein: Mein Großvater, Onkel Bjørn, Tante Alfhild, Onkel John, Tante Åshild, Tante Pus, meine Cousine May und Rolv, mein Cousin. Es würde ein Abendessen vorbereitet sein mit köstlichen Schnittchen, belegt mit geräuchertem oder mariniertem Lachs, Kjøttrull aus Rentierfleisch, eingelegtem Sild-Hering, meiner geliebten Leverpostei – Leberwurst – und dem von mir nicht gemochten Geitost – dem braunen Ziegenkäse. Und wie immer würde mich mein Großvater, während die anderen schon redeten und aßen, an die Hand nehmen und mit mir zu dem dunklen Eichenbuffet im Esszimmer gehen, die Schublade öffnen und mir hundert Kronen in die Hand drücken. Dabei würde er auf Deutsch »Das Taschengeld für die nächsten Wochen« sagen und sich zu mir hinunterbeugen. Und ich würde ihn umarmen und sagen: »Tusen takk, kjære Morfar!«

Hvem er Quisling?

April 1940

Am frühen Morgen des 9. April 1940 tobt ein Unwetter mit heftigem Schneefall und starkem Wind über Harstad. Der Dampfer der *Hurtigrute* hat angelegt und bleibt länger als üblich am Kai liegen. Lillian ist vom Schneesturm aufgewacht, geht nach unten ins Wohnzimmer und sieht, wie ihre Eltern mit entsetzten Gesichtern vor dem Radio sitzen. »Es ist Krieg, Lillian«, sagt die Mutter mit tonloser Stimme.

Soeben ist durchgegeben worden, dass die Deutschen ohne Kriegserklärung Norwegen angegriffen haben. Über die Hintergründe des Angriffs gibt es zunächst nur Gerüchte: Der deutsche Kreuzer *Blücher* sei im Oslofjord von Norwegern beschossen und versenkt worden. Viele Soldaten seien dabei umgekommen, aber einige Überlebende hätten sich auf die Ask-Inseln retten können.

Später würde man es genauer wissen: Die *Blücher* ist in Brand geschossen und torpediert worden, sodass sie um 7.23 auf der Position 59 Grad 42 Min. Nord und 30 Grad 36 Min Ost mit 125 Marinesoldaten und 195 Heeressoldaten an Bord untergeht. Die Ironie dabei: Die Geschütze, die neben den beiden Torpedos den Untergang der *Blücher* verursachten, sind deutsche 28-cm-Krupp-Kanonen aus Essen und tragen die biblischen Namen Moses, Aron und Joshua.

Die Berthungs sind von den Nachrichten wie gelähmt. Am Tag zuvor hat sie schon die Meldung aufgeschreckt, dass ein deutsches Truppentransportschiff von einem polnischen U-Boot in der Nähe von Lillesand torpediert worden ist. Die Überlebenden haben den Fischern, die sie retten konnten, erzählt, dass sie unterwegs nach Bergen gewesen sind.

Was wollen die Deutschen eigentlich dort? Und was sucht ein polnisches U-Boot in norwegischen Gewässern? Das Radio in der Halvdansgate läuft an diesem 9. April 1940 ununterbrochen, und die Meldungen überschlagen sich: Deutsche Soldaten marschieren durch die Straßen von Oslo, der Flugplatz *Sola* bei Stavanger liegt unter Beschuss, andere Städte werden ebenfalls bombardiert, die norwegische Regierung, das Parlament und der König befinden sich auf der Flucht nach Hamar.

Auch in Harstad, mehr als eintausend Kilometer nördlich, sind die Fanfaren des Krieges nun zu hören. Vor allem, nachdem jetzt zur allgemeinen Mobilmachung aufgerufen worden ist. Lillian und ihre Eltern erfahren aus den Nachrichten von einer fürchterlichen Seeschlacht bei Narvik, in der Hunderte umgekommen sein sollen. Ein deutscher General namens Dietl soll mit seinen Gebirgsjägern Narvik bereits eingenommen haben, und die norwegischen Panzerschiffe *Eidsvoll* und *Norge* sollen im Hafen versenkt worden sein.

Wenig später erklärt ein gewisser Vidkun Quisling im Radio, dass seine Nationale Regierung die Macht übernommen habe und jeglicher Widerstand eingestellt werden solle. »Hvem er Quisling – wer ist Quisling?« Lillian hat den Namen noch nie gehört. John antwortet knapp: »Ein Verräter aus Oslo.«

In den darauf folgenden Stunden kommen Meldungen, dass die Orte Elverum, Åndalsnes und Bodø von deutschen Stukas bombardiert wurden. Norwegische Soldaten kämpften gegen die vorrückenden deutschen Truppen im Süden des Landes. Viele wichtige und strategische Brücken sind gesprengt worden, um zu verhindern, dass der Feind vorrücken kann. Lillian und ihre Eltern hören diese Meldungen mit wachsender Angst. Es ist schließlich Annie, die fragt: »Wann kommen die Alliierten und helfen uns?«

Wie den Berthungs geht es an diesem Tag den meisten Norwegern. Sie sind von dem deutschen Überfall völlig überrascht. Die Norweger hatten zwar nach dem deutschen Angriff auf Polen im September 1939 befürchtet, dass dies kein Einzelfall bleiben würde, aber sie waren dennoch irgendwie sicher gewesen, dass der Krieg nicht bis zu ihnen in den Norden kommen würde: »Man glaubte ganz einfach, das Land sei eine strategische Peripherie, beschützt von der britischen Seemacht, und sowohl die politischen Behörden als auch die Allgemeinheit waren überzeugt, das Land könne sich, wie es im Ersten Weltkrieg der Fall war, auch aus dem zweiten heraushalten.«

Meine Suche beginnt

Mai 2010

Die Armbinde, der Essnapf und der Brustbeutel meiner Großmutter aus dem Konzentrationslager Theresienstadt (Terezín) liegen jetzt in meiner Schreibtischschublade. Meine Mutter hat sie mir überlassen. Sie hatte die Gegenstände nach dem Tod von Carola tief versteckt in deren Kleiderschrank gefunden.

Ich besorge mir einen zweiten Schreibtisch und ordne darauf die Bücher, die ich für meine Recherchen besorgt habe, darunter »Jüdische Mischlinge. Rassenpolitik und Verfolgungswahn 1933–1945«, »Hitlers jüdische Soldaten«, oder »Jüdische Studierende an der Universität zu Köln«.

Mein Vater hat Jura und Betriebswirtschaft studiert. In Frankfurt und Heidelberg, und im Wintersemester 1934/35 in

Köln. Irgendwo muss ich anfangen, warum nicht in der Nähe, also in Köln. Ich telefoniere mit dem Universitätsarchiv am Albertus-Magnus-Platz. Ja, man will gerne mal nachsehen, ob sich überhaupt etwas zum *stud. jur.* und *stud. rer. pol. Helmut Crott* findet.

Eine Woche später stehe ich vor dem Archivar und bekomme den *Zugang 28, Band 1* in die Hand gedrückt: »Akten der Universität Köln betr. Zulassung nichtarischer Studenten, Angefangen 1933«.

Auf Seite 89 finde ich die »Liste der im Winter-Semester 1934/35 an der Universität Köln immatrikulierten inländischen Nichtarier«. Die Namen stehen untereinander, ich muss nicht lange suchen, an siebter Stelle steht er, der Name meines Vaters: *Crott, Helmut, wiso., Händelstraße 18.* Warum nicht mehr Jura, warum »nur« noch *wiso.*, also Betriebswirtschaft?

Und in der Händelstraße hat er also gewohnt. Wie oft sind wir zusammen in Köln gewesen, mein Vater und ich. Aber nie hat er gesagt: Komm, ich zeig dir mal, wo ich in meiner Studienzeit gelebt habe. Und nie hat er irgendetwas aus seiner Studienzeit erzählt. Aber ich habe auch nie danach gefragt. War es eine unausgesprochene Vereinbarung? War es sein Wunsch? Oder habe ich irgendwann nur vergessen, danach zu fragen?

Ich muss kurz die Augen schließen. Im nüchternen Raum des Kölner Universitätsarchivs kommt so eine heiße Wut über mich auf die, die es für richtig gehalten haben, meinen Vater und die anderen Kommilitonen auf diese schändliche Liste zu setzen. Gleichzeitig spüre ich eine große Nähe zu meinem Vater, in dieser Intensität nur vergleichbar mit dem Gefühl, als ich seine Hand während seiner letzten Lebenstage hielt.

Doch da ist noch etwas. Etwas ganz Merkwürdiges. Vorne sitzt der Archivar an seinem Pult und hier hinten sitze ich, Randi C., 58 Jahre, Journalistin, Mutter eines erwachsenen Sohnes, und fühle Scham. Scham, auf einer solchen Liste zu stehen, denn auf diesem vergilbten Papier, auf dieser gottverdammten Liste steht ja mein Name, Crott. Und wären die Nationalsozialisten noch an der Macht, wäre ich die »Vierteljüdin«.

Als ich wieder draußen bin und durch den warmen Kölner Nachmittag zum Auto gehe, denke ich darüber nach, warum ich es mir eigentlich immer so genau überlege, wem ich etwas von meiner Familie erzähle.

Meistens habe ich es ja verschwiegen. Und ich will nicht leugnen, dass dies nicht selten auch aus Vorsicht geschehen ist. Ich beobachte selbst jetzt, bei der Suche nach den Spuren meines Vaters, die Gesichter derjenigen immer sehr genau, denen ich erzähle, um was es bei dieser Geschichte geht.

Wem gehört Norwegen

Dezember 1939

Ein deutsches Kanonenboot ist schon einmal in norwegischen Gewässern aufgetaucht, vor der Jahrhundertwende, 1889, und hat den deutschen Kaiser Wilhelm II. sozusagen als Touristen ins Land der Fjorde gebracht. Es muss Seiner Majestät dort wohl gefallen haben, denn bis zum Beginn des Ersten Weltkriegs kam der Kaiser jeden Sommer auf der Yacht *Hohenzollern* an die norwegische Küste und mit ihm auch der deutsche Hochadel.

Ende der dreißiger Jahre macht man in Berlin keine Pläne mehr für Urlaubsreisen nach Norwegen, jetzt will man sich des Landes bemächtigen. Skandinavien hat für die Kriegsführung der Deutschen eine wichtige strategische Bedeutung. Die Besetzung Skandinaviens würde ihnen die Vorherrschaft über Ost- und Nordsee bringen und den Zugang zum Atlantik und zum Nordmeer ermöglichen. Wichtige Trümpfe im Kampf gegen England.

Am Tirpitz-Ufer in Berlin, dem Sitz des Oberkommandos der Marine, ist es vor allem der Oberbefehlshaber der Kriegsmarine, Erich Raeder, der von der Notwendigkeit der Okkupation überzeugt ist, um nicht wie im Ersten Weltkrieg in der Deutschen Bucht festzusitzen. Er hat deshalb die Stützpunktfrage schon 1938 und 1939 von seinen Stäben prüfen lassen. Nach Kriegsbeginn im September 1939 sind diese Überlegungen wieder aktuell geworden. Raeder, mittlerweile Großadmiral, erklärt in einer Lagebesprechung am 3. Oktober 1939, es sei notwendig, »den Führer baldmöglichst mit den Überlegungen der SKI (Seekriegsleitung) über die Möglichkeiten zur Ausweitung der Operationsbasis nach Norden vertraut zu machen«.

In Karl Dönitz, dem Befehlshaber der U-Boote, findet Raeder große Unterstützung, aber Hitler selbst reagiert zunächst zurückhaltend auf solche Gedankenspiele. Für ihn hat die Westoffensive zur Unterwerfung Frankreichs absoluten Vorrang, und er betrachtet andere Unternehmungen als eine gefährliche Verzettelung der Kräfte. Großadmiral Raeder lässt sich die Sache jedoch nicht ausreden und gewinnt die Zustimmung von Generalmajor Alfred Jodl im Oberkommando der Wehrmacht.

Vorläufig jedoch stagniert das Projekt. Am 8. Dezember 1939 versucht Raeder noch einmal, Hitler für eine Besetzung Norwegens zu erwärmen. Doch Hitler reagiert nach wie vor abweisend. Da bekommt Raeder Hilfe von unerwarteter Seite: Der norwegische Ex-Major Quisling, dessen Name später zum Synonym für Landesverrat schlechthin wird, fährt nach Berlin und trifft dort am 11. Dezember Erich Raeder. Nach diesem Gespräch notiert Hitlers Chefideologe Alfred Rosenberg in sein Tagebuch: »Eben mit Raeder gesprochen. Er sagte: Wie ein Wink des Schicksals. Er hält morgen dem Führer Vortrag.«

Vidkun Quisling, der seine rotblonden Haare ähnlich wie sein Vorbild Hitler gescheitelt trägt, ist Anfang der dreißiger Jahre einmal für zwei Jahre norwegischer Verteidigungsminister gewesen. Viele seiner Landsleute hatten das für einen Skandal gehalten, weil Quisling immer mehr in faschistisches Fahrwasser geriet.

Nach 1933 gründet Quisling die Nasjonal Samling, eine Partei, die – dem Leitbild der NSDAP entsprechend – strikt nach dem Führerprinzip aufgebaut ist.

Nach seinem Gespräch mit Quisling präsentiert Raeder das Ergebnis sofort seinem Führer. Das Protokoll dieses Treffens hält fest:

> Q., früher Kriegsminister, Führer der Nationalen Partei, macht zuverlässigen Eindruck, berichtet: Stimmung in N (Norwegen) sehr stark gegen Deutschland eingestellt. Einfluß Englands sehr groß, vor allem durch Storting Präsident Hambro (Jude und Freund von Hore Belisha), der in N. zur Zeit allmächtig [sei].

Es war Quisling, der Raeder darauf hingewiesen hat, dass der norwegische Parlamentspräsident Jude sei und deshalb natürlich mit dem jüdischen Kriegsminister Großbritanniens Leslie Hore Belisha unter einer Decke stecken müsse. Raeder berichtet Hitler zudem, dass nach Quislings Einschätzung eine englische Besetzung Norwegens bereits beschlossene Sache sei. Und er fügt hinzu:

> Q. hat gute Beziehungen zu Offizieren des n. Heeres und hat Anhänger in wichtigen Plätzen und in wichtigen Stellungen. Q. ist bereit, in solchem Fall die Regierung zu übernehmen und Deutschland zu Hilfe zu rufen.

Hitler lässt sich von Raeders Bericht umstimmen und empfängt Quisling und dessen Mitarbeiter Hagelin in den folgenden Tagen zweimal. Jodl kann daraufhin am 13. Dezember in sein Tagebuch eintragen: »17.00 Uhr Führer befiehlt, dass mit kleinstem Stab die Untersuchung geführt wird, wie man sich in den Besitz Norwegens setzen kann.« Raeder hat damit sein Ziel erreicht.

So werden an jenem 13. Dezember 1939 in Berlin nicht nur die Weichen für den Krieg im Norden gestellt, sondern auch für die Begegnung zwischen der Norwegerin Lillian und dem deutschen Soldaten Helmut. Ohne ihre Liebe gäbe es mich nicht.

Abschlussball

Dezember 1939

In Harstad ist Lillian in diesen Dezembertagen mit ihrem Kleid für den Abschlussball beschäftigt. Tore hat sie gefragt, ob sie seine Tanzpartnerin in der Offiziers-Tanzschule sein will. Der Termin des Abschlussballs soll der 7. Januar 1940 sein. Die Witwe Pettersen, eine Schneiderin aus der Nachbarschaft, ist seit Wochen damit beschäftigt, das Ballkleid und das dazu passende kleine Bolero-Jäckchen zu nähen. Beides aus hellgrüner Taftseide, so grün wie Lillians Augen.

Heute geht sie schon zur dritten Anprobe in die Sverresgate, wo Frau Pettersen mit ihren Söhnen Robert und Alf wohnt. »Alf ist jetzt bald fertig mit seiner Elektrolehre und hat schon die Zusage für eine Anstellung, er ist so lieb und hilfsbereit«, erzählt Frau Pettersen, während Lillian sich vorsichtig das Kleid überstreift, »und wir können seinen Lohn hier im Hause wirklich gut gebrauchen.«

Lillian nickt der Schneiderin mitfühlend zu und hat dann nur Augen für ihr Kleid. Sie dreht sich vor dem Spiegel und findet sich wunderschön in ihrer ersten Ballrobe, den dazu passenden Schuhen und der kleinen Handtasche, die sie vorsichtshalber zur Anprobe mitgenommen hat. »Du siehst sehr schön aus, Lillian«, bestätigt Frau Pettersen und schaut sie zufrieden an. »Ich muss nur den Saum noch umnähen, dann kannst du dein Kleid morgen Abend abholen.« Lillian umarmt die Schneiderin und läuft fröhlich die Treppen hinunter. Den 7. Januar kann sie kaum erwarten.

Als dieser Tag endlich da ist, holt Tore sie pünktlich um sieben Uhr zu Hause ab. Er sieht sehr erwachsen aus in seiner Uniform und den weißen Handschuhen. Es ist das erste Mal, dass er zu Lillian nach Hause kommt, und sie ist ein bisschen verlegen, als sie ihn ihren Eltern vorstellt. Eigentlich ist es nicht üblich, dass männliche Freunde zu den Familien der Töchter kommen. Lillian hat Tore durch Annemarie, eine Freundin aus dem Skiclub, kennengelernt. In Annemaries Elternhaus geht es viel freier und großzügiger zu als in den anderen Familien, sie darf immer junge Männer mit nach Hause bringen. Das wissen Lillians Eltern, halten es aber selbst nicht für angebracht.

»Ihr werdet sehen, Tore ist ein sympathischer, höflicher junger Mann. Sein Vater ist Förster«, hat Lillian ihnen erzählt und gehofft, dass sie das für ihn einnehmen würde.

»Na, dann passen Sie mal gut auf unsere Lillian auf!« John Berthung schüttelt dem jungen Offiziersanwärter freundlich die Hand. Annie wünscht den beiden einen schönen Abend, ruft aber noch hinterher: »Lass es nicht ganz so spät werden!«

An der Garderobe der Offiziersschule geben die Frauen ihre Mäntel ab und tauschen ihre Stiefel gegen feine Schühchen. Vor dem großen Saal wartet General Carl Gustav Fleischer, der Kommandeur der 6. norwegischen Division, mit seiner Frau darauf, an der Spitze der Polonaise den Abend zu eröffnen. Es ist jener General, der drei Monate später die Mobilmachung in Nordnorwegen anordnen wird, ohne einen entsprechenden Befehl aus Oslo abzuwarten.

An diesem Abend im Januar 1940 wollen aber weder er noch die Offiziere und Unteroffiziersanwärter, die ihm mit ihren Damen in den Saal folgen, vom Krieg etwas wissen.

»Das habt ihr aber schön geschmückt«, flüstert Lillian Tore zu, während die beiden nach ihren Tischkarten suchen und schließlich in der zweiten Reihe ihren Platz finden. Auf der rotgold leuchtenden Bühne spielt die in ganz Nordnorwegen bekannte *Ready Band* Glenn Millers *In The Mood.*

Es wird ein großer Abend, und die Tanzschüler können nun zeigen, was sie in den letzten Monaten gelernt haben. Ihre Tanzlehrerin Hansia Rue Dösen, eine etwas steife Dame, sitzt am Tisch des Generals und verfolgt selbst an diesem Abend die Tanzenden mit prüfenden Blick. Lillian schwebt in ihrem grünen Ballkleid im Arm von Tore durch den Saal. Sie fühlt sich herrlich und wünscht, dass dieser Abend niemals ein Ende nehmen wird. Tore wird nicht müde, ihr immer wieder Komplimente zu machen. In den Tanzpausen gibt es ein Bühnenprogramm mit Sketchen und anderen Darbietungen. Tutti Brun steppt auf der Bühne und imitiert den bekannten amerikanischen Tanzstar Eleanor Powell. Später tanzt Ada Jensen auf Spitze den »Schwanentod«. Lautlos bewegt sie sich auf ihren Schuhen, wunderschön anzusehen in ihrem weißen Ballettkleid, und die Begeisterung ist groß. Hansia Rue Dösen, die auch ihre Choreografin ist, ist aufgestanden und beobachtet gespannt Adas Bewegungen. Sie scheint zufrieden zu sein. Später tanzt Ada einen temperamentvollen ungarischen Bauernmädchentanz, und in ihren roten Stiefeln und dem Kostüm in den kräftigen Farben wirkt sie sehr echt. Es gibt großen Applaus. In einem der Seitenräume ist ein Buffet aufgebaut, aber Alkohol ist verboten.

Nachdem der General seine Rede gehalten und allen Beteiligten für den gelungenen Abend gedankt hat, spielt die Band um Mitternacht zum letzten Tanz auf. Der Ball ist vorbei. Hand in Hand gehen Lillian und Tore durch die kalten nachtstillen Straßen und bleiben vor dem Gartentor der Halvdansgate 16 stehen. Jetzt tanzt nur noch das Polarlicht in unterschiedlichen Grüntönen, und der Schnee liegt funkelnd auf der Stadt. »Es war ein schöner Abend, nicht wahr?« Sie fühlt, wie sich sein Arm um ihre Schultern legt. Dann sieht sie Licht im Wohnzimmer. Sie weiß, dass man sie erwartet.

»Danke, Tore, ich muss jetzt reingehen«, sagt sie und küsst ihn schnell auf die Wange. Lillian ärgert sich an diesem Abend über ihre Eltern. Sie hätte lieber ein bisschen länger mit Tore so vor dem Haus gestanden. Sie weiß, dass seine Kameraden mit ihren Tanzpartnerinnen noch zu Björg nach Hause gegangen sind, um weiterzufeiern, denn deren Eltern sind nicht da.

Nachdem sie Annie und John kurz berichtet hat, wie der Abend verlaufen ist, geht Lillian in ihr Zimmer. Sie ist selig, das Leben ist wunderbar! Wie es wohl mit Tore weitergeht? Auf jeden Fall, da ist sie sich sicher, will sie nicht so schnell heiraten und Kinder bekommen. Sie träumt von einer guten Ausbildung. Ja, sie will Archäologin werden, denn das hat sie immer fasziniert. Stundenlang kann sie sich in die Bücher über Troja und über das alte Ägypten vertiefen, die unten in den Regalen in der Bibliothek ihrer Eltern stehen.

Heil Hitler, Herr Crott!

Winter 1939

Danzig. Zweitausend Kilometer südlich von Harstad. Aus Herrn Dr. Helmut Crott ist inzwischen der Gefreite Crott geworden. Statt des Geschäftsanzugs der Londoner City trägt er nun die feldgraue Uniform der deutschen Wehrmacht. Und zu der passt kein Regenschirm, sondern der Karabiner 98k. Crott ist dankbar, dass er wenigstens Lenchen und Lieschen hat, um die er sich kümmern muss und die in diesem verdammt kalten Januar, dem kältesten seit hundert Jahren mit Temperaturen bis zu 28 Minusgraden, ein bisschen von ihrer Wärme an den jungen Soldaten abgeben.

Lenchen und Lieschen sind zwei Haflinger-Pferde und tun ebenso wie Crott seit dem Spätherbst 39 ihren Dienst in der Wehrmacht. Genauer gesagt in der 196. Divison, die als Infanterietruppe der 7. Aufstellungswelle im Wehrkreis XX in Danzig zusammengezogen worden ist. Sie wird kommandiert von Generalmajor Richard Pellengahr.

Am frühen Morgen des 17. Dezember läuft Crott noch vor dem ersten Drill zu seinen beiden Schützlingen hinaus auf die Koppel. In der Hosentasche hat er drei Zuckerstücke, die er sich am Abend vorher in der Kantine eingesteckt hat. Dann steht er zwischen den beiden Pferden, die ihre weichen Mäuler an seiner Schulter reiben.

»Ihr könnt jetzt euer Gedicht aufsagen!«, flüstert er ihnen zu. »Ich habe heute nämlich Geburtstag. Den 26., falls euch das was sagt. Zur Feier des Tages gebe ich einen aus«. Zunächst bekommen Lenchen und Lieschen ihr Zuckerstück, dann ist er selbst an der Reihe.

»Das richtige Fest steigt erst heute Abend mit Tanz und Buffet. Wollt ihr alleine oder in Herrenbegleitung kommen?« Die Pferde schütteln die Köpfe.

»Also alleine.«

Crott greift in die flachsfarbenen Mähnen der beiden Tiere und bedankt sich für die Zusage. Dann wird ihm der Hals auf einmal eng. Weil ein Soldat aber nicht weint, macht Crott kehrt und rennt wieder zurück zur Kompanie.

Seit dem 18. Juli 1939 ist Crott nun Soldat. Aus den sechs Wochen Wehrübung sind bis jetzt fünf Monate Wehrdienst geworden. Die Mannschaften in Pellengahrs Division kommen aus dem Rheinland und aus Westfalen. Die ersten Wochen hat Helmut mit der Grundausbildung in Wesel verbracht, aber der Drill findet hier im Osten des Reiches statt. Pellengahrs Stab befindet sich in Zoppot, nordwestlich von Danzig. Die drei Infanterieregimenter sind auf verschiedene Orte in West- und Ostpreußen verteilt. Zum 345. Regiment gehört im Winter 1939/1940 auch Crott. Immer wieder gibt es Verlegungen, und Crott und die anderen fühlen sich in diesem ersten Kriegswinter manchmal eher als Landstreicher denn als Soldaten.

In den *Danziger Neuesten Nachrichten* steht, dass wegen der Witterungsverhältnisse Dreiviertel der Kinder in der Schule fehlen. Die Öfen schaffen es bei dem anhaltenden Oststurm einfach nicht, den Klassenraum zu erwärmen, und die Tinte gefriert in den Tintenfässern.

Obwohl Crott den Sport und die Bewegung liebt, macht ihm der harte Drill doch zu schaffen. London ist in jeder Hinsicht weit, aber manchmal, wenn er abends erschöpft mit den anderen in dem Klassenzimmer der alten Schule liegt, in dem sie zum Schlafen untergebracht sind, träumt er sich weg und denkt an seine Zeit in London. Er denkt an Bobby Riggs, den Amerikaner, der im Juli 1939 nach dem Sieg über seinen Landsmann und Doppelpartner Elwood Cooke Wimbledon-Sieger geworden ist. Helmut Crott hatte für das Turnier, das das letzte vor dem Krieg sein sollte, zwar keine Karte bekommen können, aber er kennt Wimbledon. Schon bald nach seiner Ankunft in London ist er dorthin gefahren, um sich den berühmten Rasen aus der Nähe anzusehen.

Crott mag den weißen Sport, seitdem er sich als Balljunge ein paar Pfennige im Wuppertaler Tennisclub verdient hat. Das Spielen konnte er sich dabei mehr oder weniger durch Anschauung selbst beibringen. Sein Talent ist so auffallend, dass Anfang der dreißiger Jahre nach einem Spiel ein Mann auf Helmuts Vater zukommt und seinen Sohn für die Nationalmannschaft werben will. Zu der Zeit macht ein Gottfried von Cramm von sich reden, der später die Nummer zwei der Weltrangliste werden soll. Von Cramms Eltern haben ihrem Sohn erlaubt, sein Jura-Studium abzubrechen und sich ganz auf die Tenniskarriere zu konzentrieren. Helmut Crotts Vater vertritt jedoch eine andere Auffassung. Sein Sohn soll ebenfalls Jura studieren. Aber bitte mit Abschluss.

Trotzdem bleibt Tennis die große Leidenschaft Crotts. Obwohl er mit seinen 1,68 kein Spieler-Gardemaß hat, ist er durch sein intelligentes und variables Spiel sehr erfolgreich.

Niemand im Klub kann die Stoppbälle so gefühlvoll setzen, niemand die Lobs so effektvoll über den Gegner hinwegspielen, und niemand ist so schnell wie er vorn am Netz oder zurück an der Grundlinie.

Der junge Crott ist überaus beliebt in seinem Tennisclub, man schätzt dort nicht nur sein schönes Spiel, sondern auch seinen Humor, seinen Witz, und die Spielerinnen vor allem seinen Charme.

Als er an einem Wochenende im April 1933 aus Frankfurt nach Wuppertal fährt, um wieder einmal in seinem Klub Tennis zu spielen, wird er allerdings hinausgeworfen.

Auch jetzt, sieben Jahre später, ist ihm noch immer alles so gegenwärtig, als wäre es erst gestern gewesen: Er kommt in den Klub, Maser, der Vorsitzende, fasst ihn am Ärmel und zieht ihn in eine Ecke: »Mensch, Helmut, das geht nicht mehr! Du weißt doch, wie die Dinge im Reich jetzt stehen. Mir sind die Hände gebunden, aber du kannst einfach nicht mehr in unserem Klub spielen. Heil Hitler, Herr Crott ...«

Crott wirft sich unter seinem Soldatenmantel hin und her.

»Heimweh, Kamerad?«, brummt der Mann neben ihm auf dem kalten Steinfußboden. »Jetzt schon? Der Krieg hat doch noch gar nicht richtig angefangen.«

Weserzeit ist 5.15 Uhr

Januar – April 1940

Anfang 1940 liegt Hitler die *Studie Nord* vor. Sie zeigt, wie die Besetzung Norwegens vonstatten gehen kann. Jetzt wird neben strategischen Gesichtspunkten auch das schwedische

Erz thematisiert. Über die Hälfte allen Eisenerzes für die deutsche Rüstungsindustrie kommt zu diesem Zeitpunkt aus dem schwedischen Kiruna, und besonders die Stahlwerke im Ruhrgebiet werden von diesen Erzquellen über Narvik versorgt.

Am 20. Februar 1940 ernennt Hitler General Nikolaus von Falkenhorst zum Oberkommandierenden für die Besetzung Norwegens und Dänemarks. Der General hat zu dem Zeitpunkt keinerlei Kenntnisse über Norwegen. Nachdem er die Reichskanzlei verlassen hat, geht er in die nächste Buchhandlung und kauft sich erst einmal Baedekers »Norwegen – Handbuch für Reisende«.

Am 28. Februar wird Generalmajor Richard Pellengahr, der Chef der 196. Infanteriedivision, zu der auch der Gefreite Crott gehört, in den Bendlerblock in Berlin einbestellt. In einem vertraulichen Gespräch mit von Falkenhorst erfährt er von den Plänen Hitlers und ist genauso überrascht wie zuvor sein Gesprächspartner. Es ist nicht bekannt, ob von Falkenhorst ihm sein gerade angeschafftes Exemplar des norwegischen Reiseführers überlassen hat oder ihm den Tipp gegeben hat, sich das Buch selbst zu besorgen. Pellengahr erinnert sich jedenfalls später, dass er mit einem Baedeker unter dem Arm nach Hause fuhr. »Während der gesamten Rückfahrt war ich mit all den Fragen beschäftigt, die sich im Zusammenhang mit dieser Operation auftaten.«

Vierzehn Tage später wird das Unternehmen aktenkundig:

> Die Entwicklung der Lage in Skandinavien erfordert es, alle Vorbereitungen zu treffen, um mit Teilkräften der Wehrmacht Dänemark und Norwegen zu besetzen (»Fall Weserübung«). Hierdurch soll englischen Übergriffen nach Skandinavien und der Ostsee vorgebeugt, unsere Erzbasis in Schweden gesichert und

> für Kriegsmarine und Luftwaffe die Ausgangsstellungen gegen England erweitert werden. Kriegsmarine und Luftwaffe fällt im Rahmen der gegebenen Möglichkeiten die Sicherung des Unternehmens gegen das Eingreifen englischer See- und Luftstreitkräfte zu. ... Grundsätzlich ist anzustreben, der Unternehmung den Charakter einer friedlichen Besetzung zu geben, die den bewaffneten Schutz der Neutralität der nordischen Staaten zum Ziel hat. Entsprechende Forderungen werden mit Beginn der Besetzung den Regierungen übermittelt werden.

So formuliert es Hitler unter Punkt 1 in der dann am 1. März 1940 erlassenen Weisung. Der Überfall auf Dänemark und Norwegen hat ab jetzt einen Namen: »Weserübung«. Unter Punkt 3 steht:

> Von größter Bedeutung ist, daß unsere Maßnahmen die nordischen Staaten wie die Westgegner überraschend treffen. Dem haben alle Vorbereitungen, insbesondere die Art der Bereitstellung des Laderaumes und der Truppen, ihre Einweisung und ihre Verladung Rechnung zu tragen. Können Vorbereitungen für die Verschiffung nicht mehr geheimgehalten werden, sind Führern und Truppen andere Ziele vorzutäuschen. Der Truppe dürfen die wahren Ziele erst nach dem Auslaufen bekannt werden.

Der Überfall auf Norwegen und Dänemark wird die Neutralität dieser beiden Länder verletzen. Inzwischen hat die historische Forschung belegt, dass die Deutschen nicht etwa einer britischen Invasion zuvorgekommen sind. Auch wenn die Briten am 5. April 1940 vor der nordnorwegischen Küste Minen legten (»Operation Wilfred«), ist dies am Ende doch von anderer Qualität als der Überfall auf ein Land.

Entgegen der These, es habe sich um einen Wettlauf der beiden Admiralitäten gehandelt, stellen Historiker heute fest, »dass die Operation *Weserübung* keineswegs ein Präventivunternehmen, sondern eine blanke Aggression gewesen ist.« Großadmiral Raeder hätte zu einem Zeitpunkt Stützpunkte für seine Marine in Norwegen verlangt, als noch keine ernsthaften englischen Absichten bekannt gewesen wären.

Zwischen dem 9. und 12. März 1940 sammelt sich das 196. Infanterieregiment von Generalmajor Pellengahr rund um Danzig. Wenige Tage später, am 20. März, meldet General Nikolaus Falkenhorst, dass die Vorbereitungen abgeschlossen sind, einen Monat nach dem ersten Treffen mit Hitler.

Nur Falkenhorst und wenige Eingeweihte wissen, was das zu bedeuten hat. Helmut Crott und seine Kameraden wissen es nicht. Das Regiment bekommt den Auftrag, die Zeit mit Belastungstests und Marschübungen zu nutzen, selbst der schlimmste Fall soll durchgespielt werden, dass alle Pferde, Fahrzeuge und das ganze Material unterwegs verloren gehen: »Das wird geübt!«, kommt es zackig aus dem Mund des Oberleutnants.

Am 26. März legt Hitler als Termin für den Beginn der Landungsoperation in Norwegen und Dänemark den 9.4.1940, den »Wesertag«, fest, »Weserzeit«: 05.15 Uhr. Die gleichzeitige Besetzung Dänemarks war schon allein wegen des reibungslosen Nachschubtransports beschlossen worden. Am 4. und 5. April sollen die ersten mit Kriegsmaterial beladenen Tanker und Frachtschiffe als Kohletransport getarnt mit Kurs auf Norwegen auslaufen, ab dem 6. April die Einschiffung der Truppen erfolgen, und am Abend des 8. April, so der Plan, sollen sich dann alle für Norwegen vorgesehenen Kriegsschiffe auf See befinden.

Die Kompanien des 196. Infanterieregiments von General Pellengahr wissen nichts Genaues. Was steht ihnen jetzt eigentlich bevor? Geht es nach Westen, gegen Frankreich? Die Mutmaßungen verstummen nicht gerade, als die Mannschaft scharfe Munition ausgeteilt bekommt, aber dann heißt es auf einmal, dass die gesamte 196. Division nur an einem großen Manöver teilnehmen wird. Kurz kommt der Befehl, dass alle ihre Sachen packen sollen und niemand mehr einen Brief nach Hause schreiben darf.

Rund um Danzig setzen sich Kolonnen in Bewegung. Helmut Crotts Kompanie bricht von Glettkau aus auf, wo sie in den letzten Wochen stationiert gewesen ist. Sie gehen in Reih und Glied auf Gotenhafen zu. In Zopot, dem Standort von Pellengahrs Stab, grüßt der General vom Kübelwagen aus jede einzelne Abteilung. In einer der Dreierreihen marschiert Crott an ihm vorbei. Der Stahlhelm bedeckt seinen Kopf dabei fast bis zu den Augenbrauen, aber er kann doch einen Blick auf den General werfen. Crott fragt sich, wie er den Ausdruck in dessen Gesicht deuten soll. Der General scheint wenig Zuversicht zu haben.

Eine Kolonne nach der anderen nähert sich dem Hafen. Der Marschtritt der eisenbeschlagenen Knobelbecher und der Gesang aus rauen Kehlen schallt durch die Gassen der Stadt: »Oh du schöner Westerwald«. Einige singen auch »Westerwall«. Offenbar sind sie in Gedanken schon an der Westfront.

Als der Gefreite Crott am Abend des 7. April 1940 in Gotenhafen an Bord des Frachtschiffes *Wigbert* geht, hat auch er nicht die geringste Ahnung, wohin die Reise geht. Er kennt nur den Tagesbefehl: »Manöver in der Ostsee«.

»Dafür kommen aber zu viele Pferde an Bord«, denkt er, als er seine Haflinger Lenchen und Lieschen im Käfig am Ladekran hängen sieht. Aber Crott hat sich längst verboten, über so etwas nachzudenken, mittlerweile erscheint ihm alles absurd.

Treppe D

April 1940

An Bord der *Wigbert* hat alles seine militärische Ordnung, nachdem die Marine das ehemalige Frachtschiff übernommen hat. Man teilt unter Deck die vier Kompanien auf die Kojen ein, dann geht es um die Fluchtwege. Kompanie angetreten! Zuhören! Im Falle eines Feindbeschusses mit darauf folgendem Untergang hat die erste Kompanie gefälligst die Treppe A, die zweite die Treppe B, die dritte die Treppe C und die vierte die Treppe D nach oben zu benutzen. Verstanden?

Crott nimmt Haltung an und brüllt wie alle anderen: »Jawoll, Herr Hauptmann!«

Beim Abtreten fragen sich die Männer, wer denn bei einem Manöver auf der Ostsee auf sie schießen soll. Die *Wigbert* gehört zur zweiten Seetransportstaffel, die im Rahmen der Operation »Weserübung« am 8. April um 16 Uhr den Ostseehafen Gotenhafen verlässt. Insgesamt besteht die Seetransportstaffel aus 11 Schiffen mit 8701 Männern, 945 Pferden, 453 Fahrzeugen und 4200 Tonnen Material.

Zunächst soll sich niemand von den Mannschaften an Deck sehen lassen. Wo es nötig ist, müssen Wolldecken übergelegt werden, damit die feldgraue Uniform nicht zu erkennen ist. Denn es besteht ja die Möglichkeit, dass man durch das Periskop eines U-Bootes beobachtet wird. Noch ist alles geheim.

Erst als die Schiffe die Halbinsel Hela umfahren haben, dürfen die Offiziere die Umschläge mit den Befehlen entsiegeln. Und so ist die Überraschung zuerst bei den Offizieren und später bei den Mannschaften groß, als sie erfahren, dass es nach Norwegen gehen soll.

Am 9. April befinden sich die Schiffe südlich der dänischen Inseln. Am Morgen des 10. April nehmen die elf Schiffe eine Konvoi-Formation ein. Jetzt fahren sie in Dreierreihen. Die *Wigbert* fährt in einer Reihe mit der *Rosario* und der *España*, auf der General Pellengahr mit seinen Stabsoffizieren ist.

Die See ist ruhig, und wer an Deck ist, freut sich über den ersten warmen Frühlingstag. Es ist kurz nach 12 Uhr, als General Pellengahr einen Funkspruch aus der ersten Reihe des Konvois empfängt. Die *Hamm* ist in der Höhe Göteborg von einem englischen U-Boot angegriffen worden. Pellengahr ist zutiefst beunruhigt, seine schlimmsten Befürchtungen sind wahr geworden: Im Kattegatt lauern britische U-Boote. Die nächsten Stunden verlaufen zwar ohne besondere Vorkommnisse, aber in den frühen Abendstunden melden auch die *Wigbert* und die *Friedenau* Treffer.

Schiffsposition 57 Grad 27 Minuten Nord, 10 Grad 46 Minuten Ost: Der Gefreite Crott liegt in seiner Koje. Plötzlich wird das Schiff von einem starken Schlag erschüttert. Crott fliegt aus seiner Koje und findet sich auf dem Boden wieder. Das Durcheinander unter Deck ist unbeschreiblich.

»Wir haben einen abgekriegt, raus, nach oben«, brüllt Crott und seine Augen suchen nach der für seine Kompanie vorgesehenen Treppe, aber die ist nicht mehr vorhanden. Er bahnt sich einen Weg durch das Gewühl, findet endlich die einzige noch bestehende Treppe und stürzt nach oben. Das Schiff neigt sich schon bedrohlich mit dem Heck ins Wasser, und die ersten Soldaten lassen sich ins Meer fallen. Plötzlich brüllt eine Stimme: »Jetzt springt niemand, jetzt springt Oberstleutnant Dr. Pohl!«

Darauf ruft Crott: »Was heißt hier Pohl? C kommt vor P, jetzt springt Gefreiter Dr. Crott!« Schon hat er seine schweren Stiefel ausgezogen und springt mit der Schwimmweste in die Tiefe. Nur schnell weg, bevor das Schiff sinkt und alle mit nach unten zieht.

Das eiskalte Wasser des Kattegatts nimmt ihm fast den Atem, aber er schwimmt mit aller Kraft los, denn er schwimmt um sein Leben. Um ihn herum andere Köpfe, zappelnde Arme und furchtbare Schreie von denen, die im auslaufenden Öl verbrennen.

Crott schwimmt immer weiter, nur weg vom Schiff. Weg von dem drohenden Sog. Nach einer Weile wagt er einen Blick zurück und sieht die *Wigbert* untergehen. Ein Soldat, der sich in die oberste Mastspitze geflüchtet hat, wird in hohem Bogen über das Meer geschleudert.

Crott werden die Beine lahm, die Kälte kriecht an ihm hoch. Überall Wrackteile um ihn herum, überall Schreie. Köpfe verschwinden und tauchen nicht mehr auf. Plötzlich wird er ganz schwer und er merkt, dass sich ein Mann an ihn klammert: »Mama, Mama, hilf mir.« Crott hat noch die Kraft, dem Armen zu helfen, sich an einer Holzplanke festzuhalten. Plötzlich sieht er die Feldküche neben sich schwimmen und zwei Soldaten, die sich an ein Ofenrohr klammern. Kurz darauf sind sie tot, erschossen von einem deutschen Motor-Torpedoboot. Es hat das Ofenrohr mit dem Periskop eines englischen U-Bootes verwechselt.

Crott wird immer müder und seine Kräfte schwinden zusehends. Dann kann er nicht mehr und will aufgeben. Aber auf einmal kommt doch wieder dieser Lebenswille, und er kämpft verzweifelt weiter. Später wird er sagen: »Man stirbt in Etagen, es wurde immer kälter bis nach oben.«

Sein Durchhaltevermögen wird belohnt, als sich ein deutsches Schnellboot nähert. Man wirft ihm ein Tau zu. Aber er bekommt es mit seinen steif gefrorenen Händen nicht zu fassen. Die Leute an Deck versuchen es mit einer Schlinge. Es gelingt ihm mit letzter Kraft, sich einzuhängen. Crott wird an Bord gezogen.

Unter Deck liegen Tote und Lebende nebeneinander. Crott bekommt einen trockenen Drillich. Dann fängt er an zu zittern. Eine Stunde lang.

Auf einmal Alarm – wieder feindlicher Beschuss ...

»Noch einmal springe ich nicht«, sagt Crott zu dem Mann, der aus dem Maschinenraum kommt.

»Unbesorgt, Kamerad – wenn wir hier einen verpasst bekommen, lohnt sich das Springen sowieso nicht mehr.«

Ich weiß jetzt, dass es das britische U-Boot *Triton* war, das den vernichtenden Torpedo auf die *Wigbert* abgeschossen hat. Das U-Boot versenkt am 10. April aus dem Geleitzug der 2. Seetransportstaffel die Dampfer *Friedenau* (5219 BRT) und *Wigbert* (3648 BRT) sowie den Begleiter *V 1507/Rau 6*. So steht es jedenfalls in den einschlägigen Veröffentlichungen. Der Kommandant der *Triton* ist Lieutenant-Commander Edward Fowle Pizey. Die *Triton* hat bereits am 8. April zehn Torpedos gegen die deutschen Kreuzer *Blücher*, *Lützow* und *Emden* abgefeuert, diese Schiffe aber nicht getroffen.

Während ich das lese, merke ich, dass ich es lieber gehabt hätte, dass die Briten am 10. April mit ihren Torpedos das Schiff meines Vaters verfehlt hätten. Andererseits bin ich ja auf ihrer Seite. Vor allem mit meiner norwegischen und meiner moralischen Hälfte. Aber die Briten haben eben auch meinen Vater getroffen und ihn fast umgebracht.

Ich suche im Internet nach einem Foto von Edward Fowle Pizey, ich will einfach sein Gesicht sehen, und ich finde ein kleines unscharfes Bild, das einen etwas milchgesichtigen jungen Mann zeigt, der den Spitznamen »Bertie« trägt.

Zum Zeitpunkt der Torpedierung am 10. April ist er gerade 34 Jahre alt, fast acht Jahre älter als mein Vater. Bertie ist am 30. Mai 1983 gestorben. 25 Jahre vor meinem Vater. Ich erschrecke, als ich merke, dass mich das mit einer gewissen Genugtuung erfüllt.

In der Hütte am Steinsåsvann

April 1940

»In Harstad wird es jetzt immer gefährlicher«, sagt Lillians Vater zu seiner Frau Annie. In der Nacht haben immer wieder die Sirenen geheult. »Unsere Stadt ist Militärstützpunkt und deshalb feindlichen Angriffen ausgesetzt, aber am Steinsåsvann werden du und die Kinder in Sicherheit sein.«

Die kleine rote Hütte, die zehn Kilometer von der Stadt entfernt an einem der vielen hundert Seen der Insel Hinnøy liegt, hat John Anfang der dreißiger Jahre errichten lassen. Tagelang ist er damals um den See, den Steinsåsvann, herumgewandert, um nach der besten Stelle zu suchen. Gefunden hat er sie schließlich dort, wohin kein Weg führt, was bedeutet, dass man die Hütte nur per Ruderboot erreichen kann, es sei denn, man macht einen längeren und beschwerlichen Fußmarsch durch den dichten Wald rund um den See. Bis in den Mai hinein ist das Wasser aber zugefroren. Dann erreicht man die Hütte auch zu Fuß über das Eis. So auch in diesen Apriltagen.

John bringt noch am selben Tag seine Frau mit Eileen und Bjørn in die Hütte. Nur Lillian soll zunächst in der Stadt bleiben, um für den Vater zu sorgen. John kann seinen Betrieb, für den er die Verantwortung trägt, nicht verlassen. Sein ältester Sohn ist seit einigen Tagen mit anderen Schülern zu einem freiwilligen Hilfsdienst irgendwo auf Hinnøy eingesetzt, Annie macht sich große Sorgen um ihn. Die Berthungs stellen sich auf schwierige Zeiten ein. In den nächsten Tagen will John mit Hilfe von Freunden einige Möbel und Bücher aus dem Haus in die Scheune eines Bauernhofs bringen, der ein wenig abseits der Stadt liegt.

In Harstad sind alle Schulen bereits geschlossen. Die Evakuierung der Bevölkerung hat begonnen, und die meisten Freundinnen von Lillian haben mit ihren Familien die Stadt schon verlassen. Jeden Abend bringen John und Lillian Lebensmittel in die Hütte am See. Und die neuesten Zeitungen. Sie berichten über die erbitterten Kämpfe in Nordnorwegen. Die Militärs sind aus Harstad verschwunden, es heißt, dass sich General Fleischer und seine Soldaten im Landesinneren bei Kämpfen an strategisch wichtigen Stellen befinden. »Wie es Tore wohl geht?«, fragt sich Lillian mehr als einmal. Sie hat nicht aufgehört, an den jungen Mann zu denken, der sie nach dem Ball nach Hause gebracht hat. Irgendwo in den Bergen soll Tore jetzt gegen die Deutschen kämpfen.

»Das Beste wäre, wenn du bei den anderen in der Hütte bleiben würdest«, sagt der Vater eines Tages, nachdem es in Harstad wieder einmal Fliegeralarm gegeben hat. Aber Lillian will nicht. »Es gibt doch auch die anderen freiwilligen Helferinnen in der Stadt. Da kann ich auch bei dir bleiben, Papa.«

Einige Tage später kommt tatsächlich ein kurzer Brief von Tore, in aller Eile geschrieben. »Wir hatten Feindberührung, es gab schwierige Situationen. Es ist sehr kalt. Vielleicht müssen wir schon in den nächsten Stunden weiter«. Ganz unten sind zwei kleine Kreuze gemalt. Damit es Lillian auch bestimmt versteht, steht darunter: »Das bedeutet: Zwei Küsse von deinem Freund Tore.«

Über die Gräber – vorwärts

April 1940

Der Infanterist Crott hat endlich wieder Land unter den Füßen. Er und die anderen Geretteten kommen am nächsten Morgen in Oslo an. Keine Zeit, um sich zu erholen. Die, die überlebt haben, müssen die Leichen der toten Kameraden vom Schiff tragen und sie auf dem Kai im Hafen von Oslo auslegen. Die Reihe ist lang.

Crott hat den Befehl bekommen, die Erkennungsmarken vom Hals der Leichen zu nehmen. Sie müssen an die Familien in der Heimat geschickt werden. »Gefallen für Führer und Vaterland«. So wird es nachher in den Mitteilungen für die Angehörigen stehen. Crott sieht in die Gesichter seiner toten Kameraden. Soweit man sie noch erkennen kann. Andere wiederum sehen aus, als würden sie noch leben. Er selbst bemüht sich um einen neutralen Gesichtsausdruck.

Seit heute Morgen ist Crott Obergefreiter. Die Karriere hat er den britischen Torpedos zu verdanken. Bald wird man am

Revers seiner Uniformjacke ein rotes Band mit Längsstreifen anbringen, zum Zeichen, dass er bei der Besetzung Norwegens mit dabei gewesen ist.

Der Führer nennt die »Operation Weserübung« in seiner Reichstagsrede im Juli 1940 das »kühnste Unternehmen der deutschen Kriegsgeschichte«. Über die Toten und Vermissten spricht er nicht.

In der Nacht des 12. April werden die Überlebenden der Schiffe *Wigbert* und *Friedenau* mit einem Bus durch die verdunkelte norwegische Hauptstadt gefahren. Die Fahrt endet im Stadtteil Töyen. Und schon wieder in einem Klassenzimmer. Der Obergefreite Dr. Helmut Crott ahnt, dass die Schule trotz seiner Dissertation für ihn noch nicht erledigt ist. Jedenfalls nicht in diesem Krieg. Auf dem Schulfußboden liegen die, die vom Kampf übrig geblieben sind. Für den nächsten Kampf. Bei der Feier für die gefallenen Kameraden wird General Falkenhorst sagen: »Lasst uns die Trauer hinter uns legen. Unser Wahlspruch soll sein: Über die Gräber – vorwärts!«

Die *Wigbert* (im Hintergrund) und die *Friedenau* (Foto: © Tore Eggan)

Um mehr über die Vorgänge im Kattegatt herauszufinden, logge ich mich im Internet unter dem Namen *Wigbert* in ein Marineforum ein und frage, ob jemand etwas über dieses Schiff und seine Besatzung weiß. Einen Tag später habe ich zehn Antworten auf meine Frage. Eine kommt von einem Norweger, der einen Hinweis auf eine Seite mit Fotos schickt, die deutsche Soldaten während ihrer Zeit in Norwegen aufgenommen haben und die ihnen in der Gefangenschaft abgenommen worden sind. Ich finde tatsächlich ein Foto, das die beiden sinkenden Schiffe zeigt: Im Vordergrund die *Friedenau* und dahinter die *Wigbert*. Irgendwo da in den Wellen kämpft mein Vater um sein Leben.

Geben Sie mir bitte ein Glas Wasser oder ich schieße

April 1940

Die von den Deutschen als »friedlich« verkaufte Invasion ist für die Norweger eine einzige Katastrophe. Seit 126 Jahren hat es in diesem Land keinen Krieg und keine fremden Soldaten mehr gegeben. Infolge der langen Zeit des Friedens ist Norwegen überhaupt nicht auf einen Krieg vorbereitet. Der norwegische König verlässt mit seiner Familie, den Mitgliedern der Regierung und den meisten Parlamentsabgeordneten am 9. April 1940 um 8.30 Uhr überstürzt die Hauptstadt und fährt mit einem Sonderzug zunächst nach Hamar, später nach Elverum.

Im Gegensatz zu seinem Bruder, dem dänischen König Christian X., weigert sich Haakon VII. im Einverständnis mit dem norwegischen Parlament, auf die Forderungen der Deutschen einzugehen. Er lehnt es ab, den Führer der Nasjonal Samling Quisling zum neuen Regierungschef zu ernennen und den militärischen Widerstand zu beenden. Er verschließt sich jeder Zusammenarbeit mit den Deutschen. Quisling hat bereits am Nachmittag des 8. April Flugblätter verteilen lassen, in denen er die Entfernung der Regierung und die Übergabe der Macht an die Nasjonal Samling fordert. Am frühen Abend des 9. April ernennt sich Quisling selbst zum Staatschef und teilt dies der norwegischen Bevölkerung über das Radio mit. In Elverum hoffen König Haakon und die Regierung verzweifelt auf Hilfe der Briten, denn sie ahnen, dass ihr Verhalten eine blutige Auseinandersetzung und das eigene Exil zur Folge haben wird. Hitler hat inzwischen in Berlin mitbekommen, dass Quisling aufgrund der großen Ablehnung im Volk zunächst nicht durchsetzbar ist, will ihn aber »in Reserve« halten.

Auf der Suche nach Details lese ich mit großem Interesse das Buch über die Besetzung Norwegens von Hans-Dietrich Look, in dem diese Apriltage in allen Einzelheiten geschildert werden. Ich bin stolz, dass die Norweger sich nicht beugen, und ich empfinde Freude über die Verblüffung der Deutschen, die es gar nicht fassen können, dass sich gerade die Norweger, das nordische Brudervolk, so widersetzen. Dabei sind die Deutschen doch nach eigener Auffassung als Freunde gekommen und haben mit keinem nennenswerten Widerstand gerechnet. Das Oberkommando der Wehrmacht hat Richtlinien für das Verhalten »im persönlichen Verkehr mit der norwegischen Bevölkerung« ausgegeben. Darin wird dem Soldaten vermittelt, dass »er nicht Feindesland betritt, sondern dass die Truppe zum Schutz des Landes und zur Sicherung seiner Bewohner in Norwegen einrückt«. Es gelten folgende Regeln:

> Der Norweger ist äußerst freiheitsliebend und selbstbewußt. Er hat keinen Sinn für militärische Zucht oder Autorität. Also: Wenig befehlen, nicht anschreien! Das erfüllt ihn mit Widerwillen und ist wirkungslos. Der Norweger ist in seiner Wesensart verschlossen und zurückhaltend, langsam im Denken und Handeln … Also: Kein Hetztempo! Zeit lassen! Das Haus des Norwegers ist nach altgermanischer Auffassung heilig. Also: Jeden unberechtigten Eingriff unterlassen. Der Norweger hat kein Verständnis für den Krieg. Das seefahrende und handeltreibende Volk hat Neigung für England. Für die Ziele des Nationalsozialismus besteht mit geringen Ausnahmen kein Verständnis. Also: Politische Auseinandersetzung vermeiden!

Für den direkten Umgang mit den Norwegern führt der deutsche Soldat im Tornister Übersetzungshilfen mit. Eine davon lautet:

> Vennligst gi meg et glass vann eller jeg skyte – Geben Sie mir bitte ein Glas Wasser oder ich schieße!

In Oslo werden ab dem 12. April die deutschen Kompanien neu aufgestellt, denn der Untergang der *Friedenau* und der *Wigbert* hat über tausend Soldaten das Leben gekostet. Hunderte gelten noch immer als vermisst. Der Obergefreite Crott erfährt alle diese Nachrichten sozusagen auf dem Dienstweg, denn sein Arbeitsplatz ist die Schreibstube geworden. Auch auf dem weiteren Vormarsch der Deutschen ist er als Bataillonsschreiber eingesetzt. Fünf Jahre später, am 6. Juni 1945, wird er das in einem Brief aus dem Kriegsgefangenenlager Heistadmoen an die alliierte Behörde zu seiner Entlastung betonen:

> I have been a soldier nearly six years without having fired only one shoot all the time as I have been engaged in the office service five years ago.

Entlasten aber wird ihn nach dem Krieg etwas ganz anderes…

Unter dem Kommando von General Nikolaus von Falkenhorst beginnt am 14. April 1940 von Oslo aus der deutsche Vormarsch nach Norden. Dabei kommt es besonders im Gudbrandsdal zu heftigen Gefechten, und auch das Gebiet um Åndalsness ist hart umkämpft, da die norwegischen Truppen Verstärkung von englischen und französischen Truppen erhalten haben. Die gesamte Operation verläuft nicht so reibungslos, wie die Deutschen sich das gedacht haben, und in Berlin wird man zunehmend nervös. Zudem haben am 10. April in Nordnorwegen britische Seestreitkräfte bereits jene zehn deutschen Zerstörer angegriffen, die Generalmajor Dietl mit 2000 Gebirgsjägern in Narvik an Land gebracht haben. Alle Zerstörer gehen verloren. Hitler fordert, dass Dietl sich mit seinen Gebirgsjägern nach Süden durchschlagen soll. Wenig später muss man in Berlin zur Kenntnis nehmen, dass alliierte Streitkräfte in der Hafenstadt Harstad an Land gegangen sind.

Die Alliierten in Harstad

April 1940

Am 15. April 1940 nähert sich eine kleine Barkasse dem Hafen von Harstad. Hinten, am Heck, flattert, das sehen die Harstader, die sich am Kai versammelt haben, mit Erleichterung, nicht die Flagge der deutschen Kriegsmarine. Die Offiziere tragen englische Uniformen. Sobald sie an Land gegangen sind, melden sie sich bei den Behörden der Stadt. In den nächsten Stunden steuern Transportschiffe die Bucht vor Harstad an. Sie bringen alliierte Truppen, die mit Booten an Land gesetzt werden und der kleinen norwegischen Stadt bald ein anderes Gesicht geben: Irish Guards, französische Alpenjäger, Fremdenlegionäre, Inder in weißen Uniformen mit Turban, Schotten im Kilt, Australier und viele schwarze Soldaten.

John erzählt beim Mittagstisch, dass jetzt mindestens 16 000 fremde Soldaten in der Stadt sind, die selbst nur 4 000 Einwohner hat. Schulen, Hotels und auch Kirchen werden als Unterkunft requiriert und Panzer, Lastwagen und Militärjeeps fahren auf und ab. Noch liegt eine dünne Schneedecke über der Landschaft, aber das nützt den Landstraßen rund um Harstad nichts – sie werden zermahlen unter dem groben Profil der Zwillingsreifen und dem Scheppern der eisernen Panzerketten.

»Es gibt keinen Zweifel«, meint John Berthung, »unsere Stadt ist zu einem alliierten Hauptquartier geworden.« Da die Alliierten mit einem Luftangriff der Deutschen rechnen, werden an vielen Stellen der Stadt Luftschutzbunker und Unterstände angelegt. Die Deutschen sind zwar nur bis Narvik gekommen, aber die Unruhe unter der Bevölkerung in Harstad wächst. »Man weiß gar nicht, wie es um uns herum aussieht und in welcher Lage wir wirklich sind«, klagt Annie und denkt vor allem an ihren Sohn: »Wenn wir doch nur etwas von John hören würden!«

»Tore und John werden sicher bald zurückkommen«, hofft Lillian, ohne recht daran zu glauben. Es ist überhaupt alles so unwirklich, was in diesen Wochen passiert: Vom Wohnzimmerfenster der Berthungs sieht man jetzt auf ein Maschinengewehr und zwei englische Soldaten, die den Himmel nach den Flugzeugen der Luftwaffe absuchen.

An manchen Tagen kommt Lillian ihre Heimatstadt wie eine einzige große Filmkulisse vor: Aus der Methodistenkirche ist ein großes Proviantlager geworden. Gleich daneben steht eine Feldbäckerei, in der Tag und Nacht gearbeitet wird und aus der sich der Duft von frisch gebackenem Brot über das ganze Viertel ausbreitet. Gleich daneben schneidet ein Friseur in englischer Uniform seinen Kameraden die Haare. Auf der Straßenkreuzung steht ein Inder und regelt mit weißen Handschuhen den Verkehr. Ab und zu marschieren schottische Soldaten zu den Klängen des Dudelsacks vorbei. Die Alliierten machen ihre eigenen Läden auf, in denen die Soldaten Tabak und Konserven kaufen können, und wer keine Büchsen mag, kann in die neuen Restaurants und Bars gehen. Daneben blüht der Handel mit der Bevölkerung. Vertrieben wird alles, Wein, Tabak, Schokolade und anderes aus den Beständen der Truppe. Das *Arbeidersamfunnet*, das Gewerkschaftshaus, wird kurzerhand in »Arctic Empire« umbenannt und ist jetzt ein Club, in dem an jedem Abend Unterhaltungsshows für die Soldaten geboten werden.

Man könnte darüber lachen oder staunen, wenn da nicht die großen Geschütze wären, die vor der Stadtgrenze stehen, und die vielen Kriegsschiffe, die jetzt auf dem Vågsfjord liegen.

Zudem werden zunehmend deutsche Flugzeuge gesichtet. In großer Höhe, jenseits der Reichweite der Flak. Die meisten ihrer Bomben fallen nur ins Hafenbecken, aber wenn doch ein Schiff getroffen wird, steigt schwarzer Rauch auf.

In Harstad wird immer neues Kriegsmaterial in Stellung gebracht. Und es kommen immer mehr Soldaten. »Ich erkenne unsere Stadt nicht mehr wieder«, seufzt Annie an einem

Abend. Die Familie sitzt vor dem Radio und hört die Abendnachrichten. »Es ist aber auch ein bisschen aufregend«, denkt Lillian, aber das behält sie lieber für sich. Und auch, dass sie jeden Abend für Tore und ihren Bruder John betet.

Das Schlimmste?

Frühjahr 2008

Wir gehen den Flur entlang. Es riecht so, wie es in Krankenhäusern immer riecht, und auch das Licht ist so, wie es in Krankenhäusern immer ist. Im Stationszimmer richtet die Schwester die Medikamente für den Abend.

Mein Vater hat den grauen Bademantel an, den ich ihm vor kurzem geschenkt habe, die Farbe passt so gut zu seinen weißen Haaren. Ich habe meinen Vater untergefasst. Wir gehen sehr langsam. Ich fühle, wie klein und zerbrechlich er geworden ist.

Es ist sein zweiter Krankenhausaufenthalt in diesem Jahr, denn das Herz lässt ihn mit seinen nun mehr als 90 Jahren öfters im Stich. Genauso wie der Kopf und der Geist. Meinem Vater geht das eigene Leben immer mehr verloren. Ich ahne, dass ich nur noch wenig Zeit haben werde, um über das zu sprechen, was mich so bewegt. Ich befinde mich aber in einem Dilemma. Ich möchte ihm jetzt endlich ganz nahe kommen, möchte mehr von ihm wissen, damit ich ihn besser verstehen kann und mir dieses Verständnis hilft, wenn er einmal nicht mehr da ist. Aber ich will ihn auf keinen Fall mit meinen Fragen quälen, jetzt, wo er so schwach und müde geworden ist.

»Was war die schlimmste Situation in deinem Leben?«

Und dann ist die Frage doch plötzlich da. Sie ist so journalistisch, so abgenutzt, so – ach, ich ärgere mich über mich selbst. Mein Vater aber zögert keine Sekunde mit seiner Antwort. Es kommt mir fast so vor, als ob er genau auf diese Frage gewartet hätte.

»Ja, das war wohl, als ich von der Universität runter musste.«

Ich stutze und denke im selben Moment, dass er etwas verwechselt, wegen seiner Demenz, die sich in den letzten Monaten immer mehr gezeigt hat. Den Tennisverein hat er verlassen müssen, das hat meine Mutter mir erzählt, aber die Universität? Das kann eigentlich nicht sein. Wie und wo hätte er sonst promovieren können? Gewiss sind ihm die Erinnerungen seines langen Lebens durcheinandergeraten. Er wird etwas verwechselt haben. Vielleicht hatte er auch etwas ganz anderes sagen wollen. Ich will ihn nicht in Verlegenheit bringen, meinen armen alten Vater, frage also nicht nach und nehme seinen Arm nur umso fester.

Zwei Jahre nach seinem Tod fällt mir jener Augenblick im Krankenhaus wieder ein, als ich einen Brief finde, den mein Vater 1945 nach dem Krieg an die alliierten Behörden geschrieben hat:

> Seit 1933 hatte ich viele Demütigungen zu erdulden, z.B. musste ich eine Zeitlang mein Studium aufgeben, bekam viele Schwierigkeiten anlässlich meiner Prüfungen als Dr. jur. und Dipl. Betriebswirt, durfte kein Mitglied von studentischen, beruflichen oder sportlichen Vereinigungen sein.

Dass ihm in Heidelberg einer der Professoren in SS-Uniform gegenübergesessen hat und ihn fertigmachen wollte, weiß ich von meiner Mutter. Das war im Prüfungsgespräch zum Abschluss seiner Promotion. Aber wann hat mein Vater sein Studium unterbrochen? Ich finde dafür in seinen Studienbüchern keinen Anhaltspunkt.

Reichskommissar Terboven

Mai 1940

In Süd- und Mittelnorwegen sind die deutschen Truppen erfolgreicher als im Norden. Anfang Mai ist der militärische Widerstand der Norweger gegen die Deutschen zusammengebrochen. Jetzt soll Josef Terboven, ein alter Kämpfer, der schon 1923 als NSDAP-Mitglied beim Hitler-Ludendorff-Putsch in München dabei gewesen ist, die Norweger das Fürchten lehren. Und das tut der ehemalige Gauleiter von Essen auch, nachdem ihn Hitler am 24. April zum Reichskommissar für die besetzten Gebiete ernannt hat. Terbovens Aufgabe ist es, die deutsche Herrschaft in Norwegen zu sichern und auf die Bildung einer nationalsozialistischen Regierung hinzuwirken.

Seine Weisungen empfängt er nur von Hitler, dem er unmittelbar unterstellt ist. Terboven wohnt in Skaugum, der Residenz des norwegischen Kronprinzen, 20 Kilometer südlich von Oslo. Auch andere Orte von nationalem Symbolwert werden von den Deutschen übernommen, wie das Stortingsgebäude oder das Schloss. Jedem Norweger soll klar werden, dass das Land unter deutscher Kontrolle steht.

Nur in Nordnorwegen läuft noch nicht alles nach Plan, aber Hitler malt sich schon einmal ein Norwegen nach seinen Vorstellungen aus. Ende April spricht er von einer Autobahn nach Trondheim und dem Ausbau der Hafenstadt am Trondheim-Fjord, dass »Singapur ein Kinderspiel dagegen ist«. Auf einem Stützpunkt sollen die größten Schiffe gebaut werden und, neben Trondheim, das »nördlichste Kulturzentrum des Großdeutschen Reiches entstehen«.

Obergefreiter Helmut Crott

Lillehammer, Marstein, Åndalsness. Die deutschen Truppen stoßen unterdessen weiter in den Norden vor. Unter ihnen ist auch der Obergefreite Crott. Er ist in keiner guten Verfassung, körperlich wie seelisch, die Folgen der Torpedierung kommen erst jetzt zum Tragen, sie wirken nicht nur in den Nächten nach, sondern verstärken auch beim Vormarsch die Angst vor allem, was kommt. Wie vielen seiner Kameraden macht auch ihm der jähe Wechsel von der zivilen zur militärischen Existenz zu schaffen, vom Jemand zum Niemand …

Crott weiß natürlich, dass er Teil eines Feldzuges ist, der durch nichts zu rechtfertigen ist. Er hat in seinem jungen Leben genug nationalsozialistische Ideologie an sich und seiner Familie erleben müssen, um sich keine Illusionen über den Sinn der Führerbefehle und die Moral ihrer Vollstrecker zu machen. Er sieht aber für sich keinen Ausweg. Jeden Gedanken an Flucht und Desertieren muss sich Crott ohnehin verbieten, denn die Eltern würden es daheim doppelt büßen müssen.

Bomben auf Harstad

Frühjahr 1940

Am 20. Mai fährt Lillian mit dem Fahrrad zurück nach Harstad. Sie hat noch einige Lebensmittel zur Hütte gebracht und ist gerade auf der Landstraße, als sie plötzlich Motoren hört. Das tiefe Brummen kommt von oben. Und dann sind die Flugzeuge auch schon da. Ob es die Deutschen sind? Bevor sie darüber nachdenken kann, sieht sie auch schon zwei französische Soldaten. Sie laufen auf sie zu, bedeuten ihr mit Handzeichen, dass sie sich die Ohren zuhalten und in den Straßengraben legen soll. Eine Frau, die zu Fuß auf der Straße unterwegs ist, wird von den Franzosen an den Armen gepackt und in den Graben gerissen.

Dann geht es los. Die Bomben fallen. Zum Glück ein wenig entfernt. Der Lärm ist dennoch ohrenbetäubend. Von allen Seiten erwidern die Alliierten mit Geschützfeuer, erst von Land, dann sind die großen Bofors-Kanonen der Kriegsschiffe zu hören, schließlich die Schnellschusswaffen der Alliierten. Dann ist auf einmal alles wieder ruhig. Die Frau beginnt zu zittern und zu weinen. Lillian versucht, sie zu trösten und zu beruhigen. Die Franzosen geben ihr mit Handbewegungen zu verstehen, dass sie die Frau nach Hause begleiten werden.

Deutsche Bomben auf Harstad, 20. Mai 1940

Nun überkommt Lillian das Zittern. Ihr Vater. Sie muss nach ihrem Vater sehen. Sie hebt das Fahrrad auf und macht sich auf den Weg in die Stadt.

Sie ist erst eine kurze Strecke gefahren, als wieder Flugzeuge über ihr dröhnen. Wieder schwere Explosionen. Vor ihr, neben ihr, hinter ihr. Lillian wirft das Fahrrad weg und läuft zu einem nahen Schulgebäude, um dort Schutz vor den Bomben zu finden. Hier warten bereits andere, die der Angriff ebenfalls überrascht hat. Immer neue Angriffe fliegen die Bomber, sodass es allen wie eine Ewigkeit vorkommt, bis die Luftschutzsirene aufheult und endlich das Entwarnungssignal gibt.

Lillian muss nun nach Harstad. Sie muss wissen, wie es ihrem Vater geht. Unterwegs hört sie, dass der Hafen in Harstad einem Feuermeer gleicht. Und dass es in der Stadt überall brennt.

Harstad unter Beschuss, 16. April 1940

Lillian tritt in die Pedale, sie nimmt eine Abkürzung und ist nun endlich in der Halvdansgate – Gott sei Dank, das Haus ist unbeschädigt, aber die Tür ist verschlossen und Vaters Wagen weg. Sie fährt weiter, was nicht einfach ist, denn die Straßen sind voll mit Menschen, die verzweifelt versuchen, aus der

Stadt zu kommen, alle tragen irgendetwas, einige weinen laut, und Mütter drücken ihre kleinen Kinder an sich.

An der Stadtgrenze sieht Lillian plötzlich das Auto ihres Vaters vor einem Haus stehen.

»Lillian, du musst sehen, dass du hier wegkommst, bevor neuer Alarm kommt!« Es ist Lillians Lehrerin, die das ruft.

»Ich suche meinen Vater, haben Sie ihn gesehen?«

»Er steht da hinten, er sucht dich.«

Lillian fällt dem Vater erleichtert in die Arme. Dann laufen sie zusammen zum Auto. Eine Frau, die ihr weinendes Kind auf dem Arm trägt, fragt, ob sie ein Stück mitfahren kann. Es ist Frau Jörgensen, die die Berthungs schon lange kennen. Lillian setzt sich nach hinten und nimmt das kleine Mädchen auf den Schoß. Das Kind beruhigt sich allmählich und schläft nach ein paar Minuten ein. Der Vater spricht leise mit Frau Jörgensen.

»Das Grand Hotel, in dem die Alliierten ihre Büros haben, ist getroffen, ich habe es brennen sehen, als ich vorbeifuhr.«

»Verdammter Krieg, verdammte Deutsche ...« Frau Jörgensens Mann ist irgendwo an der Front, und sie hat schon über zwei Wochen nichts von ihm gehört. Nach 20 Minuten sind sie am See angekommen. Frau Jörgensen geht mit ihrem Mädchen zu Fuß weiter. Lillian und ihr Vater eilen hinunter zum See. John schiebt den Kahn ins Wasser. Die Ruderblätter bringen Bewegung in den stillen Steinsåsvann. Lillian nimmt die Ruhe nach dem Getöse und Geschrei der letzten Stunde nun ganz besonders wahr.

»Wie schön und friedlich es hier ist ...«

Ihr Vater spricht wohl mehr zu sich selbst. Seine Stimme klingt gebrochen. Lillian weiß, als er sein Gesicht abwendet, dass sie seinen Kummer nicht sehen soll.

Am Bootssteg wartet die Mutter mit Pus und Bjørn. Als sie hört, was ihr Mann und ihre älteste Tochter erlebt haben, beginnt sie zu weinen. »Dass wir jemals in Harstad so etwas erleben müssen! Krieg in unserem Norwegen!« Sie drückt Pus und Bjørn an sich: »Wenn nur John wieder zu Hause wäre!« Sie muss sich damit abfinden, dass ihr Ältester von dem freiwilligen Einsatz immer noch nicht zurückgekehrt ist.

Solstad

Frühjahr 1940

In diesen Kriegswochen gibt es für Lillian einen Ort, zu dem es sie besonders hinzieht. Es ist das Haus ihrer Großeltern auf Solstad, eine halbe Stunde Fußweg von der Halvdansgate entfernt. Der Mittelpunkt und ruhende Pol auf Solstad ist Othilie, und die Ausstrahlung ihrer Großmutter wirkt auf Lillian gerade in dieser Zeit wohltuend und beruhigend. Lillian liebt ihre *Bestemor* sehr und hat sie immer dafür bewundert, wie sie sich für Menschen in Not stark macht und ihnen hilft.

Das weinrote Holzhaus mit den weiß ummalten Fenstern und dem vorgebauten *Altan* liegt am Ende eines steilen Weges, der von der Straße hinaufführt. Von dort geht der Blick über den Vågsfjord, auf dem jetzt die Kriegsschiffe der Engländer liegen, bis zu den schneebedeckten Bergen bei Narvik, wo sich der General Dietl und seine Gebirgsjäger erbitterte Kämpfe mit den Truppen der Alliierten liefern.

Auf Solstad ist Lillians Mutter Annie mit sieben anderen Geschwistern groß geworden. Später kamen noch zwei Pflegekinder dazu. Und weil Othilie und Jørgen Solstad großen Wert darauf legten, dass auch ihre Töchter eine gute Ausbildung bekamen, wurde Annie mit 17 Jahren ins weit entfernte Oslo auf die *Treider-Handelsskole* geschickt und Olga, die Schwester, nach Volda auf die Lehrerinnen-Schule.

Doch Olga starb früh. Die spanische Grippe, die überall in Europa grassierte, war im Sommer 1918 auch nach Norwegen gekommen. Olga erkrankte an der Pandemie und erlag ihr mit nur 21 Jahren.

Als Lillian zur Welt kommt, will Annie ihre Tochter eigentlich nach der verstorbenen Schwester nennen, aber John kann sich damit nicht so recht anfreunden. Und so einigt man sich schließlich darauf, dass Lillian zusätzlich zumindest Olgas zweiten Namen erhält, Hjørdis.

In diesem Frühling 1940 haben die ersten Flüchtlinge aus Narvik und Bjerkvik Unterkunft in Solstad gefunden, denn Großmutter Solstad hilft auch jetzt ganz selbstverständlich, wo sie nur helfen kann.

»Wir müssen nun zusammenrücken«, sagt sie zu ihrem Mann, »Solstad hat Platz für viele.« Die Flüchtlinge schlafen im Stall auf den Heuschobern, aber tagsüber finden sie Platz im Haus. Die große Küche ist der Mittelpunkt, denn hier können sich die Menschen ihre eigenen Mahlzeiten zubereiten. Das gibt ihnen das Gefühl, ihr Leben zumindest am Herd noch in der eigenen Hand zu haben.

Die vielen Stühle um den Esstisch vor dem großen Fenster sind in diesen Tagen fast immer besetzt, und das Radio läuft den ganzen Tag. Alle sind still, wenn die Nachrichten gesendet werden. Die Flüchtlinge aus Bjerkvik und Narvik haben ihre Häuser in Flammen aufgehen sehen, »aber«, so sagt eine Frau, »wir leben und hoffen, dass wir zurückkehren können, um alles wieder aufzubauen.« Im Gesicht der Frau glaubt Lillian den ungebrochenen Willen ihrer Landsleute erkennen zu können. Man will der fremden Macht jedenfalls in Gedanken nicht zu viel Raum geben und sich die Zukunft nicht von ihr nehmen lassen.

So wie Lotte Berg, die in der Storgate in Harstad ein kleines Geschäft für Hüte und Schals führt. Auch sie ist in Großmutters Haus gekommen, weil sie sich in der Stadt nicht mehr sicher fühlt. Auf Solstad kann sie sogar in einem eigenen Zimmer schlafen. Jeden Morgen nimmt sie sich viel Zeit, um ihre Schuhe mit einem Bürstchen zu bearbeiten. Der Geruch der Schuhcreme auf dem feinen Leder, der dann das Haus durchzieht, sagt viel über die Sehnsucht, bald wieder in eine Welt zurückzukehren, in der Damenschuhe wichtiger sind als Soldatenstiefel.

Aber vorerst bestimmt das Kriegsgeschehen auch das Leben auf Solstad. Im Garten haben englische Soldaten die Himbeerbüsche ausgegraben. Dort gibt es jetzt eine Vertiefung für eine Kanone, die zur Tarnung mit Reisig bedeckt ist.

»Wir legen alles in Gottes Hände, Lillian, wir dürfen nicht die Hoffnung verlieren, dass alles wieder gut wird.« Die Großmutter streichelt die Wange ihrer Enkelin, aber sie sieht müde dabei aus.

In den kommenden Tagen versuchen alle, so gut es geht, ihren Beschäftigungen nachzugehen, die nur bei Fliegeralarm unterbrochen werden müssen. Die Berichte von den Fronten sind dramatisch. Es sieht ganz danach aus, dass es der Wehrmacht gelingen wird, weiter vorzurücken. Immer wieder Meldungen von Toten und Verletzten.

Anfang Juni kommt es den Menschen in Harstad so vor, als ob zunehmend alliierte Soldaten an Bord der Kriegsschiffe gebracht werden. »Man weiß gar nicht, was los ist«, sagt John abends beim Essen. »Es gibt Gerüchte, dass diese Truppen in anderen Frontabschnitten in Nordnorwegen eingesetzt werden sollen, aber man sagt auch, dass sie nach Dünkirchen in Nordfrankreich abkommandiert worden sind.« Nicht nur John hat die Befürchtung, dass eine Kapitulation unmittelbar bevorsteht. Auch Annie macht sich Sorgen um die Zukunft ihres Landes: »Wo ist eigentlich der König, und wo ist unsere Regierung?«

Die Menschen in Harstad fühlen sich in den Junitagen 1940 unsicher und allein gelassen in einem Land ohne Regierung, ohne Polizeibehörde, ohne herrschende Gesetze. Es ist ein Zustand, den sie nicht kennen und der sie nicht nur äußerst besorgt, sondern auch ratlos macht.

Die Alliierten verlassen Norwegen

Juni 1940

Unter den Historikern gibt es heute kaum Zweifel, dass es nur eine Frage der Zeit gewesen wäre, bis Dietl sich mit seinen Gebirgsjägern der norwegisch-alliierten Übermacht in Nordnorwegen hätte ergeben müssen.

Die Lage des Generals und seiner 3. Gebirgs-Division bessert sich nur durch den Vormarsch der Deutschen in Frankreich, was dazu führt, dass sich die Alliierten tatsächlich in aller Eile aus Norwegen zurückziehen müssen.

Am 4. Juni gehen die ersten der über 20 000 Soldaten an Bord der Transportschiffe. Schon am Morgen des 8. Juni verlässt die Nachhut Harstad. Ein Versuch, Nordnorwegen unter schwedischen Schutz zu nehmen, scheitert. Als die englische und die norwegische Regierung ihr Einverständnis zu einem derartigen Schritt erklären, ist es bereits zu spät.

Der norwegische König Haakon VII. tritt am Abend des 7. Juni mit seiner Regierung von Tromsø aus an Bord des Kreuzers *Devonshire* die Fahrt in die Emigration nach Großbritannien an. Auf seine Weisung stellen die norwegischen Truppen in Nordnorwegen den Kampf ein. Der norwegische Oberbefehlshaber Generalmajor Ruge unterzeichnet am 10. Juni 1940 die Kapitulationsurkunde, nicht ohne darauf hinzuweisen, dass der Kriegszustand zwischen Norwegen und Deutschland andauere und der Kampf außerhalb der Landesgrenzen fortgeführt werde. In Norwegen aber ist der Krieg vorbei, und die Deutschen übernehmen die Macht im ganzen Land. Am 25. Juli wird Generaloberst Nikolaus von Falkenhorst als Wehrmachtsbefehlshaber Norwegen eingesetzt. Im September werden alle politischen Parteien in Norwegen verboten – mit Ausnahme der faschistischen Nasjonal Samling.

Die Menschen in Harstad sind einerseits erleichtert, dass der Krieg vorbei ist, gleichzeitig aber empört über den plötzlichen Rückzug der Alliierten. Die Angst ist groß, was jetzt auf sie zukommt. Aber Lillian ist froh und dankbar, dass sowohl ihr Bruder John als auch Tore unverletzt nach Hause gekommen sind. Dieses Glück haben nicht alle.

Die Geschichtsbücher werden später festhalten, dass die deutschen Verluste während der Besetzung Norwegens und Dänemarks 1317 Tote, 1604 Verwundete und 2375 Vermisste betragen. Auf alliierter Seite fallen in den Kämpfen an Land 1896 Engländer, 1335 Norweger und 530 Franzosen und Polen. Zur

See hatten die Engländer 2500 Mann Verluste, wie es in der Sprache des Militärs heißt.

Die Suche nach der jüdischen Vergangenheit

Herbst 2010

Ich beginne die Briefe zu sortieren, die ich von meiner Mutter bekommen habe, Briefe, die Jahrzehnte in einem Schrank gelegen haben. Die meisten von ihnen sind mit Schreibmaschine auf ein blasses, hauchdünnes Papier geschrieben, das ich ganz behutsam berühre.

Die Briefe, die mein Großvater Heinz Crott an seinen Sohn Helmut nach Norwegen geschickt hat, sind alle durchnummeriert. Mir fällt beim Sortieren auf, dass die Briefe nicht alle aus Wuppertal kommen. Einige sind in Orten aufgegeben worden, von denen ich noch nichts gehört habe. Auf jeden Fall nichts im Zusammenhang mit unserer Familiengeschichte. Diese Orte heißen Minkwitz und Zeitz.

Unter den Briefen ist auch einer von meiner Großmutter mit dem Vermerk: »Zeitz, 5. Februar 1945, Werner Gerhardtschule, OT Bauleitung«. Was hat das zu bedeuten? Bisher wusste ich nur, dass meine jüdische Großmutter Carola Crott nach Theresienstadt deportiert worden ist. Einer der Briefe liegt gesondert in einem weißen Umschlag. Darauf ist in der klaren Handschrift meiner Mutter vermerkt: »Ömis Schicksalstag«. Der Brief beschreibt den Tag, als meine Großmutter aus Wuppertal fortgebracht wurde. »Zum Arbeitseinsatz«, wie es in dem Brief meines Großvaters an meinen Vater heißt. Es ist die

Rede davon, wie mein Großvater sie nach Düsseldorf begleitet hat und wie man dort unter »grässlichen« Umständen die Nacht verbringen musste, »von wo der Zug am nächsten Tag nach Thüringen abgegangen ist.« Diese »alles andere als menschenwürdige« Nacht in Düsseldorf beschäftigt mich sehr.

Ich muss herausfinden, was damals in Düsseldorf war. Wohin hat man meine Großmutter Carola Crott gebracht? An welchem Tag genau war das? Der Brief meines Großvaters datiert vom 25. September 1944. Das, was er beschreibt, geschah »am vergangenen Sonntag«. Ich finde im Kalender von 1944, dass dieser Sonntag der 17. September war. Ich schaue noch mal ganz genau hin, ja, es stimmt. Am 17. September, sieben Jahre später, bin ich auf die Welt gekommen. Da man im Wuppertaler Standesamt bemängelte, dass der Vorname *Randi* nicht erkennen ließe, ob es sich um einen Jungen oder ein Mädchen handelt, gaben mir meine Eltern einen zweiten Vornamen: Carola.

Carola und Heinz Crott 1943

Auf der Wand hinter meinem Schreibtisch habe ich Fotografien meiner Eltern und Großeltern angebracht. Ich tauche in das Gesicht meiner Großmutter ein, dieser Frau mit den weißen Haaren, den dunklen Augen, den dunklen Augenbrauen. Ich selbst habe an meine Großmutter gar keine Erinnerung mehr. Neben ihr sitzt mein Großvater mit seinem verschmitzten Blick. Auf der Rückseite des Bildes steht »Ihrem lieben Jungen im Jahr 1943 von seinen Eltern.« Carola Crott misst nur ein Meter siebenundfünfzig. Von ihrem Sohn wurde sie von jeher liebevoll »die halbe Portion« genannt.

Das Narvikschild in Harstad

Sommer/Herbst 1940

Die ersten Wehrmachtstruppen, die in Harstad eintreffen, sind die Österreicher der Gebirgstruppe Dietl. Lillian sieht die jungen Männer die Storgate hinuntermarschieren. Am linken Oberarm tragen sie zum Zeichen, dass sie an den Kämpfen im Norden teilgenommen haben, das silberne Narvikschild. Die Österreicher werden zunächst mit Neugier und auch mit einiger Sympathie betrachtet, denn, so glaubt man in Harstad, von Männern, deren Heimat ebenfalls von Hitler besetzt worden ist, wird wohl nicht so eine Gefahr ausgehen wie von den Deutschen selbst.

Die Besatzer geben sich zunächst freundlich. Im Sommer 1940 werden sogar einige Fußballspiele und Tanzveranstaltungen zwischen Militär und Bevölkerung organisiert. Aber die Atmosphäre bleibt angespannt. Die meisten Norweger zeigen wenig Neigung, die neuen Machtverhältnisse als dauerhaft zu betrachten.

Schulen, Hotels und andere öffentliche Gebäude sind beschlagnahmt worden, Zimmer in Privathäusern von Offizieren belegt. Die Truppen marschieren durch die Straßen, und schon von weitem hört man ihren Gesang vom »Edelweiß«. Die Norweger begreifen zunehmend, dass die Österreicher von Hitler und der »neuen Ordnung« in Europa durchaus überzeugt sind und sich entschlossen zeigen, Norwegen vor der »Gefahr aus dem Osten« zu schützen.

Drei Monate nach den Österreichern, die an die Front nach Finnland verlegt werden, kommen die deutschen Okkupationstruppen nach Harstad. In den folgenden Wochen wird alles reglementierter. Auf Plakaten und in Bekanntmachungen werden zahlreiche Verbote und Gebote veröffentlicht. Auch Gestapo und SS richten sich in der Stadt ein. Die Gestapo hat ihren Sitz in den Räumen der Molkerei, und in den Straßen erkennt man die Männer an den langen dunklen Ledermänteln und den Hüten.

Die Dämmerung des Herbstes liegt schwer über den Menschen und der Landschaft. Ein Winter der Besatzung steht bevor, alles wirkt so trist, besonders, wenn das kurze Tageslicht hinter den Bergen verschwunden ist. Die Verdunklungsgardinen, die die Norweger auf Befehl der Deutschen besorgen müssen, sind genau in die Fensteröffnungen eingepasst, kein Lichtschimmer soll nach außen dringen. In der amtlichen Mitteilung liest Lillian, dass feindliche Flugzeuge sonst Harstad entdecken könnten, selbst aus großer Höhe. Wer die Verordnung nicht ernst nimmt, wird mit schweren Strafen bedroht.

Die Versorgung mit Lebensmitteln, die immer über den Seeweg erfolgte, wird noch schwieriger. Die Schiffe können wegen U-Boot-Alarm und Minengefahr kaum noch in den Hafen einlaufen. Heimlich betreibt man Tauschhandel, Silberlöffel, Porzellan oder ein Gemälde gegen etwas Fleisch, Butter, Milch oder Eier. Man spricht in diesen Tagen überall leise in Harstad, nicht nur, wenn es um politische Themen geht.

Deutsche Soldaten in Harstad

Von denen, die noch heimlich Radio hören können, weil sie ihren Apparat besser vor den Deutschen versteckt haben, erfährt man ab und zu Nachrichten, die direkt aus England oder Schweden kommen und nicht den Umweg über die Außenstellen des Reichspropagandaministeriums gemacht haben.

Aber die Menschen in Harstad fragen sich, was die Welt da draußen von der Situation im okkupierten Norwegen und den Schwierigkeiten, die die Besatzung mit sich bringt, weiß.

Kriegsjahre sind verlorene Jahre für jedes Volk, denn sie nehmen den Menschen die Möglichkeit ihrer Entwicklung. Was in Harstad allerdings wächst, ist die Hilfsbereitschaft der Menschen. Sie gilt jedoch nicht dem Feind gegenüber, mit dem man jetzt leben muss und der sich in fast jedem Haus ein Zimmer genommen hat. Denn Harstad ist mittlerweile ein wichtiger strategischer Ort für die Okkupationsmacht geworden. Heer und Marine haben hier Tausende Soldaten stationiert, außerdem ist die Stadt Durchgangsstation für viele Soldaten auf ihrem Weg nach Finnmark, der nördlichsten norwegischen Provinz, und zu den Fronten in Finnland und der Sowjetunion.

Überall werden Baracken als Durchgangslager errichtet. Die deutschen Besatzer bestimmen mittlerweile das ganze Leben der Norweger. Die Zeitungen dürfen nur das berichten, was die jetzigen Machthaber in Oslo vorgeben. Die große Kaserne, in der früher norwegische Männer ihre militärische Ausbildung bekommen haben, ist auch von den fremden Truppen besetzt. Hinter der Kaserne ist jetzt alles Sperrgebiet geworden. Dort, wo im letzten Jahr noch die Kinder zwischen den Offiziershäusern Schlitten gefahren sind, ist nun alles abgeriegelt. Die Offiziersfamilien lebten in drei schönen Häusern, und das mittlere Haus hat Lillian besonders in Erinnerung, denn dort hat Vera, ihre beste Freundin, gewohnt. Als deren Vater 1938 nach Südnorwegen versetzt worden ist, versprachen sich die Mädchen, das Band ihrer Freundschaft über Briefe aufrechtzuerhalten. Es wird eines Tages für immer zerreißen.

Tore war unverletzt von der Front zurückgekehrt und besucht inzwischen eine Landwirtschaftsschule weit weg von Harstad in Südnorwegen. Ab und zu erhält Lillian einen Brief von ihm. Er leidet sehr unter seinen Erlebnissen und den Grausamkeiten des Krieges. Er hofft auf ein Wiedersehen mit ihr und darauf, dass das Leben wieder *norsk*, also normal sein wird. Oft denkt er an den Abschlussball. Und an Lillian im grünen Kleid. Es sind zwar nur ein paar Monate seit jenem Abend im Januar 1940 vergangen. Aber was hat sich in dieser kurzen Zeit nicht alles verändert!

Der Führer ist wegen meines Vaters entsetzt

Ich schaue meinen Vater an. Das Foto des 25-Jährigen hängt über meinem Schreibtisch. Der Mann, den ich sehe, hat dunkle Haare über einer hohen Stirn und dunkle Augen, deren Blick mir wehmütig scheint. Er geht in die Ferne und irgendwo an

Der 25-jährige Helmut

mir vorbei. Mir fällt auf, dass der Mund mit den schön geschwungenen Lippen hier auf diesem Bild viel voller ist als in meiner Erinnerung.

Ich habe diesen Mund schmaler, verschlossener erlebt. Ob das daran liegt, dass mein Vater in den Jahren, nachdem diese Aufnahme gemacht worden ist, die Lippen aufeinanderpressen und über vieles schweigen musste? Mein Vater lebte in seinen Soldatenjahren ständig in Angst. Er hat sehr wohl gewusst, dass seit 1940 Bestrebungen liefen, alle »Mischlinge« aus der Wehrmacht zu entfernen.

> Im Frühjahr 1940 wurde Hitler von ideologischen Tugendwächtern darüber in Kenntnis gesetzt, dass Mischlinge auf Heimaturlaub sich öffentlich in Wehrmachtsuniform zeigten, womöglich sogar in Begleitung ihres volljüdischen Elternteils. Ein entsetzter Hitler ordnete daraufhin prompt die Ausarbeitung einer neuen Wehrdienstweisung an, die am 8. April 1940 in Kraft trat und Halbjuden wie auch Männer mit jüdischer Ehefrau ausschloss. Die Weisung betraf rund 25 000 bereits in der Wehrmacht dienende Männer.

Zum Zeitpunkt dieses Erlasses ist der Überfall auf Norwegen bereits in vollem Gange. Die Feldzüge nach Polen, nach Frankreich und eben auch nach Norwegen haben die »Mischlinge« also schon mitgemacht. Nun geht es darum, sie wieder aus der Wehrmacht zu entfernen.

Der Begriff »Mischling« war in den ersten beiden Jahren der nationalsozialistischen Herrschaft nicht benutzt worden. Alle Juden oder Personen mit jüdischem Eltern- oder Großelternteil waren im amtlichen Sprachgebrauch »Nichtarier«. In den Ausführungsverordnungen zu den Nürnberger Gesetzen wird dann ab 1935 zwischen »Volljuden« und »Mischlingen ersten Grades« und »Mischlingen zweiten Grades« unterschieden.

Im Unterschied zu »deutschblütigen Reichsbürgern« sind Juden »Staatsangehörige«, »jüdische Mischlinge« dürfen sich als »vorläufige Reichsbürger« bezeichnen.

In dem Buch von Bryan Mark Rigg über Hitlers jüdische Soldaten ist der »Halbjude« Hans-Geert Falckenberg zitiert, der 50 Jahre nach Kriegsende während einer Veranstaltung sagte: »Dass das Wahnsinn war, das wurde überhaupt nicht diskutiert, von niemandem in Deutschland. Vergessen Sie das nicht.«

Mein Vater hatte schon bei seiner Einberufung sehr darauf geachtet, nicht aufzufallen, und daher vor allem seinen Doktortitel verschwiegen. Somit konnte er gar nicht erst für die Offizierslaufbahn in Betracht gezogen werden, was in der Konsequenz eine genaue Untersuchung seiner »rassischen« Herkunft bedeutet hätte.

So heftet der promovierte Jurist und ehemalige Londoner Angestellte der Vereinigten Stahlwerke AG im Juli 1941 im Geschäftszimmer der Wehrmacht in Sörumsand lieber die Personalbögen und Urlaubsanträge ab. Doch dann liegen auf einmal neue Formulare auf seinem Schreibtisch. Und eine Verordnung des Oberkommandos des Heeres aus Berlin vom 16. Juli 1941:

> Vorstehende Verfügung wird erneut bekannt gegeben.
> A. Begriffsbestimmungen der Nürnberger Gesetze
> a) Jude (Jüdin) ist, wer von mindestens 3 der Rasse nach volljüdischen Großeltern abstammt. Als Jude (Jüdin) gilt auch der von 2 volljüdischen Großeltern abstammende staatsangehörige jüdische Mischling, der am 14.11.35 der jüdischen Religionsgemeinschaft angehört hat.

b) 50%iger jüdischer Mischling ist, wer von 2 der Rasse nach volljüdischen Großeltern abstammt.

Der Nachweis der Abstammung beim Truppenteil (Dienststelle) ist von sämtlichen Wehrmachtangehörigen durch Abgabe der als Muster beigefügten pflichtgemäßen Erklärung zu führen, soweit er nicht durch Vorlage von Urkunden erbracht wird. Wenn der Nachweis bisher noch nicht geführt sein sollte, ist dies nachzuholen.

Unter »Zusätze« wird festgehalten:

»Sollte festgestellt werden, dass sich noch 50%ige Mischlinge oder Wehrmachtangehörige, die mit 50%igen Mischlingen oder mit Jüdinnen verheiratet sind, im aktiven Wehrdienst befinden, so sind diese unverzüglich – beim Feldherr über den zuständigen Ersatztruppenteil – in das Beurlaubtenverhältnis zu entlassen.«

Die beigefügte Erklärung hat den folgenden Wortlaut:

Nach sorgfältiger Prüfung der mir zur Verfügung stehenden Unterlagen erkläre ich pflichtgemäß, daß ich – meine Ehefrau – ... %iger jüdischer Mischling bin. Über den Begriff jüdischer Mischling in diesem Zusammenhang bin ich durch meinen Disziplinarvorgesetzten belehrt worden. Mir ist bekannt, daß ich Strafverfolgung zu gewärtigen habe, falls sich die Erklärung als unrichtig erweisen sollte. Mir ist eröffnet worden, daß ich, falls ich durch unrichtige Angaben meine Vorgesetzten täuschte, um mich der Erfüllung des Wehrdienstes zu entziehen, wegen Zersetzung der Wehrkraft mit den höchsten Strafen, unter Umständen mit dem Tode bestraft werden kann.

Mein Vater wird dies gelesen und zur Kenntnis genommen haben, die Lippen aufeinandergepresst, und dann wird der Jurist in ihm versucht haben, jene Gefühle, die in ihm hochstiegen, zu unterdrücken: die Angst, die Wut, den Hass, die Hilflosigkeit, das Empfinden von zugeteilter Minderwertigkeit und die Scham, das Opfer einer Weltanschauung geworden zu sein, deren Fundamente so weit außerhalb jeden Rechtes stehen.

Und so wird mein Vater wohl gewusst haben, was er zu tun hat: Er wird dieses Formular nicht ausfüllen. Bestätigt bekomme ich das in einem Brief meines Vaters, den er 1945 nach dem Krieg an das norwegische Generalkonsulat in Hamburg geschrieben hat:

> Ich selbst war 1939 zum Wehrdienst einberufen worden, aus dem nach 1940 alle Mischlinge entfernt wurden, um zu Zwangsarbeiten eingesetzt oder sogar in Konzentrationslager geschafft zu werden. Da ich mich zu jener Zeit gerade in Norwegen befand und von meinen Eltern über die Verhältnisse in Deutschland unterrichtet worden war, habe ich meine Abstammung verschwiegen. Die zu unterschreibende Erklärung konnte ich umgehen, weil ich selbst auf dem Geschäftszimmer tätig war. Auf diese Weise gelang es mir, mich bis zur Kapitulation verborgen zu halten.

Seine Sorge war berechtigt. »Mischlinge« kamen als Zwangsarbeiter zur »Organisation Todt« und in Konzentrationslager. Die Rassenideologen der NSDAP erwogen neben Aussiedlung und Deportation auch Zwangssterilisationen. Aber eigentlich wollte Hitler das »Mischlingsproblem« im Sinne der »Endlösung« ganz aus der Welt schaffen.

Lillian und Helmut lernen sich kennen

April 1942

Als Lillian und ihre Familie am Mittwoch vor Ostern auf der Hütte ankommen, ahnen sie nicht, dass der deutsche Unteroffizier Robert Teschner der Einladung von John Berthung folgen wird.

Es ist zunächst wie immer am Steinsåsvann, der um diese Zeit noch unter einer dicken Eisschicht liegt. Freunde und Bekannte kommen auf Skiern vorbei, man trinkt Kaffee, der in diesen Zeiten allerdings nur Kaffeeersatz ist, und freut sich, dass man beisammen sein kann.

Lillian hat sich einige Schulbücher mitgenommen, weil sie unbedingt noch deutsche und englische Vokabeln für die Handelsschule lernen muss.

Am Karsamstag macht sich Annie nach Harstad auf. Ein Metzger hat seinen Kunden eine Extraration Fleisch in Aussicht gestellt. Und in einem Obstgeschäft soll eine Lieferung Äpfel aus Hardanger angekommen sein. Auf der anderen Seite des Sees wartet ein Bekannter, um Annie mit dem Auto in die Stadt zu fahren.

John sitzt in der Stube auf einem der blauen Holzstühle mit den gedrechselten Beinen und liest. Manchmal geht sein Blick über den Rand des Buches hinweg – nach draußen, wo Bjørn, sein Sohn, in dem Schneehaus spielt, das die beiden gestern gebaut haben.

In der Küche spülen Lillian und Pus das Frühstücksgeschirr. Am Steinsåsvann ist der Alltag mühsamer als in der Stadt. Es gibt kein fließendes Wasser. Und jetzt im Winter, wenn alles zugefroren ist, muss man erst Löcher in das dicke Eis bohren, um an das Wasser zu kommen. Das ist allerdings auch sehr sauber, denn aus dem Steinsåsvann versorgt sich Harstad mit Trinkwasser.

Durch das Küchenfenster sehen die Schwestern plötzlich, wie zwei Männer auf ihre Hütte zulaufen. Die beiden erreichen die Veranda und schnallen ihre Skier ab. Die Männer tragen keine Uniform, sondern sind in Zivil. Lillian weiß dennoch sofort Bescheid: »Du, Pus, das sind die Deutschen, die Papa neulich eingeladen hat!«

Es klopft an der Tür, und die Mädchen hören, wie der Vater aufsteht und öffnet. In der Küche bekommen sie mit, wie der eine den anderen vorstellt und wie man sich auf Deutsch unterhält. Pus, die nichts versteht, will unbedingt wissen, worüber sie sprechen. »Papa erzählt, dass Mama in die Stadt gefahren ist, um mehr Proviant zu holen, und seine beiden Töchter auf ihn aufpassen. Hör nur, wie sie lachen«, sagt Lillian. Pus ist neugierig geworden. Sie geht einfach ins Wohnzimmer.

»Das ist übrigens meine Tochter Eileen, die alle aber Pus nennen!« John nickt Pus aufmunternd zu. Die Zwölfjährige reicht den Männern ein bisschen verlegen die Hand. Zuerst dem Großen, dann dem Kleineren. »God dag.«

In der Küche ist sich Lillian nicht ganz sicher, ob sie auch zu diesen Deutschen gehen soll. Aber da hat ihr Vater schon die Tür geöffnet. Er winkt Lillian in die Stube. »Das ist meine Tochter Lillian, die von uns allen nur Nuri genannt wird. Das ist Herr Robert Teschner. Und das ist Herr Helmut – ?« Den Nachnamen hat John Berthung bei der Begrüßung nicht richtig verstanden.

»Crott. Helmut Crott«, sagt der Mann mit der Hornbrille. »Ich freue mich, Sie kennenzulernen.« Er reicht Lillian die Hand.

So kurz der Augenblick auch ist, Lillian glaubt, in den Augen des jungen Mannes irgendetwas gesehen zu haben. Was es ist, weiß sie nicht. »Setzen Sie sich doch an den Tisch«, sagt sie rasch in gutem Deutsch. »Ich werde Kaffee kochen.« Und ist schon in der Küche.

Als sie nach einigen Minuten mit einem Tablett zurückkommt, reden ihr Vater und dieser Robert Teschner über einen Auftrag für die Druckerei, der wohl ziemlich eilig sein muss. Lillian schenkt den Kaffee am Tisch ein. Sie selbst setzt sich aber auf eine Stufe der gegenüberliegenden Treppe.

»Das ist übrigens nur *Erstatningskaffe*«, sagt sie entschuldigend. »Ich kenne das deutsche Wort dafür nicht.«

Der Mann mit der Hornbrille lacht. »Sie meinen wahrscheinlich, dass das kein richtiger Kaffee ist, sondern Ersatzkaffee?« Lillian nickt.

»Wir nennen es Muckefuck.« Lillian gefällt das komische deutsche Wort. »Das klingt lustig.« Sie schaut den Vater an. »Nicht wahr, Papa?«

Der junge Deutsche hat sich schon wieder ihr zugewandt: »Sie sprechen ja sehr gut Deutsch, wo haben Sie das gelernt?«

Lillian erzählt von der Schule und von den Privatstunden, und dass sie genauso wie ihr Vater diese Sprache sehr schön findet. Der junge Mann hört interessiert zu. Dann fragt er: »Und warum nennt man Sie Nuri?« Lillian wird ein bisschen verlegen. »Mein älterer Bruder John hatte eine Katze, die Snuri hieß. Kurz vor meiner Geburt muss sie wohl irgendwie verschwunden sein. Als mein Bruder mich dann das erste Mal in meiner Wiege sah, rief er erfreut: ›Da! Neue Nuri!‹ Damals konnte er noch kein ›s‹ sprechen. Ja, und seitdem sagen alle Nuri zu mir.«

»Nuri …« Der Deutsche wiederholt das Wort. Lillian hört

ihren Kosenamen zum ersten Mal in einer fremden Sprache. Bevor sie sich entscheiden kann, ob er ihr auch mit diesem Akzent gefällt, hat ihr Vater das Wort ergriffen.

John erzählt, wie er vor ein paar Jahren den Platz für die Hütte gefunden hat. Und dass sie *Kveldsol* – Abendsonne – heißt, weil vor allem in Zeiten der Mitternachtssonne das Licht so besonders warm und golden auf sie fällt. Was er im Beisein der Deutschen nicht erwähnt, ist, dass die Wehrmacht die Hütte beschlagnahmen wollte. John ist damals außer sich gewesen. Er machte in einem Brief darauf aufmerksam, dass er die Hütte zur Erholung von seinem anstrengenden Druckerberuf unbedingt braucht. Und hatte damit unverhofft Erfolg bei den Deutschen. Sie ließen ihm die Hütte.

Während ihr Vater mit den beiden Männern redet, wird Lillian ein bisschen unsicher, als sie bemerkt, dass dieser Helmut, dessen Nachnamen sie nicht so richtig verstanden hat, sie die ganze Zeit zu beobachten scheint. Und jetzt spricht er sie auch schon wieder an: »Sie laufen sicher gut Ski. Leider komme ich aus einer Gegend, wo es nicht so oft Schnee gibt, deshalb bin ich kein guter Skiläufer.«

Was er für schöne braune Augen hat, denkt Lillian, und was für gleichmäßige Zähne. Er ist zwar nicht besonders groß, aber er sieht doch ganz wie ein Sportler aus. Und gar nicht wie ein Soldat.

»Ihr Vater hat vorhin vorgeschlagen, dass wir morgen zusammen eine Skitour unternehmen sollten, falls das Wetter hält.« Er schaut sie fragend an.

»Mein Vater kann doch nicht bestimmen, mit wem ich eine Skitour machen soll!«

»Selbstverständlich nicht«, sagt der Deutsche schnell, und sie meint, eine Enttäuschung gehört zu haben.

Kurz darauf verabschieden sich die beiden Männer, danken für den Kaffee und machen sich mit ihren Skiern wieder auf den Weg zurück.

Lillian vor der Hütte am Steinsåsvann

Jeden Abend ist es Lillians Aufgabe, die Milch vom Bauernhof auf der anderen Seite des Sees zu holen. Die Milchkannen stecken in ihrem Rucksack. Lillian gleitet auf der gut eingefahrenen Spur entlang, und als geübte Skiläuferin kommt sie schnell voran. Der Vollmond leuchtet über der Schneelandschaft. Lillian summt leise vor sich hin. Auf dem Hof von Bauer Darre muss sie noch warten, bis die Kühe fertig gemolken sind. Die

Haushälterin Anna bittet sie, so lange im Wohnzimmer Platz zu nehmen. »So, ihr seid wieder auf der Hütte? Diese Ostertage sind doch immer wieder herrlich. Bei diesem schönen Wetter habt ihr sicherlich viel Besuch gehabt.«

Bald kommen die Mägde mit der Milch und Anna sagt, sie könne fünf Liter bekommen. Sie helfen Lillian, die Kannen im Rucksack unterzubringen.

»Es ist zwar ein bisschen schwer, aber ich schaffe das schon.«

Kurz darauf fährt Lillian in weiten Schwüngen den Hang hinunter, der am See endet. Einen Augenblick bleibt sie stehen, betrachtet den sternenklaren Himmel und das Nordlicht, das

Helmut auf dem zugefrorenen See

heute in vielen Grün- und Gelbtönen leuchtet. Wie wunderbar der Abend ist, denkt sie, und plötzlich ist dieser Deutsche in ihren Gedanken. Auch am Nachmittag war das schon so gewesen. Wollte sie ihn wirklich wiedersehen? Warum ist sie seit diesem Besuch so unruhig?

Da wird die Stille vom Knirschen des Schnees unterbrochen. Zwei Männer laufen an ihr vorbei, drehen sich um und sperren die Loipe mit ihren Skistöcken. Es sind Teschner und der Mann, an den sie eben gedacht hat. Lillian tut so, als ob sie sie nicht erkennt. Weder den einen, noch den anderen. Die beiden Männer nehmen ihre Mützen ab, und Teschner fragt überrascht: »Verzeihung – kennen Sie uns nicht mehr? Wir waren doch heute Vormittag auf Ihrer Hütte. Sie sind Lillian, nicht wahr? Wir wohnen hier oben in einer Wachhütte, und als Ihr Vater erwähnte, dass Sie am Abend die Milch abholen sollten, haben wir hier auf Sie gewartet, weil wir Sie fragen wollten, ob Sie nicht doch morgen mitkommen wollen, wenn wir mit Ihrem Vater den Ausflug machen.«

Was soll sie antworten, sie sucht nach den richtigen Worten. »Es ist nicht leicht für mich, man sieht es nicht gerne, wenn sich Mädchen mit Deutschen zusammen zeigen. Ihnen sollen die Haare abgeschnitten werden, wenn der Krieg vorbei ist.«

Der andere, der neben Teschner steht, bekommt auf einmal einen merkwürdigen Gesichtsausdruck, Lillian kann es deutlich im Mondlicht sehen. »Ich kann nicht glauben, dass norwegische Männer so etwas machen würden«, sagt er jetzt und stößt den Skistock in den Schnee.

Lillian schweigt einen Augenblick. »Sie müssen mich verstehen«, sagt sie dann, »aber ich muss jetzt weiter, in der Hütte wartet man auf mich.« Sie nickt den beiden Männern kurz zu und setzt ihren Weg fort. Die Deutschen bleiben stehen und schauen ihr nach.

Auf der anderen Seite des Sees angekommen, erzählt sie ihrem Vater von der Begegnung, und dass es schon merkwürdig gewesen sei, dass dieser Teschner und der andere sie einfach angehalten hätten. »Nun, etwas aufdringlich ist es ja«, erwidert ihr Vater, »aber vielleicht sehen sie das anders. Ich habe das Gefühl, es sind nette Menschen, die sicher lieber in ihrem eigenen Land wären. Ich hätte deshalb gerne, dass du und Pus morgen mitkommen.«

Annie, die gar nicht begeistert war, als sie hörte, dass die Deutschen am Vormittag tatsächlich zu Besuch gekommen sind, geht das jetzt zu weit. »John, es sind deutsche Soldaten, warum musst du nun auch noch mit ihnen Ski laufen, das ist wirklich übertrieben!«

John schaut sie ruhig an. Erst nach einer kleinen Pause sagt er: »Annie, für mich sind das zunächst einmal Menschen. Einer von ihnen hat gerade seine Frau verloren. Ich versuche mich in seine Situation zu versetzen, und ich habe einfach Mitleid mit ihm. Du bist doch sonst auch mitfühlend!«

Annie ist mit dieser Antwort nicht zufrieden. »Ja, ich kann das sehr gut nachempfinden, aber es sind nun mal deutsche Soldaten. Und du weißt, was unsere Freunde und Nachbarn über sie denken. Ich habe Angst, dass man schlecht über uns spricht, wenn wir zu viel Kontakt mit diesen Männern haben. Die anderen wissen ja schließlich nicht, was diesem Teschner in Deutschland passiert ist.«

John nickt. Er kann Annie verstehen. Und trotzdem ist er in diesem Moment davon überzeugt, dass er mit der Einladung das Richtige getan hat. Abbringen lassen will er sich davon nicht. Auch nicht von seiner Frau.

1937 bekommt Heinz Crott, der Vater meines Vaters, die Zeichen der neuen Zeit zu spüren. Er wird seine Stellung bei der Reichsbahn verlieren, weil er mit einer Jüdin verheiratet ist.

Ihre Liebe geht bis in die Zeit vor dem Ersten Weltkrieg zurück. Heinz Crott hat Carola Callmann in Hagen in der Tanzstunde kennengelernt, und als die beiden im November 1912 heiraten, ist seine Familie wenig erfreut, dass er keine Katholikin zur Frau genommen hat. Gesellschaftliche oder gar berufliche Folgen drohen jedoch nicht. Im Gegenteil, Heinz Crott macht Karriere bei der Reichsbahn – er steigt in den Besoldungsrang IV zum Oberinspektor auf und darf unter goldener Mützenkordel auf den Kragenspiegeln zwei Sterne tragen. Erst als die Nationalsozialisten die Macht ergreifen, wird die Ehe mit der Frau, die er liebt, zu einem Problem und bringt existenzielle Folgen für ihn und die ganze Familie. Doch Heinz Crott denkt nicht daran, sich von seiner Frau scheiden zu lassen.

Mit dieser Weigerung fällt Crott aber unter den Paragraph 6 des Beamtengesetzes. Dieses Gesetz zur Wiederherstellung des Berufsbeamtentums ist am 7. April 1933 erlassen worden und schafft zunächst die gesetzliche Grundlage für die Entlassung aller jüdischen Beamten aus dem Staatsdienst. Später wird es auch jene treffen, die mit einem jüdischen Partner verheiratet sind. Reichsinnenminister Frick führt in einer Verfügung vom 19. April 1937 noch ein zusätzliches »Argument« ins Feld:

> Mein Rundschreiben vom 7. Dezember 1936, das dem deutschblütigen Ehegatten, der in einer deutsch-jüdischen Mischehe lebt, verbietet, in seiner Wohnung die Reichs- und Nationalflag-

ge zu hissen, gilt auch für Beamte. Da der Zustand, daß ein Beamter nicht flaggen darf, auf die Dauer nicht tragbar ist, ist der jüdisch versippte Beamte in der Regel (...) in den Ruhestand zu versetzen.

Mein Großvater wird zum 1. Oktober 1937 aus dem Dienst entlassen und mit 49 Jahren in den Ruhestand versetzt. Die Pension wird entsprechend stark beschnitten. Er muss sich nicht nur eine neue Erwerbsquelle suchen, sondern mit Carola auch eine neue Wohnung, denn die bisherige gehört der Reichsbahn.

Der »Säuberungsprozess« der Nationalsozialisten ist bereits seit 1933 in vollem Gange. Schon am 1. April 1933 hatte die NSDAP zum Boykott jüdischer Geschäfte aufgerufen und die Sturmabteilung (SA) mit ihren Angriffen auf die Praxen jüdischer Ärzte oder die Kanzleien jüdischer Anwälte begonnen. Die Männer in den schwarzen Uniformen fahren mit ihren Plakaten durch die Straßen deutscher Städte – so auch durch Wuppertal:

»Boykottiert jüdische Geschäfte!« – »Kauft nicht in jüdischen Warenhäusern ein!« – »Geht nicht zu jüdischen Rechtsanwälten!« – »Meidet jüdische Ärzte!« – »Die Juden sind unser Unglück!«

Im Oktober 1933 wird jüdischen Journalisten Berufsverbot erteilt, seit 1935 dürfen Juden nicht mehr Ärzte oder Zahnärzte werden. Jüdische Professoren, Lehrer, Rechtsanwälte und Notare werden entlassen. Juden dürfen nicht mehr Gastwirte, Bademeister, Hebammen oder Vermessungsingenieure sein. 1937 spricht man auch »Mischlingen« die Eignung für den Erzieherberuf ab. Bis Ende der dreißiger Jahre mussten nahezu alle Juden ihr Gewerbe aufgeben.

Als Heinz Crott 1937 seine Stellung verliert, ist das auch für ihn und vor allem für Carola nur der Anfang einer langen Reihe von Demütigungen und Entrechtungen. Auch wenn die Ehe mit Heinz noch einen gewissen Schutz bietet, gilt für Carola ab 1938 ein Zutrittsverbot für Theater, Kinos oder Konzerthäuser. Sie darf nicht mehr Straßenbahn fahren oder nach 21 Uhr das Haus verlassen. Die langjährige Haushaltshilfe, Frau Bernhard, darf nicht mehr zu ihnen kommen. Und die Mehrzahl der Bekannten will nicht mehr.

Carola wird in diesen Jahren die neue Wohnung, die sie in der Blumenstraße gefunden haben, kaum noch verlassen. Sie leidet nicht nur unter dem, was ihr unmittelbar widerfährt, sondern fühlt sich darüber hinaus schuldig wegen der Entlassung ihres Mannes und wegen der Diskriminierungen, unter denen ihr Sohn zu leiden hat. Zum Glück hat sie einen Mann an ihrer Seite, der sich so leicht nicht unterkriegen lässt. Der immer wieder versucht, seine Frau aufzubauen: »Das kriegen wir schon hin, du weißt ja, wer nur den lieben Crott lässt walten …«

Ein Skiausflug

5. April 1942

Lillian und Pus kommen am nächsten Tag doch mit auf die Skitour. Lillian spürt eine gewisse Nervosität, weil sie diesen Deutschen wiedersehen wird.

John Berthung hat mit den beiden Soldaten vereinbart, sich an einer von der Wehrmacht beschlagnahmten Hütte zu treffen. Ob er ihnen damit etwas sagen will?

Teschner und Crott sind pünktlich zur Stelle. Die beiden Deutschen erweisen sich in der Tat als ungeübte Skiläufer. Die Schwestern verdrehen die Augen. Mal liegt der eine im Schnee, mal der andere. Ständig muss man auf sie warten. Und so dauert es länger als sonst, bis man den Gipfel des *Ramskarheia* endlich erreicht hat. Teschner und Crott sind schweißgebadet. Aber der Anblick der schneebedeckten Berge, die aus den Fjorden ragen, entschädigt sie für die Mühen des Aufstiegs.

Die Gruppe beschließt, in der warmen Sonne eine Rast zu machen. Die Norweger öffnen ihre Rucksäcke und nehmen den Proviant heraus. Crott, der sich gleich neben Lillian gesetzt hat, holt aus seinem Rucksack ein seltsames dunkles Brot hervor, das in Norwegen unbekannt ist – was für ein säuerlicher, seltsamer Geschmack …

»Und das heißt wirklich Pumpernickel?«, fragt Lillian und muss über das merkwürdige Wort lachen.

Während Pus im Schnee spielt, hat sich Unteroffizier Teschner neben John Berthung niedergelassen. »Was für ein wunderbares Land und was für eine herrliche Natur hier in Nordnorwegen. Ich hab nicht gewusst, wie schön es hier ist! Hoffentlich kann ich zurückkommen, wenn Friedenszeiten sind.«

»Ja, das wären in der Tat bessere Umstände«, sagt John Berthung, und in seiner Stimme ist auf einmal eine gewisse Schärfe. Waren die Bedenken seiner Frau nicht doch richtig? Er sitzt hier in der Sonne mit deutschen Soldaten! Und mit seinen Töchtern! Wenn man bloß auf dem Abstieg keine Bekannten trifft!

Robert Teschner, dem Mann, der vor wenigen Wochen in der Heimat seine Frau verloren hat, scheint der Ausflug gut zu tun. Teschner wirkt zum ersten Mal gelöst. Er steht auf, um den Augenblick mit dem Fotoapparat festzuhalten. Für die Aufnahme legt Helmut Crott seinen Arm um Lillian. So wie man es tut, wenn man sich kennt und fotografiert wird. Lillian lässt es geschehen. Teschner drückt auf den Selbstauslöser seiner Kodak Retina. Und so entsteht das erste Foto von Lillian und Helmut.

Das erste Foto von Lillian und Helmut

Man macht sich auf den Heimweg. Jetzt geht es den Berg hinunter. Crott gibt sich alle Mühe, aber zu seinem Leidwesen fällt er genau wie Teschner immer wieder in den Schnee, während Lillian und Pus ihnen mit eleganten Schwüngen zeigen, wie man es richtig macht.

Unten angelangt nehmen die beiden Männer Haltung an und bedanken sich bei John Berthung für die Einladung. Dann geht Crott auf Lillian zu. »Ich werde diesen Tag nie vergessen, Lillian.« Sein Händedruck ist fest. Lillian erwidert den Druck, weiß aber nicht, was sie sagen soll. Zum Glück lässt Crott ihre

Hand wieder los und wendet sich John Berthung zu. »Vielleicht kann man sich einmal in der Stadt wiedersehen?« Lillian und Pus blicken ihren Vater an. Sie merken, dass ihn diese Frage in Verlegenheit bringt. »Vielleicht«, antwortet er nach einer Pause, »vielleicht können wir einmal zusammen Schach spielen.«

John fragt sich auf dem Heimweg, ob er wirklich möchte, dass die beiden Deutschen in die Halvdansgate kommen. Zugegeben – sie sind sympathisch, die beiden. Vor allem dieser Crott hat ihm gefallen.

In den folgenden Wochen kommt Helmut Crott tatsächlich ein paar Mal in die Halvdansgate. Den Unteroffizier Teschner bringt er jedes Mal mit. Die beiden Herren spielen abwechselnd Schach mit John. Danach erhebt man sich und geht.

Helmut und die Familie Berthung an der Hütte

Annie Berthung mag diese Besuche nicht. Auch zur Hütte waren die beiden Soldaten noch einmal gekommen. Sie sorgt sich um das Ansehen ihrer Familie. An sich ist es ja nicht ungewöhnlich, dass deutsche Soldaten in den Häusern der Norweger ein- und ausgehen. Schließlich hat die Wehrmacht überall Zimmer für die Offiziere beschlagnahmt. Aber bei den Berthungs ist es nun einmal nicht so. Das wissen auch die Nachbarn. Diese beiden Deutschen kommen und gehen – ja, warum eigentlich …

Dabei hat Annie noch ganz andere Sorgen. Die Beschaffung von Lebensmitteln wird immer schwieriger. Sooft es geht, muss sie hinaus aufs Land, um die Dinge zu besorgen, die man in keinem Geschäft in der Stadt mehr kaufen kann. Die Rationierung ist inzwischen außerordentlich streng geworden. Daran sind die Deutschen schuld. Und ihr Krieg. Lillians Mutter verzieht jedes Mal das Gesicht, wenn dieser Crott und dieser Teschner an ihre Türe klopfen.

Lillian merkt den Unmut ihrer Mutter. Sie merkt aber auch, dass sie selbst sich freut, wenn Helmut Crott kommt. Einmal trifft es sich, dass die beiden im Flur kurz alleine sind. »Lillian, meinen Sie, wir könnten einmal zusammen spazieren gehen?«

»Ja, das wäre schön.« Sie erschrickt. Sie hat keine Ahnung, warum sie das gesagt hat. Und so setzt sie hinzu: »Aber das soll niemand wissen.«

Ein Foto aus Frankfurt

September 2010

Ich kannte bisher keine Aufnahme meines Vaters, auf der er als ganz junger Mann zu sehen ist. Jetzt liegt eine vor mir. Die Johann Wolfgang Goethe-Universität in Frankfurt hat mir die Kopie seiner Ausweiskarte von 1932 geschickt. Da ist er 18. Die Augen meines Vaters blicken mich an. Ich blicke mit denselben Augen zurück. Auf keinem Bild bin ich ihm ähnlicher als auf diesem.

In der ebenfalls mitgeschickten Anmeldekarte lese ich unter »Angestrebte Abschlußprüfung: Referendar«. Unter »Erstrebter Lebensberuf: Syndikus«.

Ich schlage nach: Ein Syndikus ist ein Rechtsanwalt, der eine eigene Kanzlei unterhält und bei der Rechtsanwaltskammer zugelassen ist. Ein Syndikus arbeitet als Anwalt für ein Unternehmen. Zur Ausbildung gehört neben dem ersten juristischen Examen auch eine zweijährige Referendarzeit.

Das hat mein Vater vor Augen, als er im Frühjahr 1932 in Frankfurt sein Jurastudium aufnimmt. Er will das juristische Staatsexamen machen und Rechtsanwalt werden.

Ob er zum Zeitpunkt seines Studienbeginns Kenntnis hatte von den Hetzaktionen des Nationalsozialistischen Deutschen Studentenbundes (NSDStB)? Der hatte schon 1929 in einem Flugblatt geschrieben:

> Auch an der Frankfurter Universität, der Hochburg jüdischer Frechheit und marxistischer Unverschämtheit, hat sich eine geschlossene Front gebildet, die gewillt ist, die Belange eines jeden national und sozialrevolutionär denkenden Studenten zu vertreten.

Während des ersten Semesters meines Vaters in Frankfurt stürmen im Sommer 1932 Nationalsozialisten in SA-Uniformen die Universität und prügeln auf linke und jüdische Studenten ein. Daraufhin beschwört der damalige Rektor Erwin Madelung die nationalsozialistischen Studenten:

> An Euch ergeht der Ruf zu akademischer Selbstbesinnung. Wir lehnen jede Hetze, lehnen mit vollem Bedacht auch einen Antisemitismus ab, wie er in diesen Kämpfen zu Tage getreten ist.

Aber die Nationalsozialisten lassen sich nicht abhalten. Vielleicht ist mein Vater 1932 ja auch Augenzeuge ihres Angriffs auf den jüdischen Juristen Hugo Sinzheimer, den ein damaliger Student wie folgt schildert:

> Und ich kann mich also noch genau erinnern an eine Vorlesung, als der gute Sinzheimer da oben stand und der Hörsaal war knallvoll, und bevor er überhaupt richtig anfangen konnte, haben ihn die antisemitischen Studenten derart angepöbelt, daß der arme Mann vollkommen hilflos da oben stand. Der, der sonst so gescheit war, war dieser antisemitischen Welle, die ihm da entgegenschlug, nicht gewachsen. Die Vorlesung wurde dann abgebrochen.

In dieser Zeit tritt mein Vater zum katholischen Glauben über. Auf seiner Anmeldekarte der Universität Frankfurt ist deutlich zu erkennen, dass das »kath.« nachträglich zu den anderen Angaben eingetragen ist. Wie so viele andere Juden hofft auch mein Vater, durch das Konvertieren geschützt zu sein – nicht bedenkend, dass es den Nationalsozialisten nicht um Religion, sondern um Rasse geht.

Die nationalsozialistische Hochschulpolitik hat von Anfang an das erklärte Ziel, jüdische Studenten von den Universitäten auszuschließen. Der Anteil von »Nichtariern« darf nach dem neuen »Überfüllungsgesetz« von 1933 an keiner Hochschule oder Fakultät die 5 Prozent übersteigen, bei Neuimmatrikulation galt eine Quote von 1,5 Prozent.

Der erste nationalsozialistische Studentenführer in Frankfurt ist der Jurastudent Georg-Wilhelm Müller, der einen SS-Sturmbann mit 400 Mann anführt. Ihr »Juda verrecke!« hallt durch die Universität. Im April 1933 ruft Müller am Schwarzen Brett dazu auf, dass alle Studierenden »nichtarischer« Rasse sofort ihren Studentenausweis im Sekretariat der Universität abzugeben oder einzusenden hätten. Sie erhielten dann gesonderte Ausweise.

Die Frankfurter Zeitung berichtet am 4. Mai 1933:

> Mittwoch morgen 8 Uhr trat die nationalsozialistische Studentenschaft in Uniform vor der Universität an und besetzte sämtliche Eingänge zum Universitätsgebäude und zu sämtlichen Universitätsinstituten. Die Hörer, die die Gebäude betreten wollten, mußten ihre Ausweise vorzeigen. Soweit es sich um jüdische oder andere nichtarische Studenten handelte, wurden ihnen die Ausweise abgenommen und dem Sekretariat zur Prüfung übergeben.

»Nichtarier« dürfen nicht in die Deutsche Studentenschaft und ihre braune Studentenkarte wird durch eine gelbe ersetzt. Nach dem Rauswurf aus dem Tennisclub erlebt mein Vater als junger Student nun weitere Ausgrenzung und Demütigung.

Am Abend des 10. Mai 1933 spricht es sich schnell herum, dass Studenten und Professoren vom Bockenheimer Campus in Richtung Römerberg ziehen, um dort an der Bücherverbrennung teilzunehmen.

> Unter erwartungsvollem Schweigen der Menge traf gegen 9 Uhr der Zug der Dozentenschaft und Studentenschaft auf dem Römerberg ein. Dem Zug voran marschierte die SS-Kapelle ... Die

zur Verbrennung bestimmten Bücher, Schriften und Zeitungen wurden auf einem mit Ochsen bespannten Wagen mitgeführt. Hochschulgruppenführer stud. jur. Georg-Wilhelm Müller verliest die Namen der Schriftsteller, deren Bücher dann von den Studenten ins Feuer geworfen werden: Kästner, Feuchtwanger, Marx, Heinrich Mann, Werfel, Stefan Zweig, Döblin und viele andere. Der evangelische Hochschulpfarrer Otto Fricke verliest dazu eine Ansprache, in der er betont, daß es sich jetzt darum handele, ein Bekenntnis zum deutschen Wesen abzulegen und im Sinne der von Hitler geführten Revolution zu den wahren Quellen unserer Kraft zurückzufinden.

13 Jahre später wird Pfarrer Fricke vor der Spruchkammer im Rahmen der Entnazifizierung behaupten, dass er geglaubt habe, »es handele sich bei der Verbrennung um pornographische Schriften und Schundliteratur.«

Im Juni 1933 verschärft die nationalsozialistische Studentenführung ihre antisemitischen Aktionen an der Universität, wie sich der jüdische Medizinstudent Wolf Elkan erinnert:

Dies wurde ziemlich schnell deutlich, als eines Morgens nach einer Anatomievorlesung der Naziführer der Medizinischen Fakultät uniformiert in der großen Aula erschien. Er war von mehr als zehn Nazis in Uniform umgeben, ging an das Vorlesungspult und rief: »Nichtarier werden gebeten, den Hörsaal zu verlassen.« Danach begann er seine Ansprache: Man hätte den Juden erlaubt zu studieren, aber sie seien während der letzten Wochen so impertinent geworden, daß sie wieder die ersten Reihen okkupierten. Dabei müßten sie sich doch glücklich schätzen, wenn man sie überhaupt noch studieren ließe. Sie dürften von nun an nur noch auf den hinteren Bänken sitzen.

Zum Schluss des Sommersemesters 1933 drückte Studentenführer Müller seine Freude darüber aus, dass nunmehr auch an der Frankfurter Universität das Hakenkreuz gesiegt habe. Im Arbeitsbericht an die Reichsstudentenführung schrieb er:

> Leider war es jedoch im ersten Ansturm nicht gelungen, die Universität restlos von den Schlacken des einstmals liberalistischen Geistes zu reinigen, so daß für eine nochmalige Aktion der Reinigung wohl noch Arbeit bliebe.

Im November 1933 schließt die Universität Frankfurt aufgrund des »Überfüllungsgesetzes« einige jüdische Studenten vom weiteren Studium aus, obwohl die Zahl der »Nichtarier« an keiner Fakultät die 1,5 Prozent übersteigt. Die Namen der ausgeschlossenen Studenten werden allen anderen Universitäten im Reich mitgeteilt, um den Verwiesenen auch dort ein Studium unmöglich zu machen.

Ob mein Vater also nach dem vierten Semester vorsichtshalber Frankfurt verlassen hat und nach Heidelberg geht, um einem Ausschluss zuvorzukommen? Viele »nichtarische« Studentinnen und Studenten brechen sogar »freiwillig« ihr Studium ab, weil sie die Pöbeleien und Angriffe des NSDStB nicht mehr ertragen können.

Mehr als ein Drittel aller Frankfurter Hochschullehrer wird 1933 in Frankfurt von ihrem Lehrstuhl entfernt, unter ihnen der Sozialphilosoph Max Horkheimer sowie die Juristen Karl Pribram und Ernst Eduard Hirsch, bei denen mein Vater Seminare belegt hatte.

Der Studentenführer Georg-Wilhelm Müller hätte meinem Vater einige Jahre später an einem ganz anderen Ort gefährlich werden können. Müller arbeitete seit Ende 1936 für Reichspropagandaminister Joseph Goebbels und wurde als dessen Stellvertreter 1940 in das besetzte Norwegen gesandt. Er wurde Leiter der *Hauptabteilung für Volksaufklärung und Propaganda* und rechte Hand von Reichskommissar Terboven.

Mein Vater und Müller kannten sich von der juristischen Fakultät in Frankfurt. Müller wusste von der jüdischen Herkunft meines Vaters. Wären sie sich in Norwegen begegnet, hätte Müller meinen Vater sofort verraten.

Lillian und Helmut kommen zueinander

Mai 1942

Lillian Berthung und Helmut Crott haben sich für den späten Nachmittag an einer kleinen Bucht unterhalb des Trondenesveien verabredet. Den Eltern hat Lillian gesagt, dass sie den Nachmittag bei ihrer Freundin Blanche verbringen wird. Es ist nicht schön, wenn man lügen muss. Aber Lillian kann nicht anders. In ihrem Kopf bewegt sich vieles. Zu vieles, wie sie findet. Am besten, sie setzt sich auf ihr Rad und fährt einfach mal los. Gleich wird sie also Helmut treffen. Helmut. Ja, so heißt er längst in ihren Gedanken. Und man wird zum ersten Mal alleine sein. Ohne Vater, ohne Mutter, ohne Pus.

Natürlich war es überhaupt nicht richtig, dass sie dieser Einladung sofort gefolgt ist. Der Einladung eines deutschen Soldaten! Lillian weiß noch nicht sehr viel über die Liebe und diese Dinge, aber sie weiß, dass aus solchen Verabredungen sehr wohl etwas folgen kann. Am Ende verliebt sie sich noch in diesen Mann. Das fehlte noch. Sie ist fest entschlossen, vernünftig zu sein.

Da ist sie schon, die Bucht. Helmut ist bereits da. »Schön, dass Sie gekommen sind, Lillian.« Das klingt ziemlich förmlich. Lillian ist erleichtert. Oder enttäuscht. Das weiß sie nicht. Sie steigt vom Rad. »Es ist nicht so leicht, mich mit Ihnen zu treffen.«

»Ich weiß, Lillian, umso mehr freue ich mich, dass Sie gekommen sind. Ich wollte so gerne einmal alleine mit Ihnen sein!«

Sie kommen an eine Stelle, wo ein großer Stein am Ufer liegt. »Wollen wir uns einen Moment dahin setzen?« Bevor sie antworten kann, hat ihr Helmut schon das Rad abgenommen und gegen einen Baum gelehnt. Sie sitzen eine Weile schweigend nebeneinander und blicken auf den Vågsfjord. Helmut nimmt einen flachen Kiesel und lässt ihn über die Wasseroberfläche tanzen.

»Es ist so unwirklich für mich, hier zu sein«, sagt er leise. »Hier an diesem Meer, dreitausend Kilometer weg von zu Hause. Und ganz allein mit Ihnen.«

»Es ist nicht nur unwirklich, es ist nicht richtig, dass ein deutscher Soldat hier sitzt.« Lillian schaut Helmut an. Irgendetwas in seinen Augen sagt ihr, dass ihm diese Bemerkung wehgetan hat.

»Warum bist du dann gekommen?« Jetzt hat er sie geduzt. Dann tut sie das auch. »Es geht mir eben wie meinem Vater, du bist mir sympathisch.«

»Nur sympathisch oder vielleicht ein kleines bisschen mehr?« Jetzt nimmt er auf einmal ihre Hand. »Bei mir ist es nämlich mehr als nur Sympathie.« Es dauert einen Moment, bis Lillian ihre Hand wieder wegzieht. Keiner sagt etwas. Dann steht Lillian auf. Helmut nimmt wieder ihr Rad und sie gehen ein Stück weiter den Weg entlang.

»Lillian«, sagt Helmut nach einer Weile. »Lillian, ich habe mich in dich verliebt. Es ist so, ich kann nichts dagegen tun. Und ich habe das im Übrigen auch gar nicht vor.«

Lillians Kopf glüht. Ihr Herz auch. »Ich glaube, ich habe mich auch in dich verliebt, Helmut, aber ich weiß nicht ... *alt er så vanskelig* ... alles ist so schwer ...«

Helmut lässt das Rad fallen. Er nimmt Lillians Gesicht in beide Hände und dann küsst er sie. Auf einmal ist alles ganz einfach.

In den folgenden Wochen trifft sich Lillian immer wieder mit Helmut. Natürlich heimlich. Sie unternehmen lange Spaziergänge, am liebsten auf einsamen Wegen, wo sie sicher sind, von niemandem gesehen zu werden. Helmut sieht auf diesen Spaziergängen Lillian oft einfach nur an. Ihre grünen Augen, ihre hübsche Nase, ihren schön geschwungenen Mund, ihre feinen braunen Haare, die sich in weichen Wellen um ihr Gesicht legen. Wie er es mag, wenn sie Deutsch spricht. Ihr »z« ist ein weiches »s«. *Sauberflöte von Mosart* oder *Sar und Simmermann von Lorsing*. Wunderschön.

Aber auch er legt sich mächtig ins Zeug, um Norwegisch zu lernen. Bald kann er schon einige Sätze, die über »jeg elsker deg« hinausgehen.

Lillian gefällt das sehr. Vor allem aber mag sie Helmuts Humor und sein Lachen. Dann vergisst sie sogar seine Uniform.

Aber die Dinge sind schwierig. Und sie werden schwierig bleiben. Sie weiß, wie über die Mädchen in Harstad gesprochen wird, die sich mit den Deutschen eingelassen haben. Und was werden ihre Eltern sagen, was ihre Freunde, die Nachbarn und die Lehrer an der Handelsschule, wenn sie von ihr und Helmut erfahren.

Auch Tore gegenüber hat sie ein schlechtes Gewissen. Sie schreiben sich immer noch. Sie mag Tore, gewiss, aber sie spürt, dass ihr Gefühl für Helmut ein völlig anderes ist. Eines, das sie bisher nicht gekannt hat. Und außerdem ist Helmut so viel erwachsener, reifer und ernster als ihre norwegischen Freunde.

»Vielleicht müssen wir bald weg von hier, Lillian.« Sie sitzen in der Nähe der Trondenes-Kirche und schauen hinaus aufs Meer. Die Kirche ist die nördlichste mittelalterliche Steinkirche Norwegens und liegt oberhalb des Vågsfjordes, ein wenig außerhalb der Stadt. Lillian mag diese Stelle sehr. Sie ist in dieser Kirche getauft worden. Aber die beiden sind nicht nur deshalb so oft hier. Es gibt nicht viele Orte rund um Harstad, wo sich ein norwegisches Mädchen und ein deutscher Soldat treffen können, ohne erkannt zu werden. Und Lillian will auf jeden Fall vermeiden, dass ihre Eltern von diesen heimlichen Treffen erfahren. Ach, wenn alles doch nicht so belastend wäre.

Und dennoch ist das, was Helmut gerade über den Abmarsch seiner Truppe gesagt hat, alles andere als eine Lösung für Lillian. Sie bemüht sich um einen sachlichen Ton. »Wo müsst ihr denn hin?«

»Das wissen wir nicht, aber es wird wahrscheinlich für mehrere Wochen sein, weil eine größere militärische Übung stattfinden soll.«

Lillian hat plötzlich große Angst, dass ihm etwas passieren könnte, dass er nie wieder zurückkommen wird. Sie drückt sich fest an ihn. Helmut scheint sofort zu verstehen, was sie damit sagen will. »Für mich ist es auch schwer, wenn ich mich jetzt von dir trennen soll. Und selbst wenn es nur ein paar

Wochen sind. Du bedeutest mir viel. Ich habe schon meinen Eltern geschrieben, dass ich hier oben im Norden ein Mädchen getroffen habe, eines, von dem ich immer geträumt habe, und dass sie ein Herz aus Gold hat.«

Jetzt muss Lillian doch lachen. »Aber Helmut, das ist zu viel Gutes über mich!« Er küsst sie. »Meine Eltern wissen natürlich, dass du Lillian heißt, aber für sie bist du nur *Hun,* weil ich ihnen geschrieben hab, dass »sie« auf Norwegisch *Hun* heißt.«

»Ja, aber deine Eltern werden doch sicher denken, dass sich ein norwegisches Mädchen besser nicht mit einem deutschen Soldaten treffen soll.« Im selben Augenblick bereut sie diese Frage und setzt schnell hinzu: »Sie werden denken, es kommt auf den Menschen an.«

Manchmal sind die Dinge nicht so, wie sie scheinen

Juni 1942

Immer, wenn sie sich mit Helmut getroffen hat, muss Lillian zu Hause erzählen, dass sie bei Blanche gewesen ist. Bei Blanche, ihrer besten Freundin. Und einer besten Freundin kann man auch die Sache mit Helmut sagen. Aber es tut weh, wenn man die Eltern belügen muss.

»Hast du denn keine Angst, dass es irgendwann einmal entdeckt wird?«, fragt Blanche eines Abends. »Du weißt, meine Mutter hasst die Deutschen, und wenn sie erfährt, dass du dich mit einem Deutschen triffst, dann will sie nicht mehr, dass du zu uns nach Hause kommst. Du weißt doch selbst, wie schnell ein Gerücht in unserer kleinen Stadt die Runde macht.« Blanche hat recht. Lillian weiß das. Aber Lillian muss ihre Liebe zu Helmut geheim halten. So viel steht fest. Trotzdem fürchtet sie, dass bald alles auffliegen wird.

Doch es gibt etwas, was sie noch mehr beschäftigt, seitdem sie sich in den jungen Mann verliebt hat, der eine Hornbrille trägt und so gar nicht wie ein Soldat aussieht.

»Wie denkst du eigentlich über das, was ihr Deutschen hier macht?«, fragt sie ihn am nächsten Abend. Sie haben sich diesmal im Wald oberhalb des Trondenesveien verabredet. »Gestern hat meine Mutter erzählt, dass zwei Männer aus Harstad erschossen worden sind. Sie sind von euch Deutschen umgebracht worden, weil sie angeblich irgendwelche Informationen nach England geschickt haben. Einer davon ist der Sohn von Frau Pettersen, unserer Schneiderin – sie hat vor zwei Jahren das Kleid für meinen Abschlussball genäht und ist immer so stolz auf ihren Sohn gewesen. Ich kenne Alf natürlich auch, er ist«, sie stockt und fängt an zu weinen, »er war so ein lieber Junge, der nie jemandem etwas Böses getan hat. Die arme Frau Pettersen, sie ist völlig verzweifelt, Alf war ihr Ein und Alles. Mit seinem Geld hat er auch die Familie ernährt. Er hat für die Firma Eriksen als Elektriker gearbeitet. Und deshalb hat er auch diesen Auftrag für die Deutschen ausgeführt, in Ramsund, wo ihr die große Festungsanlage baut.«

Jetzt sprudelt es nur so aus Lillian heraus. »Ich weiß nicht genau, was passiert ist, aber offenbar hat ein anderer Norweger ihn überredet, Zeichnungen von dieser Anlage für die Alliierten zu machen. Die hat er dann zu Rechtsanwalt Per Spilling gebracht, der sollte es wohl weiterleiten, und jetzt sind beide von euch in Setermoen erschossen worden. Es ist schrecklich!« Lillian kann nicht weitersprechen. Sie schluchzt.

Helmut schweigt.

Sie wundert sich, dass er sie nicht in den Arm nimmt. Er steht einfach bloß da und schaut nach oben, wo zwischen den Wipfeln ein Stück Himmel zu sehen ist.

»Ja, das ist furchtbar, Lillian«, sagt er dann doch nach einer Weile. »Aber glaub mir, auch wenn ich eine deutsche Uniform trage, ich habe nichts mit diesen Dingen zu tun.«

»Und warum bist du dann deutscher Soldat? Du gehörst doch zur deutschen Wehrmacht. Warum machst du da mit?«

Helmut sieht sie immer noch nicht an. Offenbar interessiert ihn nur das kleine Stück Himmel.

»Wenn du nicht mehr mit mir zusammen sein willst, kann ich das verstehen, Lillian. Du musst die Dinge so sehen, das ist mir völlig klar.« Seine Stimme klingt jetzt ein wenig brüchig. »Manchmal sind die Dinge nicht so, wie sie scheinen.«

Lillian merkt, dass er etwas zurückhält. Aber was? Sie merkt auch, dass sie nicht weiterfragen soll. Nicht jetzt.

Deutsche Besatzung in Norwegen

Das Land ist während der fünfjährigen deutschen Okkupation nicht nur ganz dem politischen und militärischen, sondern auch dem wirtschaftlichen Willen der neuen Herren ausgeliefert. In seinem Schreiben an Josef Terboven vom 27. März 1941 fordert Generaloberst Nikolaus von Falkenhorst:

> Auslieferung der Restmengen Heu, Stroh, Fleisch und Fett, die durch Erlass des Oberkommandos der Wehrmacht vom 15.1.1941

befohlenen norwegischen Aufbringungssoll für die Zeit vom 1.8.40 bis zum 31.7.41 bisher noch nicht geliefert sind. Auslieferung der für die Versorgung der Wehrmacht bis zum 30.9.1941 benötigten und zugesagten Restmenge ungebrannten Kaffees. Ermittlung und Bekanntgabe des gesamten in Norwegen vorhandenen Zeltraumes sowie an Rucksäcken, Wetterschutzkleidung einschließlich Gummistiefel und Arbeitsbekleidung unter Angabe der Lagerorte bis zum 1.5.1941. Bereitstellung von zunächst 50 000 Paar Ski- bzw. Bergschuhen an Wehrmachtbefehlshaber in Norwegen bis zum 15.5.1941.«

Die Wehrmacht nimmt sich also für ihre 400 000 Soldaten, was sie braucht. Besondere Rücksicht auf die Bedürfnisse der Bevölkerung wird dabei nicht genommen. Norwegen ist ohnehin das Land, das im Verhältnis zu seiner Bevölkerungszahl die meisten deutschen Besatzungssoldaten auf seinem Territorium ertragen hat.

Man weiß, dass noch viele Jahre nach dem Krieg so mancher ehemalige Besatzungssoldat nach Norwegen gereist ist, um seiner Familie die Orte zu zeigen, an denen er während des Krieges stationiert war. Dann war die Verwunderung oft groß, wenn die Norweger ihn nicht freudig begrüßt haben und nicht gemeinsam mit ihm über die alten Zeiten reden wollten.

Der norwegische Historiker Ole Christian Grimnes resümiert, dass die Besetzung Norwegens weder in der deutschen Geschichtsschreibung noch im Bewusstsein der Deutschen bis heute eine große Rolle spiele. Viele andere Ereignisse hätten Vorrang. Für das norwegische Bewusstsein jedoch sei die deutsche Besatzung ein Trauma und ganz zentral und die Erinnerung daran unauslöschlich.

Was die Norweger mit dieser Zeit verbinden, kann man erfassen, wenn man ein Buch des Bundesarchivs über die Okkupationspolitik des deutschen Faschismus in Norwegen und Dänemark liest. Die dort veröffentlichten 156 Dokumente mit Richtlinien, Vorschriften, Lagebeurteilungen und Aktenvermerken lassen ahnen, wie der Terror der deutschen Sicherheitspolizei und ihres gefürchteten Armes, der Gestapo, über den beiden Ländern gelegen hat.

Am 26. April 1942 hat dieser Terror auch Telavåg, ein kleines Dorf an der norwegischen Westküste, erreicht:

> An diesem Morgen überrascht die Gestapo in einem Haus des Dorfes zwei aus Großbritannien eingetroffene Widerstandskämpfer. Es kommt zum Schußwechsel, bei dem der Gestapochef von Bergen und sein Stellvertreter, aber auch ein Untergrundkämpfer getötet werden. Vier Tage später kommt die SS mit Reichskommissar Josef Terboven an der Spitze nach Telavåg.
>
> Sie sprengen und brennen sämtliche Fischerhäuser nieder und vernichten das Hab und Gut der Bewohner. Die Gestapo verhaftet alle Männer zwischen 16 und 60 und verschleppt sie ins Konzentrationslager Sachsenhausen. Frauen und Kinder kommen nach wochenlangen Verhandlungen mit dem Roten Kreuz frei.
>
> Telavåg ist für die Norweger, was die SS-Massaker von Lidice für die Tschechen oder Oradour für die Franzosen sind.

Die Verfolgung der norwegischen Juden beginnt im Mai 1940, Verhaftungen und Deportationen nehmen ab Winter 1941/42 zu. Von den insgesamt 760 nach Deutschland deportierten

Juden überleben nur 25. Ungefähr der Hälfte der bei Kriegsausbruch in Norwegen lebenden 1800 Juden gelingt es aber, nach Schweden zu flüchten und sich so in Sicherheit zu bringen. Seit Februar 1942 ist Vidkun Quisling Chef einer reinen NS-Regierung, allerdings unter der strengen Kontrolle des deutschen Reichskommissars. Die Nasjonal Samling versucht in einer politisch-ideologischen Offensive auf eine nationalsozialistische Revolution in Norwegen hinzuarbeiten. Das misslingt nicht nur, sondern führt auch zu wachsendem Widerstand in der Bevölkerung.

Als Terboven beispielsweise die Gründung eines norwegischen Sportverbandes verfügt, in den sämtliche Sportvereine Norwegens einzutreten haben, verweigern sich die Sportler. So kommt es, dass es während der Besatzung keine Sportveranstaltungen mehr gibt. Und die, die von der Besatzungsmacht oder der Nasjonal Samling organisiert werden, finden vor leeren Rängen statt. Die gesamte Sportjugend – vom örtlichen Fußballverein bis zum großen norwegischen Skiverband – protestiert damit auf ihre Weise gegen die neuen Machthaber. Auch die Schulen lassen sich nicht für die Ideen der Nasjonal Samling einspannen – mit der Konsequenz, dass im März 1942 1000 Lehrer verhaftet und auf Befehl Terbovens zur Zwangsarbeit nach Nordnorwegen transportiert werden.

> Vielleicht mehr als in irgendeinem anderen besetzten Land haben die Norweger das Gefühl, daß ihre nationale Linie – angefangen beim Widerstand des Königs und der Regierung gegen den deutschen Überfall 1940 – richtig und lobenswert war. Dies hat dazu geführt, daß, während die Deutschen dem Nationalstaat gegenüber mißtrauisch geworden sind und nach gesamteuropäischen Lösungen streben, der Nationalstaat in Norwegen

gestärkt wurde und das Land als einziger der skandinavischen Staaten außerhalb der Europäischen Union geblieben ist. In den letzten Jahren aber richtet sich der Blick auch in Norwegen auf die zweifelhaften Seiten der Okkupationsgeschichte, denen früher wenig Aufmerksamkeit geschenkt wurde.

Dazu gehört auch, dass man in Norwegen angefangen hat, sich Gedanken darüber zu machen, wie das Land nach 1945 mit jenen jungen Frauen umgegangen ist, die mit einem deutschen Soldaten zusammen waren.

Erzähl es niemandem

Juni 1942

An einem Sonntagnachmittag sind Pus und Lillian allein im Haus in der Halvdansgate. Die Eltern sind zu Verwandten aufs Land gefahren und haben den kleinen Bjørn mitgenommen.

Da schellt es. Es ist Helmut. Lillian ist sich unsicher, ob sie ihn hereinbitten soll. Sie weiß, dass ihre Eltern das nicht gutheißen würden. Sie sagt Helmut an der Tür und deutlich hörbar, dass sie mit der kleinen Schwester allein zu Hause ist. Aber Helmut scheint nicht verstehen zu wollen, was sie ihm damit sagen will.

Lillian seufzt. »Also gut, komm einen Augenblick herein, aber ich muss mit Pus Schulaufgaben machen.«

Jetzt versucht er auch noch, den Arm um sie zu legen. Nein, das geht nicht. Nicht jetzt. Nicht in der Halvdansgate. Sie schiebt ihn in die Bibliothek und geht wieder zurück zu Pus in die Küche.

»Haben wir Besuch, Lillian?«

»Ja, Herr Crott ist vorbeigekommen, ich mache uns nur gerade Tee.«

»Meinst du, Mama und Papa hätten das gerne, Nuri?«

Pus schlägt ihr Rechenbuch zu und baut sich vor der großen Schwester auf.

»Weißt du, was ich glaube? Der ist in dich verliebt. Er ist ja auch wirklich ganz nett. Aber er ist und bleibt doch ein Deutscher.«

Lillian glaubt nicht recht zu hören. Was sagt die Kleine da?

»Übrigens hat Inger gestern zu mir gesagt, man hätte dich oben an der Kirche gesehen. Mit einem Mann in Uniform. Ihr habt euch also heimlich getroffen, nicht wahr? Du wirst ja rot, Lillian – also stimmt es.«

»Jetzt nicht, Pus. Wir reden später, ja?«

»Du wirst Schwierigkeiten bekommen, warte nur ab.«

Sie sagt das alles in einem Ton, den Lillian noch nie bei ihr gehört hat.

»Ich gehe jetzt zu Inger«, sagt Pus und wirft den Kopf mit den blonden Locken nach hinten. »Wir können nämlich unsere Rechenaufgaben sehr gut auch ohne dich machen.« Sie nimmt ihre Bücher und ist auch schon verschwunden.

Der Kessel pfeift. Lillian stellt zwei Tassen auf ein Tablett und gießt den Tee auf. Zum ersten Mal ist sie jetzt mit Helmut allein im Haus. Sie fühlt sich dabei ausgesprochen unwohl. Vor allem weil ihr das, was ihr die kleine Schwester gesagt hat, nicht aus dem Kopf geht.

Helmut steht auf einmal hinter ihr. Lillian erschrickt. »Hast du verstanden, was Pus gerade gesagt hat?« Helmut nickt. »Und weißt du, was das heißt? Es wird jetzt nicht mehr lange dauern, bis meine Eltern erfahren, dass wir uns treffen!«

Sie geht mit raschen Schritten zur Bibliothek. Helmut nimmt das Tablett vom Küchentisch und geht ihr nach. »Was werden sie tun, was meinst du?«

Lillian dreht sich auf dem Absatz um. »Was sie tun werden? Sie werden außer sich sein. Du hast ihr Vertrauen missbraucht. Und ich habe sie belogen. Glaubst du wirklich, dass sie es jemals hinnehmen werden, dass sich ihre Tochter mit einem Soldaten der Wehrmacht trifft?«

Sie nimmt ihm das Tablett aus der Hand und stellt es auf den Tisch zwischen den beiden Ledersesseln. Das ist der Platz im Haus, an den man sich mit Gästen setzt. Lillian will sich aber nicht setzen.

»Ihr sollt so viele schreckliche Dinge in Norwegen getan haben. Eigentlich kann ich gar nicht glauben, was die Gerüchte sagen. Aber nun ist es auch hier passiert, hier, in Harstad.«

Ihre Stimme hebt sich.

»Die Familie Salomon ist weggebracht worden – von euch Deutschen. Und warum? Nur weil sie Juden sind. Meine Mutter sagt, und das finde ich auch, dass es niemals gut um ein Volk stehen kann, das andere Menschen verfolgt.« Lillian zeigt auf Helmuts Koppelschloß. »Was steht da? *Gott mit uns*. Ich verstehe das nicht. Das klingt, als ob ihr Deutschen einen eigenen Gott hättet.« Sie fühlt, wie Tränen in ihr aufsteigen. Aber sie will nicht weinen. Sie will, dass dieser Mann, den sie so mag, endlich etwas sagt. Etwas, was ihr Gewissheit gibt. Und einen Grund, dass sie bei ihm bleiben kann. »Bist du denn auch dafür, dass man die Juden abholt und in ein Lager bringt?«

Helmut wirkt wie abwesend. So, als habe er gar nicht gehört, was sie eben gesagt hat. Er lässt sich in den Sessel fallen und vergräbt den Kopf zwischen den Händen.

»Was ist los mit dir, Helmut? Warum antwortest du mir nicht?«

An der Wand tickt die Uhr. Lillian kommt jede Sekunde wie eine Ewigkeit vor. Die wildesten Gedanken schießen ihr durch den Kopf. Hat Helmut etwas mit den Salomons zu tun gehabt? Und arbeitet vielleicht gar nicht auf der Schreibstube? Ist er am Ende einer von Hitlers Leuten?

»Ich muss dir etwas sagen.« Helmuts Stimme ist leise, aber sie klingt fest. »Es ist ein Geheimnis und es muss ein Geheimnis bleiben.«

Ein Geheimnis. Lillian setzt sich. Sie muss auf alles gefasst sein.

»Du musst mir dein Ehrenwort geben, dass du niemandem erzählst, was ich dir jetzt sage. Niemandem! Versprichst du mir das?«

Lillian nickt. Ob sie die Kraft hat, Helmuts Geheimnis zu ertragen? Sie hofft es.

»Du musst nämlich wissen, dass ich eine jüdische Mutter habe.«

»Eine jüdische Mutter?«

Lillian hat mit allem gerechnet. Aber nicht damit. Sie beugt sich vor und sieht Helmut an. Etwas in seinem Gesicht sagt ihr, dass er die Wahrheit sagt. Trotzdem, sie kann es nicht glauben.

»Du hast eine jüdische Mutter? Dann bist du ...?«

Helmut nickt.

»Aber das ist doch gar nicht möglich. Wieso trägst du dann diese Uniform?«

»Weil ich es geschafft habe, dass meine Abstammung nicht entdeckt worden ist.« Helmut ist aufgestanden und ans Fenster getreten. »So seltsam es klingen mag: Ich lebe noch, weil ich in der Wehrmacht bin. Und nicht jedes Formular ist nach Berlin zurückgeschickt worden.« Er dreht sich um und sieht sie an. »Ist ja nicht schwer, wenn man selbst auf der Schreibstube ist …«

Lillian versucht erst gar nicht, ihre Gedanken zu ordnen. Eine heiße Welle des Mitgefühls durchströmt sie. Sie springt auf und umarmt Helmut.

Erst nach einer Weile kann sie wieder sprechen.

»Was ist mit deiner Mutter, Helmut, wird sie auch verfolgt?«

»Sie hat es zu Hause schwer. Sehr schwer.«

»Und du? Hast du auch den jüdischen Glauben?«

»Als Kind bin ich mit meiner Mutter ab und zu in die Synagoge gegangen. Später bin ich dann katholisch geworden. So katholisch wie mein Vater. Wenn es wenigstens geholfen hätte …«

»Was haben sie dir angetan, min kjæreste? Willst du mir das erzählen?«

Die Bibliothek in der Halvdansgate

»Ach, Lillian.« Helmut seufzt. »Warum soll ich dir das Herz schwer machen? Es hat mich schon genug Überwindung gekostet, dich in mein Geheimnis einzuweihen. Aber ich musste es tun. Ich spürte, dass ich dich sonst verlieren würde.«

»Du wirst mich nicht verlieren. Nichts mehr ist jetzt zwischen uns.« Aber Lillian bedrückt noch etwas. »Natürlich ist es wichtig, dass niemand dein Geheimnis erfährt. Ich würde es nur gerne meinen Eltern erzählen, damit sie dich mit anderen Augen sehen ...«

Helmut blickt Lillian erschrocken an.

»Nein, auf gar keinen Fall! Mein Leben hängt davon ab, dass es niemand weiß. Hörst du, Lillian? Niemand.«

An diesem Sonntagnachmittag klärt sich für Lillian ihr Verhältnis zu Helmut. Sie weiß jetzt, dass sie nicht an seiner Haltung zweifeln muss. Aber in diesem Moment in seinem Arm fühlt sie ganz deutlich, dass sie einen Preis für ihre Liebe zu ihm zahlen muss. Und dass sie diesen Preis zahlen will. Sie löst sich aus Helmuts Umarmung, nimmt seine Hände und schaut ihn mit festem Blick an: »Ich verlasse dich nie!«

Meine Großtante wird deportiert

Juli 1942

Helmut weiß im norwegischen Kriegssommer 1942 noch nicht, dass er seine geliebte Tante Tetta nie wiedersehen wird. In Wuppertal hat – wie in anderen deutschen Städten auch – die Zeit der massenhaften Deportationen der Juden begonnen. Am 20. Juli trifft es auch die Bewohnerinnen und Bewohner des Jüdischen Altersheims in Wuppertal-Elberfeld und damit auch die 83-jährige Henriette Callmann. Am 12. Juli erhält sie ein Schreiben der jüdischen Hausverwaltung:

> Im Auftrag der geheimen Staatspolizei, Staatspolizeileitstelle Düsseldorf, Außendienststelle Wuppertal, teilen wir Ihnen mit, daß sämtliche Juden des Bezirks, soweit sie nicht in Mischehe leben, zu einem Transport nach Theresienstadt eingeteilt sind. Der Transport für den Bezirk Wuppertal geht ab am Montag, den 20. Juli 1942, am Bahnhof Elberfeld-Steinbeck. Die Teilnehmer versammeln sich am 20.7.42, vormittags 8.30 Uhr auf dem Vorplatz des Bahnhofs Steinbeck (Nicht auf dem Bahnsteig), sie müssen zu diesem Zeitpunkt dort eingetroffen sein.

Carola Crott ist wie versteinert, als sie die Anordnung sieht, die ihre Schwester Tetta ihr am nächsten Tag zeigt. Gemeinsam lesen sie die Anweisungen:

> ... den Vermögenserklärungen sind Sparkassenbücher, Hypothekenbriefe, Verträge sowie sonstige Wertpapiere beizufügen ... Jeder Transportteilnehmer hat am Mittwoch, den 15. Juli 1942 zusammen mit der Abgabe der Vermögenserklärung RM 65,– an die Geheime Staatspolizei Außendienststelle Wuppertal abzuliefern ... Wertsachen jeder Art wie Gold, Silber, Platin mit Ausnahme der Eheringe, sind zum Gestellungsort mitzubringen und in einem Briefumschlag zur Abgabe bereitzuhalten ... Die Wohnräume sind in sauberem Zustand zu verlassen. Es ist darauf zu achten, dass Gas, Wasser und elektrisches Licht abgestellt sind. Zum Reinigen der Räume und zu sonstigen Arbeiten dürfen deutschblütige Personen nicht hinzugezogen werden.

Dann ist aufgeführt, was mitgenommen werden darf und muss:

> An Gepäck darf von jeder Person mitgenommen werden (im Gewicht von höchstens 25 kg) ein Koffer oder Rucksack und ein Bettsack in der Größe von c. 70 cm Breite und 40 cm Höhe. Der Bettsack sollte enthalten: Decken und Bettwäsche sowie Marschverpflegung für 2 Tage. Der Koffer soll enthalten: Kleider, Wäsche und die persönlichen Gebrauchsgegenstände sowie Marschverpflegung für 8 Tage. Ein Eßbesteck und ein Eßnapf (nicht aus Porzellan) sind unbedingt mitzunehmen.

Dieses amtliche Schreiben kommt den beiden gerade wegen seiner sachlichen Nüchternheit völlig unwirklich vor. Sie sind doch Schwestern, denkt Carola. Sie, Carola, hat Heinz geheiratet, Tetta ist unverheiratet geblieben. Und dieser Unterschied macht nun aus, dass die eine diesen Brief von der Gestapo bekommt und die andere nicht.

In den folgenden Tagen weicht Carola nicht von Tettas Seite. Sie sind sich jetzt näher denn je. Es wird nicht viel geredet, die Anordnungen des fürchterlichen Schreibens werden, so gut es eben geht, umgesetzt, Heinz hilft, wo er kann. Abends verstummen die Gespräche. Und von einem will sowieso niemand reden: Von den ersten Deportationen im Oktober 1941 ist keiner je zurückgekommen.

Zu den Deportierten werden auch der Vorsitzende der jüdischen Gemeinde Barmen, Rechtsanwalt Kurt Orgler und seine Frau Adele, gehören. Sie schreiben in einem Brief an ihre in der Emigration lebenden Kinder:

> Geliebte Kinder! Da man uns nicht die Möglichkeit gegeben hat, zu Euch zu kommen, so müssen wir heute von Euch Abschied nehmen. Wir verlieren Heim und Heimat und Ihr das Elternhaus. Es ist uns schwer ums Herz. Wir haben, seit wir mit der Abreise rechnen mussten, so viel Liebe erfahren, daß wir die letzten Tage nicht aus unserem Leben streichen möchten.

Der Wuppertaler Jakob Kaufmann schreibt vor der Deportation an seine Kinder:

> Nunmehr ist auch uns das Judenschicksal auferlegt. Heute ist der 14. Juli, wir haben noch 6 Tage, dann müssen wir unser gemütliches Heim verlassen und die Fahrt in das Ungewisse machen. Wir kommen nach Theresienstadt in Böhmen. Wir haben nicht geglaubt, dass Menschen in meinem Alter den Wanderstab noch aufnehmen müssen, aber selbst Leute im höchsten Alter müssen noch mit. Es ist ein schweres Los, welches uns getroffen. Wir wollen hoffen, daß wir gesund bleiben und mit Gottes Hilfe diese traurige Zeit überstehen. Ich habe das feste Gottvertrauen, daß für uns auch mal wieder bessere Tage kommen.

Als der Morgen des 20. Juli kommt, sind Heinz und Carola um 7 Uhr bei Tetta, packen Brote und andere Lebensmittel in Koffer und Bettsack. Auch jetzt wird kaum gesprochen. Carola nimmt ihre Schwester fest am Arm, als sie sich zum Steinbecker Bahnhof aufmachen müssen. Heinz folgt mit Tettas Koffer und dem Bettsack. Auf dem Vorplatz sind schon viele Menschen versammelt. Die Umarmungen wollen nicht enden. Dann ist Tetta mit den anderen im Bahnhofsgebäude verschwunden.

Henriette Callmann wird zusammen mit 246 Wuppertaler Jüdinnen und Juden zunächst nach Düsseldorf transportiert. Von dort fährt am nächsten Tag um 10.17 Uhr ein neu zusammengestellter großer Deportationszug mit insgesamt fast 1000 Juden aus Düsseldorf, Essen, Oberhausen und den Juden aus Wuppertal ins Ghetto Theresienstadt.

Helmuts Eltern beschließen, ihrem Sohn nichts von Tettas Transport nach Theresienstadt zu schreiben, sie wollen es ihm persönlich sagen.

Im Dezember 1942 fährt Helmut auf Heimaturlaub nach Hause, mit dem Zug durch Schweden – das neutrale Schweden gestattet erstaunlicherweise die Durchreise deutscher Soldaten – dann mit dem Schiff nach Saßnitz und von dort nach Wuppertal.

Helmut freut sich sehr auf zu Hause und das Wiedersehen mit den Eltern. Er will sie überraschen und kommt, anders als geplant, schon zwei Tage vor Weihnachten in Elberfeld an. Als er in die Wohnung in der Blumenstraße tritt, bemerkt er sofort, dass etwas anders ist – der Lehnstuhl im Erker ist nicht besetzt.

Seine Mutter sieht ihn nur an. Sein Vater nimmt seinen Arm und erzählt, was passiert ist. Dann sehen Heinz und Carola Crott ihren erwachsenen Sohn zum ersten Mal bitterlich weinen.

Ich weiß nicht, ob meine Großeltern und mein Vater jemals erfahren haben, wo und wie Tetta umgebracht worden ist. Ich weiß nicht, ob sie nach dem Krieg nach ihrem Schicksal geforscht haben. Ich lese in der *Begegnungsstätte Alte Synagoge* in Wuppertal in den Akten, dass Henriette Callmann, meine Großtante, am 21. Juli nach Theresienstadt deportiert worden ist, von dort am 21. September 1942 mit dem »Transport Bp nach Treblinka, wo sie vermutlich sofort getötet wurde«. In der Gedenkstätte Yad Vashem in Jerusalem ist ihr Name verzeichnet.

Annie erfährt von Lillians Beziehung zu einem Deutschen

Juli 1942

Lillian muss jetzt mit einem Geheimnis leben. Nach außen darf sie sich nichts von dem anmerken lassen, was sie von Helmut bei seinem überraschenden Besuch in der Halvdansgate erfahren hat. Aber innerlich ist sie sehr aufgewühlt. Was passiert mit Helmut, wenn die Sache mit den Formularen doch noch entdeckt wird? Wird er dann verhaftet werden? Kommt er in ein Lager? Oder wird er sogar erschossen? Soll sie ihm Kleidung von ihrem Vater oder ihrem Bruder geben, damit er nach Schweden fliehen kann? Wird er dazu falsche Papiere brauchen? Und wie kommt man an die? Sie hat so viele Fragen. Und keine Antworten. Sie kann, sie darf sich ja niemandem anvertrauen. Auch ihrer Freundin Blanche nicht.

Beim nächsten Treffen an ihrem Platz am Meer zeigt Lillian mehr Zuversicht, als sie tatsächlich besitzt. Sie will Helmut ermutigen, nicht entmutigen. »Es wird alles gut werden, min kjæreste.« Aber sie will auch noch mehr von ihm und seiner Familie wissen.

»Du musst mir von deiner Mutter erzählen. Wie ist es jetzt für sie in Deutschland? Und wie groß ist die Gefahr tatsächlich für sie?«

»Schwer zu sagen. Bis jetzt ist meine Mutter durch die Ehe mit meinen Vater weitgehend geschützt. Mein Vater ist katholisch und«, Helmut hustet, »Arier.«

Lillian wiederholt das Wort in der klaren norwegischen Luft dieses Abends. Es klingt so albern.

»Andererseits hat mein arischer Vater seine Stelle bei der Bahn verloren, weil er mit einer Jüdin verheiratet ist.«

Lillian will nachfragen, aber Helmut ist in seinen Gedanken weit weg. »Seit einem Jahr muss meine Mutter diesen gelben Stern am Mantel tragen, wenn sie das Haus verlassen will. Der Stern muss gut sichtbar sein. Sie hat ihn sich allerdings auf die Innenseite des Kragens genäht. Das hat sie einfach so getan, die halbe Portion.«

Helmuts Blick geht hinaus aufs Meer. »Sie darf nicht mehr Straßenbahn fahren, sie darf in kein Restaurant mehr gehen. Aber das ist noch nicht das Schlimmste.«

Ein paar Meter weiter streiten sich die Möwen um irgendetwas, was das Meer an den Strand gespült hat. Vielleicht eine Krabbe. Oder ein toter Fisch. Eine Möwe sitzt am Boden, mit gespreiztem Gefieder, die andern fliegen immer wieder auf und versuchen sie zu vertreiben.

»Früher sind meine Eltern am Samstag gerne mal in den Kaiserhof gegangen, das ist ein Restaurant bei uns zu Hause in Wuppertal. Dann wurde meinem Vater eines Tages gesagt: ›Sie dürfen gerne hinein, aber Ihre Frau nicht.‹ Und jetzt ist es so, dass meine Mutter überhaupt nicht mehr ausgehen möchte.«

»Und das ist das Schlimmste?«

»Nein«, sagt Helmut. »Das Schlimmste ist, dass meine Mutter sich die Schuld gibt. Die Schuld an allem.« Am Strand sind die Möwen auf einmal verschwunden. Die Krabbe, oder was immer es gewesen ist, haben sie dort liegen lassen.

»Dein Vater hat seine Stelle verloren, weil er mit einer jüdischen Frau verheiratet ist?«

»Nun ja. Vor der Entlassung hat man ihm gewisse Möglichkeiten eingeräumt.« Helmuts Stimme klingt auf einmal anders. Lillian fragt nach, ob sie es auch richtig verstanden hat.

»Gewisse Möglichkeiten?«

»Nun, man hat ihm vorgeschlagen, sich doch einfach von seiner Frau scheiden zu lassen. Sich selbst sozusagen frei zu machen und seine Frau der Fürsorge des Reiches zu überlassen.« Helmut sieht Lillian an und merkt, dass sie seine Ironie nicht verstehen kann. Er ändert seinen Ton. Er darf ihr das alles nicht zu schwer machen, sie ist doch noch so jung. Und kann sich, was in Deutschland wirklich passiert, vermutlich kaum vorstellen. »Das kam natürlich für meinen Vater überhaupt nicht in Frage. Und so wurde er eben von heute auf morgen arbeitslos.«

Lillian ist erschüttert. »Das ist grauenhaft, Helmut. Und ich weiß gar nicht, wie ich dir helfen kann, das alles auszuhalten.«

Er nimmt sie in seinen Arm und drückt sie an sich. »Du hast mir schon geholfen.«

»Wieso?«

»Es gibt dich. Das hilft mir mehr als alles andere …«

Einige Wochen später sitzt Lillian in der Halvdansgate über ihren Büchern. Buchhaltung ist schwer, besonders wenn der Kopf woanders ist. Annie, die mit der Vorbereitung des Essens beschäftigt ist, sieht über die Pfannen und Töpfe immer wieder hinüber zu ihrer Tochter.

»Was ist los, Nuri?«, sagt sie schließlich. »Du bist in der letzten Zeit so still geworden. Hast du Schwierigkeiten in der Schule?«

»Nein, ich bin nur oft etwas müde. Vielleicht der Vitaminmangel.«

»Ja, du hast recht, wir haben viel zu wenig Obst und Gemüse«, antwortet Annie eher beiläufig. »Ein Segen, dass wir wenigstens ab und zu unseren Fisch haben.«

Plötzlich zieht Lillians Mutter ihren Topf mit einem Ruck vom Feuer. »Lillian«, sagt sie. »Heute Vormittag war Tante Wally hier und hat mir erzählt, dass dich jemand mit einem deutschen Soldaten gesehen hat. Sie war ganz aufgebracht und meinte, wir sollten es wissen. Ich frage dich – ist das wahr?«

Lillian weiß, dass sie ihre Mutter nicht länger anlügen kann. »Ja, Mama, das stimmt. Ich habe Helmut mehrere Male getroffen. Wir haben uns lieb.« Lillian fühlt eine ungeheure Erleichterung. Jetzt ist es heraus. Endlich.

Aber Annie ist entsetzt. »Lillian, Helmut mag vielleicht ein guter Mensch sein, aber er ist ein Deutscher! Du kannst sicher sein, dass auch Vater keine Verbindung zwischen dir und diesem deutschen Soldaten will, auch wenn er und sein Kamerad schon oft bei uns gewesen sind.«

»Du willst es doch nicht Papa erzählen?«

»Natürlich werde ich das. Und du solltest darüber nachdenken, ob du nicht gerade dabei bist, etwas zu tun, was du später bereuen wirst. Und außerdem, was glaubst du eigentlich, was Tore denken wird, wenn er das erfährt?«

»Wir haben lange nichts voneinander gehört. Als ich ihm in meinem letzten Brief von Helmut erzählt habe, bekam ich von ihm keine Antwort mehr.«

Annie scheint jetzt wirklich wütend geworden zu sein. Sie hat den Topf zurück auf das Feuer geschoben und rührt nun mit dem Kochlöffel darin herum. »Ich kann Tore nur zu gut verstehen, Lillian. Er hat gegen die Deutschen gekämpft, und du schreibst ihm allen Ernstes, dass du dich mit einem Wehrmachtsoldaten eingelassen hast. Mein Gott, Lillian, was ist denn bloß in dich gefahren?« Annie rührt heftig in dem Topf. Warum musste ihr Mann damals nur diese Deutschen auf die Hütte einladen.

Lillian ist froh, dass sie ihrer Mutter endlich die Wahrheit gesagt hat, aber sie weiß jetzt auch, dass ihre Eltern Helmut nie akzeptieren werden.

Wenn ich ihnen nur erzählen könnte, was wirklich mit Helmut ist! Und dass er solche Angst um seine Mutter hat, denkt Lillian verzweifelt, dann würden sie mich verstehen und ihn mit anderen Augen sehen.

Aber sie hat Helmut ihr Versprechen gegeben. Und sie wird es halten, um jeden Preis.

Lillian ist zum ersten Mal in ihrem Leben in einen Konflikt mit ihren Eltern geraten, und das macht ihr das Herz schwer. Sie liebt ihre Eltern und möchte ihnen keinen Kummer machen, aber sie wird sich nicht von Helmut trennen. Wenn er doch nur wieder bei ihr wäre! Helmut ist schon seit fast drei Wochen mit seiner Kompanie weiter im Norden, und es sieht ganz danach aus, dass seine Abwesenheit noch länger dauern wird.

Als sie an einem Mittwoch Anfang September zur Post geht, ist er endlich da. Der Brief ohne Absender, postlagernd. Genau wie sie es vorher abgesprochen hatten. Sie streicht zärtlich über den Umschlag, läuft dann schnell nach Hause und öffnet ihn erst in ihrem Zimmer:

> Meine liebe Lillian, jeden Tag habe ich versucht, ein bißchen Zeit für mich zu finden, aber es war fast unmöglich. Endlich kann ich diese Zeilen schreiben. Du bist so oft in meinen Ge-

danken, und ich habe so ein starkes Gefühl für Dich. Es ist schwer für mich, daß ich Dich in keiner Weise beschützen kann. Durch mich trägst Du nun eine schwere Last auf Deinen jungen Schultern. Hast Du genug Kraft dafür? Ich plage mich mit dem Gedanken an Deine Zukunft. Ist es richtig, daß Du dich an mich bindest? Du bist in einem behüteten Elternhaus aufgewachsen, und jetzt nimmst Du Anteil an meiner Lebensgeschichte. Ich frage mich, ob es richtig war, daß ich Dir alles erzählt habe? Aber gleichzeitig weiß ich, daß Du der einzige Mensch bist, dem ich mich anvertrauen kann. Deine Reaktion auf all das ist für mich wie eine »Wundermedizin« nach all den Diskriminierungen. Verdiene ich Dich, Lillian? Das Schicksal hat es vielleicht doch gut mit mir gemeint. Ich weiß nicht, wann wir zurückkommen, ich sehne mich nach Dir, heute und immer. Dein ferner Helmut.

Wie gut ihr diese Worte tun. »Meine Treue zu dir kann keine Macht der Welt zerstören«, sagt Lillian leise und drückt den Brief an ihre Wange.

Der Schlachthof in Düsseldorf-Derendorf

Oktober 2010

Welche Bedeutung Stadt- und Ortsnamen doch bekommen, wenn ein Schicksal damit verknüpft ist. Vor allem, wenn es das unsere ist. Oder das unserer Lieben.

Mir geht es so mit Düsseldorf-Derendorf. Denn dorthin ist meine Großtante Henriette Callmann im Juli 1942 verschleppt worden. Und im September 1944 auch meine Großmutter Carola Crott.

Als ich nach Derendorf suche, finde ich im Internet einen Bericht, der mit Ilse Kassel-Müller unterzeichnet ist:

> Im Herbst 1941 begannen von Düsseldorf-Derendorf aus Transporte jüdischer Menschen in Konzentrations- und Vernichtungslager. Meine Mutter Else Müller geb. Coppel, meine Schwester Lore Gabelin geb. Müller, mein Schwager Werner Gabelin und ich, Ilse Müller, damals ganze neunzehn Jahre alt, zählten zu den Betroffenen. Am Sonntag, den 17. September 1944 klingelte es am Vormittag an unserer Wohnungstür, und zwei Polizeibeamte forderten meine Mutter und mich auf, ein paar Sachen zu packen und mitzukommen. Natürlich begleitete mein Vater uns, und die beiden Beamten gingen mit aufgesetztem Seitengewehr hinter uns her. Ich kam mir vor wie ein Schwerverbrecher. Die Beamten brachten uns dann mit der Straßenbahn nach Krefeld und lieferten uns am Hansahaus ab. Dort wurde mittlerweile fast der ganze Rest der Juden, die noch in Krefeld lebten, versammelt. Es kam, zu unserem Entsetzen, auch meine im sechsten Monat schwangere Schwester Lore mit ihrem Mann Werner. Am späten Nachmittag wurden wir auf offenen Lastwagen zum Schlachthof Derendorf gebracht.

Am 17. September 1944. Dann muss Ilse Kassel-Müller zur selben Zeit wie meine Großmutter in Düsseldorf gewesen sein! Der Zeitungsartikel ist aus dem Jahr 2002. Wenn diese Ilse Kassel-Müller damals 19 gewesen ist, dann wird sie jetzt 85 sein. Falls sie überhaupt noch lebt.

Ich suche im Telefonbuch nach einer Kassel, Ilse in Krefeld, finde aber für diesen Familiennamen nur männliche Vornamen. Ich mache irgendwo den Anfang. Es meldet sich eine Frauenstimme.

»Entschuldigung, ich bin auf der Suche nach einer Ilse Kassel.« Da sagt die Frau am anderen Ende: »Das bin ich.«

Ich habe mich mit Frau Kassel für Anfang November verabredet. Vorher aber muss ich zu diesem Schlachthof nach Düsseldorf. Das Gebäude steht noch. Es liegt auf einem großen Brachgelände, auf dem die Fachhochschule Düsseldorf irgendwann einen Neubau errichten will. Von der Straße aus ist der rote Backsteinbau in dem dichten Gestrüpp kaum auszumachen.

Ich steige durch ein Loch im Bauzaun. Ich bin nicht der erste Besucher. Die Backsteinwände sind voller Graffiti. Auch innen gibt es kaum eine freie Fläche mehr. Selbst die Pferche und die Tröge sind mit grellen Farben bemalt. Ein kalter grauer Betonboden, der jetzt von Kippen und Glasscherben übersät ist. Ich finde überall Hinweise auf wildes Feiern, aber keinen Hinweis auf grausames Leiden.

Ich versuche mir jene Sonntage vorzustellen, an denen die Schweinepferche ausgespritzt waren und Männer und Frauen hier zusammengedrängt wurden. Eine ganze Nacht haben sie hier verbringen müssen. Wie konnte man in dieser Halle sitzen oder liegen? Auf dem Betonboden, in den Trögen? Wo hat meine Großmutter wohl gestanden, wo hat sie gelegen? Was ging ihr durch den Kopf? Wie hat sie das alles ausgehalten?

Als ich aus dem Gebäude komme, sehe ich gegenüber das Stellwerk des Derendorfer Bahnhofs. Von dort setzten sich am nächsten Tag die Züge Richtung Osten in Bewegung. Haben die Menschen in diesem Düsseldorfer Stadtteil nicht mitbekommen, was da mitten in ihrem Viertel geschehen ist? Wie ist es gewesen an jenem 18. September, auf dem Bahnsteig, nach der »grässlichen Nacht« im Schlachthof. Wird Frau Kassel es mir erzählen können?

Die Schatten der Vergangenheit fallen nicht von mir ab, als ich wieder durch das Loch im Bauzaun steige.

Totaler Arbeitseinsatz im totalen Krieg

April 1943

Nach der Niederlage der Deutschen in Stalingrad im Januar 1943 wird nicht nur im Reich der totale Einsatz für den totalen Krieg gefordert. Schon zwei Wochen vor Goebbels' Rede am 18. Februar im Sportpalast hatte Vidkun Quisling eine Ergebenheitsadresse an Hitler geschickt, in der er betont, dass auch das norwegische Volk durch vermehrte Arbeit zum deutschen Sieg beitragen wolle.

Reichskommissar Terboven fordert den Ministerpräsidenten auf, alle notwendigen administrativen und gesetzlichen Maßnahmen zur totalen Mobilisierung der norwegischen Wirtschaft zu treffen. Dazu soll ein Gesetz der »nationalen Regierung« über die Arbeitspflicht nach deutschem Vorbild gehören, das alle Männer zwischen 18 und 55 und alle Frauen zwischen 21 und 40 Jahren erfassen soll.

Im Februar wird das neue Gesetz bekannt gegeben. Quisling macht jedem Norweger deutlich, welche Opfer nun zu erbringen seien, »damit das norwegische Volk geschlossen und ohne Rücksicht auf Geburt und Vermögen, auf Stand und Stellung alle Kräfte in den Kampf auf Leben und Tod, welchen Europa jetzt gegen den Bolschewismus« führe, einsetzen könne.

Im April 1943 erreichen Quislings Gesetze auch die Familie Berthung.

Als Lillian eines Nachmittags von der Handelsschule nach Hause kommt, überreicht ihr die Mutter einen Brief. Lillian schaut erstaunt auf den grauen Umschlag. »Arbeitsvermittlung? Was soll das?« Sie reißt den Brief auf.

> Lillian Berthung,
> geboren am 20.8.1922, Handelsschulschülerin,
> ist heute als meldepflichtig registriert in Hinblick auf das Gesetz Nr. 1 im Zusammenhang mit dem Gesetz über den nationalen Arbeitseinsatz.

»Das kann doch nicht wahr sein«, ruft Annie, »was für ein Arbeitseinsatz soll das denn sein? Steht die Nasjonal Samling dahinter? Oder die Deutschen?«

Lillian ist schon auf dem Weg nach draußen. »Ich muss Blanche fragen, ob sie auch so einen Brief bekommen hat.« Und tatsächlich, auch ihre Freundin soll sich sofort bei dieser Arbeitsvermittlung melden.

Am Abend erinnert sich John, dass er vor einiger Zeit irgendetwas über ein Gesetz zum nationalen Arbeitseinsatz gelesen hat. Aber auch wenn er sich nicht weiter damit beschäftigt hat, so rät er Lillian doch, auf das Amt zu gehen.

Am nächsten Tag gehen Lillian und Blanche gemeinsam in das graue Amtsgebäude in der Storgate. Dort werden sie schon erwartet. Man teilt ihnen mit, dass sie zunächst einmal für vier Wochen Landarbeit eingeteilt sind. Der Vorsitzende des Arbeitskontors sieht die acht jungen Männer und Frauen, die sich vor ihm versammelt haben, nicht besonders freundlich an. »Später bekommt ihr noch Bescheid über einen weiteren

Arbeitseinsatz. Wer von euch kann Deutsch? Wir brauchen überall Arbeitskräfte, und wir müssen auch für die Wehrmacht Mitarbeiter besorgen.«

Lillian und Blanche erhalten die Mitteilung, dass ihr Einsatz am 1. Juli beginnen soll, gleich nach dem Examen an der Handelsschule.

Am Abend sind Helmut und Lillian vor dem Kino verabredet. Heute läuft der Ilse-Werner-Film »Wir machen Musik«. Lillian hat ihn schon einmal mit Helmut gesehen. Aber das macht nichts. Große Auswahl gibt es in Harstad nicht, vor allem weil jetzt nur noch deutsche Filme gezeigt werden. Und die Hauptsache ist ja sowieso, dass man zusammen sein kann.

Wie immer hat Helmut Karten für die Plätze 109 und 110 gekauft. Wenn nur die Wochenschau schon vorüber wäre. Nach der scheppernden Fanfare: Heldengedenktag in Berlin. Der Führer. Der Reichsmarschall. Der Reichsführer-SS. Die ganzen Ritterkreuzträger. U-Boot auf Geleitzug-Jagd im Nordatlantik. Bei unseren Soldaten in Griechenland. Schlacht um Charkow. Unsere Luftwaffe. Bomben. Feuer. Donner. Rauch. Schwere Verluste. Am Schluss essen die Soldaten Brote in der besetzten russischen Stadt.

Lillian sieht sich um. Ob jemand merkt, dass auch sie gerade ein Wehrmachtsleberwurstbrot isst? Helmut bringt ihr die Brote mit ins Kino. »Dein Theater-Konfekt«, sagt er dann immer und lacht.

Das Kino ist voll mit deutschen Soldaten. Und einigen jungen norwegischen Frauen. Lillian sieht das mit Unbehagen, denn sie weiß, dass einige keinen guten Ruf haben. Auch Anna Knudson ist im Kino, die seit ein paar Monaten die Freundin und Sekretärin von Gestapochef Ottlinger sein soll. Lillian kann sich nur allzu gut vorstellen, wie furchtbar das für Annas Vater sein muss, der bekanntermaßen Kommunist ist. Es wird über alle Frauen abschätzig geredet, die sich mit Deutschen einlassen. Lillian ist sich bewusst, dass nun auch sie dazugehört.

Ausgebombt

Juli 1943

Nach der deutschen Kapitulation im Kessel von Stalingrad ändert sich die Kriegssituation, die Deutschen erleben an allen Fronten Niederlagen, die Alliierten gewinnen mehr und mehr die Oberhand.

Der Luftangriff der Engländer auf Essen am Abend des 5. März 1943 markiert einen weiteren Wendepunkt auf dem Weg Deutschlands in die militärische und politische Niederlage. Für das britische Oberkommando hat mit der Bombardierung der Krupp-Stadt die *Battle Of The Ruhr* begonnen. Bis dahin ist der Angriff der tausend Bomber auf Köln vom 30./31. Mai 1942, die *Operation Millennium*, der größte Angriff der britischen Luftkriegsführung gegen das Deutsche Reich gewesen. Nach dem Angriff auf Essen wird es weitere schwere Bombardierungen auf Köln und Düsseldorf geben. Aber auch Städte wie Aachen, Krefeld, Bielefeld, Münster, Mönchengladbach und Wuppertal liegen aus britischer Sicht in der *Ruhr Area.*

Wuppertal wird ebenfalls zum Ziel der Bomber. Seit 1940 fallen immer wieder Spreng- und Brandbomben auf die Stadt. Als Carola und Heinz in einer Nacht den Schutzbunker aufsuchen wollen, sagt der Luftschutzwart zu Heinz: »Sie dürfen rein, die Jüdin nicht.«

In der Nacht vom 29. auf den 30. Mai 1943 erlebt Barmen einen großen Fliegerangriff, die Alliierten wollen aber vor allem Elberfeld treffen. Mittlerweile gibt es kaum noch Luftschutzbunker, die ihren Namen verdienen, und die meisten Menschen müssen die Angriffe in Kellern, die als Schutzräume ausgewiesen sind, überstehen. Auch am 24. Juni kommt es zu weiteren Bombardements.

Zehn Tage später schreibt Heinz an seinen Sohn:

> Nachdem wir einigen Abstand von den grausigen Dingen gewonnen haben, will ich Dir jetzt Näheres mitteilen. Der Alarm war wie üblich kurz vor 1 Uhr. Nachdem schon 20 Minuten verstrichen waren, kam Herr Ständer in den Keller gestürzt, um zu melden, daß die berühmten Christbäume unmittelbar über uns ständen. Schon waren auch die ersten Einschläge zu hören. Nach nur einigen Minuten war auch der Feuerschein unter den Türritzen des Kellers zu sehen. Dann ging es Schlag auf Schlag. Wir haben dann etwa 20 Minuten später unseren Keller verlassen und sind durch mehrere Durchbrüche mit den übrigen Bewohnern des Hauses in den Keller der Schule an der Ecke Kölner/Langestraße geflüchtet. In bereitgestellten Wasserkübeln wurden Tücher und Mäntel angefeuchtet, um später als Schutz gegen Flammen und Funkenflug zu dienen. Inzwischen folgte Welle auf Welle, und die Zeit wollte nicht vorwärtsgehen. Als übereifrige Ordner einen der rückseitig gelegenen Ausgänge öffneten, um schon während des Angriffs mit dem Abtransport der Menschen zu beginnen, sahen wir, daß schon die Blumen- und Langestraße ein Feuermeer war.

Gegen 2 Uhr war der Spuk zu Ende, d.h. wir hörten nichts mehr, denn Licht und somit Entwarnung klappten nicht mehr. Als wir aber an den Hauptausgang kamen, bot sich ein grauenhaftes Bild. Die Flammen zogen bereits an der Tür vorüber. Ein mächtiger Sturm hatte sich aufgetan. Ich mußte Mutti mit mir nach draußen reißen, wozu sie allein wohl kaum den Mut aufgebracht hätte. Schon gleich nach dem Verlassen der Schule mußte ich sehen, daß in unserem Hause die ganze Etage über uns in hellen Flammen stand und im nächsten Augenblick auf unsere Wohnung übergreifen mußte. An eine Rettung irgendwelcher Gegenstände war in diesem Augenblick nicht zu denken, da es erst einmal galt, Mutti in Sicherheit zu bringen. Wir sind dann durch die Lagerstraße gerannt, die ganz mit Qualm und Funkenflug angefüllt war. Dann ging es durch die ebenfalls in ihrer ganzen Ausdehnung brennende Viehhofstraße bis zum Weidenplatz. Nach stundenlangem Warten wurden wir auf einem Lastauto zum Zoo befördert, wo eine Auffangstelle eingerichtet worden war. So haben wir das Leben gerettet.

Als Heinz in den Morgenstunden allein zur Blumenstraße läuft, um zu retten, was zu retten ist, ist sein Entsetzen groß.

Als ich unser Haus wiedersah, musste ich mich doch zusammennehmen. Alles ausgebrannt bis zur ersten Etage. Nur die leeren Fensterhöhlen waren noch zu sehen, wo ehemals unsere schöne Wohnung war.

Über 6000 Menschen verlieren bei den Luftangriffen auf Wuppertal ihr Leben, die Hälfte aller Wohnungen wird zerstört. Heinz hatte bereits nach dem Angriff auf Barmen Koffer mit Kleidung und Dokumenten zu verschiedenen Adressen außerhalb Wuppertals gebracht. Seine Vorsicht zahlt sich aus, aber die gesamte Wohnungseinrichtung und viele persönliche Dinge sind Opfer der Flammen geworden.

Helmut antwortet seinen Eltern auf die Nachrichten aus Wuppertal:

> Über allen diesen traurigen Feststellungen steht aber doch die mehr als erfreuliche Gewissheit, dass Ihr wenigstens körperlich keinen Schaden erlitten habt, so daß auch trotz Eures nicht mehr ganz jugendlichen Alters ein neuer Weg zum Glück im eigenen Heim jederzeit offensteht. Wir wollen also in keiner Weise die Flügel hängen lassen, sondern weiter nach meinem Prinzip ›Nun gerade!‹ handeln.

Lillian im Arbeitsdienst

Juli 1943

Lillian pumpt die Reifen ihres Fahrrads auf. Es sind zwar nur 10 Kilometer, aber sicher ist sicher. Den Rucksack hat sie schon auf dem Rücken. Ihr Vater kommt aus dem Haus. Seit John Berthung von der Beziehung seiner Tochter zu Helmut weiß, ist er ihr gegenüber sehr zurückhaltend. Aber jetzt meint sie doch zu spüren, dass er unglücklich ist.

Lillian umarmt ihn. »Nur vier Wochen, Papa.« Mutter, Pus und Bjørn bekommen einen Kuss. Dann schwingt sich Lillian auf ihr Rad und fährt los.

Zunächst ist es genau derselbe Weg wie zur Hütte. Auf der Samagate trifft sie Blanche. Die beiden werden zusammen arbeiten. Das haben nicht nur sie mit Erleichterung aufgenommen, sondern auch ihre Familien. An der Gabelung, an der es links zur Hütte geht, biegen die beiden jungen Frauen nach rechts auf den Ervikveien. Dann geht es am Møkkelandsee weiter nach Kasfjord. Und da ist auch schon ihr Ziel, der Hof von Trygve Lund. Das alte Haus liegt oben am Hang über dem Fjord.

Trygve Lund ist ein Mann um die 50, groß gewachsen, hager. An der Bäuerin mit dem fremd klingenden Namen *Simonette* fällt der gebeugte Rücken auf, der strenge Mund, das kurzgeschnittene glatte Haar.

In den nächsten Wochen werden Lillian und Blanche das Heu auf den Feldern rechen und zu Ballen schnüren. Die beiden sind abends todmüde, die anstrengende Arbeit ist ungewohnt für sie, aber der Bauer und seine Frau erwarten vollen Einsatz. Und wenn es regnet, dann wird bei der Wäsche geholfen oder der Fußboden geschrubbt.

Lillian im »nationalen Arbeitseinsatz«

Aber das Essen! Es ist reichhaltig und gut. In der Stadt haben die beiden Mädchen solche Fülle lange nicht mehr gesehen. Der ganze Hof versammelt sich zu den Mahlzeiten um den großen Tisch in der Küche. Am Kopfende sitzt der Bauer, dann der Vater des Bauern, dann die Mägde und Knechte und dann Lillian und Blanche. Der Altbauer scheint allerdings immer noch das Regiment zu führen. Er kommandiert alle herum, besonders seine Schwiegertochter.

Lillian findet das furchtbar. Ihr und Blanche ist es peinlich, wenn Simonette sie bedienen muss, selbst aber nicht mit am Tisch sitzt, sondern an der Küchentheke das Essen einnimmt. Die Mägde flüstern, dass dieser Brauch aus der Zeit stammt, als auch Simonette noch Magd auf diesem Hof gewesen ist.

Ganz oben auf der Anhöhe haben die Deutschen eine Batterie aufgebaut. Der Hauptmann hat einen Wohnraum des Bauernhofs für sich beschlagnahmt. Lillian kommt es vor, als habe sich die Bauernfamilie an den Fremden gewöhnt, jedenfalls behandeln sie ihn freundlich. Vor allem der herrische Alte ist ganz zahm. Dafür geht ihm der Tabak in seiner Pfeife auch nicht aus.

Von Helmut kommen mehrere Briefe. Die Adresse ist immer mit der Maschine geschrieben. Eine deutsche Handschrift würde auffallen. »Du bekommst aber viel Post von zu Hause, sie vermissen dich sicher«, bemerkt die Bäuerin eines Tages spitz.

»Ja, ja, das ist so«, antwortet Lillian und geht schnell in ihr Zimmer. Sie hat alle Briefe Helmuts in ihrem Bettkasten versteckt, damit niemand sie finden und lesen kann. Nur Blanche weiß Bescheid. Sie sitzt auf ihrem Bett und kämmt sich die Haare.

»Helmut hat dich wohl sehr lieb, Lillian, das muss schön sein.«

Ihr Freund ist vor den Deutschen nach Schweden geflohen. Sie hat nun schon länger nichts mehr von ihm gehört. Aber sie tröstet sich mit dem Gedanken, dass es ihm wohl nicht möglich ist, ihr Briefe zu schreiben. »Ich kann nur warten«, seufzt sie. »Warten und hoffen.«

Lillian und Blanche

Wiedersehen in Kasfjord

Ende Juli 1943

Helmut schreibt Lillian, er mache sich Sorgen, dass sie zu schwer arbeiten muss. Außerdem hat er Sehnsucht nach ihr, große Sehnsucht. »Ich werde versuchen, dich am nächsten Sonntag zu besuchen. Wann und wo?«

Zwei Wochen sind seit ihrem letzten Treffen vergangen. Diese zwei Wochen kommen ihr unendlich lang vor. Lillian ahnt nicht, dass sie einmal zwei lange Jahre wird warten müssen, bis sie Helmut wiedersieht.

Die Zeit bis zum Sonntag will einfach nicht vergehen. Als es endlich so weit ist, läuft Lillian am Morgen den Weg hinunter zur Busstation. Im Bus sind nur wenige Leute. Lillian setzt sich gleich hinter den Fahrer. Kurz vor der nächsten Haltestelle bittet sie ihn, kurz anzuhalten.

»Die Haltestelle liegt aber hinter der Kurve«, sagt der verwundert.

»Ja, ich weiß es, doch ich möchte das letzte Stück zu Fuß laufen.« Der Fahrer lacht und öffnet die Tür.

Als Lillian aussteigt, kommt es ihr so vor, als könne sie Helmuts Nähe fühlen. Und trotzdem will sie den ersehnten Augenblick noch ein wenig hinauszögern.

Es ist so ein wunderschöner Sommertag. Ganz unten liegt der blaue Fjord. Ein Boot legt gerade ab. Man kann von hier oben nicht erkennen, ob es einem Fischer gehört. Oder den Deutschen. Aber das ist ihr jetzt egal. Sie zieht einen kleinen Spiegel aus der Tasche und betrachtet ihr Gesicht. Die Landarbeit hat ihrer Haut offenbar gut getan. Helmut wird sich wundern, wie braun sie in den zwei Wochen geworden ist.

Da kommt er ihr auch schon entgegen. Er wirft das Fahrrad auf den Boden und umarmt sie. »Lillian, ich hab dich so vermisst.« Er lässt sie für einen Augenblick los und schaut sie an. »Du bist ja in der Zwischenzeit noch schöner geworden!«

Helmut packt aus seinem Rucksack eine Flasche Saft, zwei Gläser und eine Dose Kekse aus. Lillian erzählt von der Arbeit auf dem Bauernhof. »Ich bin froh, wenn das vorbei ist und ich wieder in Harstad bin.«

»Harstad«, sagt Helmut und seufzt. »Wie oft bin ich zu euch nach Hause gekommen und habe mit deinem Vater Schach gespielt. Und dabei hatte ich nur den einen Wunsch, dich wiederzusehen. Der Teschner hat übrigens schnell gemerkt, was mit mir los war. Der hat mich sofort gewarnt, weil er sich schon dachte, dass dein Vater das nicht gerne sähe. Aber die Liebe, Lillian, ist nun einmal stärker als alles andere.« Er gibt ihr einen Kuss. In der Ferne hört man einen Kuckuck.

»Wünsch dir was, Helmut, in Norwegen macht man das, wenn man einen Kuckuck hört. Aber du darfst natürlich nicht erzählen, was du dir wünschst, sonst geht es nicht in Erfüllung.« Sie schaut ihn liebevoll an. »Ich habe mir schon etwas gewünscht, und zwar so fest, dass es der Kuckuck unbedingt Wirklichkeit werden lassen muss.«

»Wenn's bloß so einfach wäre, Lillian.« Helmut tastet nach den Briefen in seiner Tasche. Er ist sich gar nicht sicher, ob er ihr von dem Schicksal der Eltern erzählen und sie damit belasten soll. Ausgerechnet an diesem schönen Tag. »Diesen einen Brief hier«, sagte er schließlich, »den habe ich schon vor einiger Zeit bekommen. Ich weiß gar nicht, ob das jetzt passt.« Helmut liest vor, was ihm sein Vater über die Bomben auf Wuppertal berichtete.

»Und jetzt sind meine Eltern vorübergehend bei Verwandten in Friesoythe, einem kleinen Ort im Norden Deutschlands, untergekommen. Es wird schwer werden, eine andere Wohnung zu bekommen, Wuppertal ist völlig zerstört. Und ich kann von hier aus gar nichts tun. Außer meinen Eltern immer wieder Mut zu machen.«

Lillian greift nach seiner Hand. »Das ist eine schwere Situation für deine Eltern und für dich«, sagt sie. »Deinem Vater werden deine Briefe sehr gut tun und deiner Mutter auch.«

»Ich fürchte, meiner Mutter helfen auch die besten Briefe nicht mehr.« Dann erzählt er Lillian von Tante Tetta. Dass man nicht weiß, was mit ihr geschehen ist. Und dass man das Schlimmste annehmen muss.

Lillian muss wieder an die Salomons denken, die die Deutschen aus Harstad abgeholt haben. Auch sie sind nicht mehr zurückgekommen. »Warum hast du mir das nicht schon früher erzählt?«, sagt sie nach einer Weile. »Warum quälst du dich alleine damit?«

Helmut antwortet nicht darauf, sondern greift in seine Tasche und zieht einen zweiten Brief hervor. »Ich möchte dir aber gerne noch etwas vorlesen. Auch das hat mein Vater geschrieben. Der Brief ist gestern erst gekommen.«

> Mein lieber Helmut, Mutter und ich sind glücklich, daß es Dir gutgeht. Es war für uns eine Freude, zu hören, was Du über *Hun* erzählst. Es macht uns glücklich, und wir fühlen, was es für Dich bedeutet, einen Menschen gefunden zu haben, der an Deinem Leben teilnimmt. An dem, was gewesen ist, was jetzt ist und was eventuell noch kommen wird. Du schreibst so schön über sie und ihr Mitgefühl, wenn Du ihr von unseren bitteren Jahren erzählst. Ihre Haltung zeigt eine Reife, die man selten bei einer so jungen Frau findet. Grüße bitte dieses norwegische Mädchen von uns. Unser innigster Wunsch ist, daß wir sie eines Tages kennenlernen werden. Obwohl die Zukunft ungewisser ist als jemals zuvor, wollen wir die Hoffnung nicht aufgeben. Ich werde selbst an *Hun* schreiben und erzählen, daß sie bereits einen Platz in unseren Herzen bekommen hat. Alles Liebe wünschen Deine fernen Eltern.

Lillian ist zutiefst gerührt. »Die Gedanken deines Vaters sind so warmherzig. Es ist aber doch selbstverständlich, dass man Grausamkeit und Ungerechtigkeit verabscheut. Wenn ich nur meinen Eltern die volle Wahrheit erzählen könnte!«

Neuer Einsatz

August/September 1943

Nach vier Wochen Landarbeit bekommt Lillian Bescheid, dass sie sich im Rahmen des nationalen Arbeitseinsatzes wieder beim *Arbeidskontor* in Harstad zu melden hat. Dort erfährt sie, dass sie für die nächsten Monate im deutschen Offizierskasino arbeiten soll. Und zwar als Serviererin.

»Kommt überhaupt nicht in Frage, dass du da arbeitest, Lillian!« John ist rasend, als ihm davon berichtet wird, und macht sich sofort auf den Weg zur deutschen Stadtkommandantur.

»Sie müssen für meine Tochter etwas anderes finden«, bittet er Unteroffizier Ascher, den er von verschiedenen Druckaufträgen kennt. Der Deutsche sieht sich Lillians Papiere an.

»Ich sehe in den Unterlagen, dass Ihre Tochter gut Deutsch spricht. Dann könnte sie uns woanders tatsächlich nützlicher sein. Zum Beispiel hier bei uns in der Kommandantur.«

Einige Tage später steht Lillian vor dem großen Haus in der Rikard Kårbøs Gate. Im Erdgeschoss befinden sich eine Bäckerei und ein Obstgeschäft. In beiden Läden gibt es allerdings kaum noch etwas zu kaufen.

Der Treppenaufgang zum ersten Stock ist schmutzig, das Geländer mit den kleinen gedrechselten Säulen beschädigt. Im Hinterhof streunen Katzen um die Abfalleimer. Die Treppe zum zweiten Stock endet in einem langen dunklen Korridor. In besseren Tagen hatte hier oben einmal das Hotel »Royal« seinen Platz gehabt. Jetzt steht an der Tür auf Deutsch: »Geschäftszimmer«.

Lillian soll sich beim Adjutanten des Stadtkommandanten melden. Der Mann reicht ihr ein Formular zur Unterschrift, das sie über ihre Schweigepflicht belehrt.

»Sie schickt der Himmel, Fräulein Berthung! Mir fehlen nämlich Leute zum Übersetzen. Dienstzeit von 9 bis 17 Uhr. Mittags machen wir zwei Stunden zu. Hoffe, dass Sie sich rasch einarbeiten. Alles Gute, Heil Hitler und auf Wiedersehen bis morgen früh, Punkt 9 Uhr.«

Im Geschäftszimmer der Kommandantur arbeitet auch Erik Ulvall, der ebenfalls Deutsch spricht. Ulvall ist etwas älter als Lillian und genau wie sie zu einem neunmonatigen Arbeitseinsatz verpflichtet. Er ist sehr wütend über diese Zwangsverpflichtung, denn sie verhindert, dass er mit seinem Studium beginnen kann. Er hasst den Arbeitsdienst, und die deutschen Besatzer hasst er sowieso.

Als Helmut von Lillians neuem Arbeitsplatz erfährt, ist er alles andere als begeistert. Er kennt seine Kameraden und weiß, dass eine Frau wie Lillian nicht lange von Anzüglichkeiten und Belästigungen verschont bleiben wird. Helmuts Befürchtungen erweisen sich nicht als grundlos. Das merkt Lillian nur allzu bald.

Zudem belasten sie die Erwartungen von Ulvall, der immer wieder von ihr wissen will, ob sie seine Wut auf die Deutschen auch teilt. Er soll auf keinen Fall etwas von Helmut erfahren, nimmt sich Lillian vor. Umso größer ist ihr Entsetzen, als Ulvall sie eines Tages am Ärmel festhält: »Man sagt, dass du einen Freund hast. Einen deutschen Soldaten. Jetzt weiß ich nicht, auf welcher Seite du stehst und was ich von dir denken soll.« Lillian überlegt einen Augenblick. Sie windet sich aus seinem Griff und sagt: »Nicht alle Deutschen sind für Adolf Hitler.«

Lillian und Helmut haben inzwischen einen neuen Ort gefunden, an dem sie sich treffen können. Es ist die Hütte am

Steinsåsvann. Lillian hat heimlich einen Schlüssel nachmachen lassen. Sie fahren mit dem Fahrrad bis zum See, verstecken die Räder und rudern zur Hütte. Helmut hat wie immer für Proviant gesorgt und natürlich auch die Leberwurstbrote nicht vergessen. Die Vorhänge lassen sie lieber geschlossen und den Kamin kalt. So sieht es unbewohnt aus.

Auf der Kommandantur

Herbst 1943

Lillian an ihrem Schreibtisch

Im Geschäftszimmer der Stadtkommandantur stehen sich die Schreibtische von Lillian und Erik Ulvall gegenüber. Der graue Telefonapparat ist zwischen den beiden platziert. Alle Gespräche gehen über die Heeresvermittlung in Harstad. Jeden Morgen meldet sich dieselbe harte Soldatenstimme mit den Wetterinformationen zu den Orten an der Küste. Lillian und Ulvall müssen diese Meldungen sofort an die Marinestützpunkte auf den Inseln weiterleiten. Ansonsten bestehen ihre Aufgaben vor allem in schriftlichen Übersetzungen von Erlassen, Befehlen und Anordnungen.

Die Schreibtische sind durch eine Schranke vom Rest des Raumes abgetrennt. Dahinter warten die Menschen aus Harstad darauf, dass ihre Angelegenheiten geregelt werden. Mal geht es um Schadenersatz für beschlagnahmtes Eigentum, mal um Streitigkeiten um Grundstücke, Häuser und Hütten. Oder um das Holz in den Wäldern, das die Wehrmacht für sich beansprucht.

Das Übersetzen der Dokumente ist für Lillian schon schwer genug. Aber den richtigen Ton bei den Streitereien zu treffen ist noch schwieriger. Die norwegischen Bauern und Fischer sind oft sehr aufgebracht und gebrauchen heftige Schimpfwörter. Für die Deutschen muss Lillian dann alles so ausdrücken, dass es einigermaßen annehmbar klingt.

Viele Norweger kommen auch zur Stadtkommandantur, um nach Arbeit zu fragen. Die Kantinen sind dabei besonders begehrt, denn die Lebensmittelkarten bieten einfach zu wenig, um über die Runden zu kommen. Schneiderinnen fragen, ob es Uniformen zu nähen gibt, Schuster wollen Stiefel flicken, Sattler Geschirre und Verdecke machen, und wer gar nichts kann, kommt mit einem Putzeimer und seinem Schrubber. Die Menschen in Harstad brauchen Arbeit, weil mittlerweile alle Fischfabriken im Hafen geschlossen haben. Es gibt einfach nicht mehr genügend Fisch zum Verarbeiten. Das verminte Meer ist für die Fischer zu gefährlich geworden und die wenigen Heringe, die trotzdem noch gefangen werden, nehmen sich die Deutschen.

»Wir können doch nicht alle nach Schweden gehen. Oder nach England«, sagt eine Frau aus der Fischfabrik eines Tages zu Lillian. »Mein Mann ist vor zehn Monaten nach London geflohen. Ich habe seitdem nichts mehr von ihm gehört. Ich weiß gar nicht, ob er überhaupt noch lebt.« Ihre Stimme klingt bitter. »Die Leute sagen, unsere Exilregierung in London hat mittlerweile erlaubt, dass norwegische Männer in England heiraten dürfen, selbst wenn sie daheim Frau und Kinder haben.«

»Bestimmt nur ein Gerücht«, sagt Lillian leise und streicht der Frau über den Arm. »Von den Deutschen.«

Nach Büroschluss kommen ganz andere Leute auf die Kommandantur. Es sind vor allem Geschäftsleute aus den umliegenden Ortschaften. Sie wollen mit den Deutschen Tauschhandel treiben. Denn deren Lager sind voll mit Alkohol, Tabak und Parfum. Schwarzmarktware. Vieles stammt aus dem besetzten Frankreich.

Lillian bekommt hautnah mit, dass die Wehrmacht nach allem greift, was Norwegen hergibt. Der Hering geht tonnenweise ins Reich. Und Lachse wandern mit der Eisenbahn durch Schweden nach Deutschland. Die Felle von Silber- und Platinfüchsen auch. »Feldpost« steht dann auf den Paketen.

Russische Kriegsgefangene

Herbst/Winter 1943

Deutschland hat Norwegen nicht aus politischen oder ideologischen Gründen besetzt, sondern aus strategischen. Deshalb werden überall an der Küste Bunker, Kanonenstellungen, Flugplätze und Straßen gebaut: Die *Festung Norwegen* soll für die Engländer uneinnehmbar sein, damit sie nicht den Deutschen den Weg zum Atlantik versperren können.

Auf Führerbefehl wird 1943 mit der Planung einer Eisenbahnlinie bis ganz in den Norden begonnen. Eine groteske, eine größenwahnsinnige Idee. Diese Bahnlinie soll die Unabhängigkeit vom Schiffsverkehr bringen, um die für die Kriegsmaschinerie wichtigen Rohstoffe aus Nordnorwegen sicher nach Deutschland zu transportieren. Vor der Okkupation war die Bahn bis Mosjøen gegangen, rund 100 Kilometer südlich des Polarkreises. Nun beginnen die Bauarbeiten, um die Strecke bis nach Narvik zu führen. Der Generalinspektor für Straßenwesen und Festungsbau und Leiter der »Organisation Todt«, Albert Speer, vermerkt in einem Schreiben am 16. November 1943:

> Der Führer ist über den Fortschritt und den Stand der Arbeiten erfreut, betont aber, daß die kürzestmögliche Fertigstellung des Bahnbaues von entscheidender Bedeutung werden kann und deshalb mit allen Mitteln angestrebt werden muß. Es soll sofort festgestellt werden, welche Erzlagerstätten an der neuen Bahnstrecke liegen. Ziel der Bahn ist: größtmögliche Mengen schwedisches Erz auf dem Schienenweg bis zum Süden (Oslofjord) abzufahren.

Ich bin die einzige Straße dort in Nordland, die E 6, oft genug gefahren, um aus eigener Anschauung zu wissen: Diese Landschaft ist eine gebirgige Wildnis, unzählige Tunnel und Brücken wären für diese Bahnlinie notwendig gewesen.

Zuständig für all diese Arbeiten ist die »Organisation Todt (OT)« – benannt nach ihrem ehemaligen Leiter Fritz Todt. Die »Organisation Todt« – in der *Lingua Tertii Imperii*, der Sprache des »Dritten Reichs«, einer jener »volltönenden Fremdausdrücke« (Victor Klemperer) – ist in Wahrheit nichts als eine ungeheure Arbeitsmaschine, für die jetzt vor allem Zwangsarbeiter und Kriegsgefangene herhalten müssen. Später werden auch KZ-Häftlinge hinzugezogen. Russische Kriegsgefangene werden zu Tausenden nach Norwegen gebracht. Sie müssen Sklavenarbeit beim Bau der Baracken, Festungsanlagen und der Bahn leisten. In den 249 Arbeitslagern werden sie gegen alle Regeln des Völkerrechts behandelt. 20 000 Russen überleben den Hunger, die Seuchen und die Zwangsarbeit nicht. Insgesamt werden es bis 1945 etwa 120 000 sowjetische Kriegsgefangene sein, die in die von der SS und von Quislings »Hird« – der SA der Nasjonal Samling – bewachten Arbeitslager der »Organisation Todt« deportiert worden sind.

Ein Artikel in der *Harstad Tidende* vom September 1984 schildert diese Bedingungen:

> Die ersten Gefangenen kamen 1941 nach Trondenes. Sie wurden in Hütten aus Sperrholzplatten zusammengepfercht. Ein ehemaliger Gefangener berichtet, dass, als die Kälte einsetzte, sich einige der Gefangenen ein Feuer aus Plattenstücken in der Hütte machten. Die Deutschen entfernten deshalb die Bodenplatten, so dass die Gefangenen nun auf der gefrorenen Erde liegen mussten. Nach und nach wurden Baracken aufgestellt, welche bald überfüllt und feucht waren. Zum Schutz gegen den Winter hatten sie nur schlechte Bekleidung. Um die Füße wickelten sie Lappen, nur wenige hatten Schuhe. Die Gefangenen waren ständig hungrig. Die Deutschen konnten sich damit amüsieren, den Gefangenen einen Brotkanten hinzuwerfen, um der daraus entstehenden Schlägerei zuzusehen. Völlig entkräftete Menschen wurden zum Sterben ans Meer geschleppt.

Immer wenn ich in Harstad bin, gehe ich zu dem Denkmal am Meer. Es steht unterhalb der Trondenes-Kirche, ein schwarzer Obelisk mit rotem Stern auf weißem Marmorsockel. Mit kyrillischen Buchstaben steht dort: »Zur Erinnerung an 800 russische Soldaten, die in faschistischer Gefangenschaft starben.«

Ab Ende 1942 werden die Russen für den Bau der Adolfkanonen eingesetzt. Hitler geht zu diesem Zeitpunkt der Ausbau der Küstenbefestigung nicht schnell genug, deshalb legt er für die »Organisation Todt« eine neue Rangfolge der Arbeiten fest, in der die Küstenbefestigung nun absoluten Vorrang hat.

Im Zusammenhang mit diesen Plänen wird auch der gesamte Grund und Boden auf Trondenes und in Ringberg beschlagnahmt, die Häuser und Höfe ebenso, das Gebiet gesperrt und bewacht. Den Bewohnern ist damit nicht nur der Zutritt zur Halbinsel Trondenes versperrt, sondern auch zu ihrer Kirche.

Hier, 90 Meter über dem Meer, soll die wohl größte landgestützte Kanone der Welt aufgestellt werden. Ab Herbst 1942 werden die Vorbereitungen dazu getroffen. Um die schwersten Waffenteile – das Kanonenrohr und die Stahlplatten des Geschützturmes – an Land bringen zu können, bauen die Deutschen einen eigenen Kai. Die Arbeiten an Kanone und Turm werden bis hin zum Probeschuss von den Technikern der Firma Krupp aus Essen ausgeführt.

Fotografien von damals zeigen, dass noch Schnee lag, als die Waffenteile ausgeladen und zu den Kanonenstellungen transportiert wurden. Der Gotha genannte Transportwagen für das Kanonenrohr hatte 12 Achsen mit 48 Rädern. Deshalb musste

> die eigens erbaute Transportstraße einen möglichst geraden Verlauf haben. Infolge war der Weg recht steil und es war notwendig, zusätzlich sieben Zugfahrzeuge vorzuspannen. Ohne den Arbeitseinsatz, zu dem die Russen, bedroht von brutalen Wachen mit Gewehren und Bajonetten, gezwungen wurden, wären die Batterien nicht entstanden.

So entsteht die Adolfkanone Nr. 1, von der aus Adolfgranaten mit einer Reichweite von 56 Kilometern abgeschossen werden können.

Insgesamt bauen die Deutschen in Norwegen 80 größere Küstenbefestigungen mit insgesamt 1100 Kanonen, ein Viertel davon auf den Lofoten, den Versterålen, den Ofoten und in Süd-Troms. Die Waffen haben den Zweck, die Wege nach Narvik zu sichern. Die Adolfkanone der Batterie Trondenes kommt im Verlauf des Krieges nicht zum Einsatz. 1992 wird die Festung Trondenes als Denkmal von großer nationaler Bedeutung bezeichnet und die Kanone Nummer 1 mit ihrem gesamten Interieur unter Denkmalschutz gestellt.

Iwan

November 1943

Iwan lässt sich Zeit, wenn er das Holz für den Ofen im Geschäftszimmer stapelt. Hier oben ist es warm. Unten im Keller, wo er das Holz spaltet, ist es kalt. Lillian tut der russische Kriegsgefangene leid. Der Mann ist so mager, so müde und erschöpft. Den Kontakt zu Gefangenen haben die Deutschen streng verboten.

Als Lillian an einem Nachmittag allein im Büro ist, bittet sie den Russen mit einem Handzeichen, zu der großen Landkarte hinter ihrem Schreibtisch zu kommen.

Iwan bleibt, wo er ist.

Lillian zeigt zuerst auf die Karte, dann auf ihn und macht einen fragenden Gesichtsausdruck.

»Poltava«, sagt Iwan leise.

Nach kurzem Suchen findet Lillian die Stadt Poltava in der Ukraine, südöstlich von Kiew.

Lillian macht dort ein kleines Kreuz. Dann macht sie noch ein Kreuz bei Harstad.

Erst jetzt tritt Iwan zögernd vor die Karte. Lillian nimmt seine Hand und führt seinen Zeigefinger von Poltava nach Harstad. Über das Gesicht des Russen laufen Tränen. Die beiden Kreuze sind so weit voneinander entfernt.

Ein paar Tage später legt Iwan wieder Scheit auf Scheit neben den Ofen des Geschäftszimmers. Lillian und der Russe sind allein im Zimmer. Er kommt plötzlich zu Lillians Schreibtisch und greift schnell unter sein löchriges Hemd, um ihr etwas zu übergeben, das in einen Lappen gehüllt ist.

Sie schlägt den Lappen auseinander. Es sind zwei kleine Bilderrahmen. Iwan hat sie aus Holzresten gebastelt. An der oberen Kante hat er ein Hakenkreuz eingeritzt. Iwan strahlt. Das ist sein Geschenk für die junge Frau. Für die Deutsche, wie er glaubt. Die ihm ab und zu Essen gibt. Und ihm auf der Karte gezeigt hat, wohin man ihn gebracht hat.

Am Nachmittag kommt Ulvall von einem Übersetzungsauftrag zurück ins Büro. »Stell dir vor, sie haben Grete festgenommen. Ich kenne sie seit meiner Schulzeit. Sie wohnt mit ihren Eltern in dem kleinen weißen Haus neben Friseur Jensen.« Auch Lillian weiß, wer das Mädchen ist. Ulvall erzählt weiter, dass Grete einem russischen Kriegsgefangenen, der Eisenstangen ausladen sollte, heimlich Handschuhe zugesteckt hat. Ein Wachmann hat Grete dabei beobachtet, und dann hat man sie sofort abgeführt. Niemand weiß, wo sie ist, die Eltern sind verzweifelt.

Eines Abends fliegt die Tür zum Geschäftszimmer auf, ohne dass jemand vorher angeklopft hätte. Ein Mann in einem schweren Ledermantel fragt auf Deutsch, ob es ein Telefon gibt, über das er ein Gespräch von der norwegischen Telefonzentrale vermitteln lassen kann. Lillian zeigt auf das Telefon an der Wand. Der Mann kurbelt, nimmt den Hörer ab und gibt der Vermittlung eine Nummer durch.

Lillian und Ulvall tun so, als seien sie in ihre Akten vertieft, hören aber genau zu, was der Fremde sagt. Das Gesicht des Mannes ist hart, seine Stimme hat einen metallischen Klang.

»Ich bin gekommen, um meinen Jungen zu holen«, sagt er auf Deutsch. »Ich werde ihn morgen Mittag mitnehmen. Wir reisen dann sofort nach Deutschland weiter. Heil Hitler.« Der Mann legt den Hörer auf und sagt noch einmal, diesmal zu ihnen, »Heil Hitler.« Dann ist er weg.

Lillian ahnt, mit wem der Mann gesprochen hat. Mit ihrer ehemaligen Lehrerin, der Mutter von Anna-Karin. Anna-Karin hatte Mitte der dreißiger Jahre in Berlin einen Deutschen geheiratet und ein Kind bekommen. Die Ehe scheiterte, Anna-Karin arbeitet nun auf einer Insel der Vesterålen, und ihr Sohn lebt bei den Großeltern in Harstad. Jetzt also soll der Junge nach Berlin gebracht werden. Weil in Harstad die Deutschen die Macht haben, nimmt sich der Mann im Ledermantel das Recht dazu heraus. Das Recht, den Jungen in eine Stadt zu bringen, die Tag und Nacht bombardiert wird und weit weg von den Menschen ist, die er kennt und liebt.

Als Lillian später durch die dunklen Straßen nach Hause geht, denkt sie daran, wie verzweifelt die Mutter und die Großeltern jetzt sein müssen. Und dass am nächsten Tag ein Pult in der Schulklasse leer bleiben wird. Die Schulkameraden werden nicht verstehen, warum.

Lillian würde so gerne mit Helmut über all das sprechen. Aber der ist vor vier Wochen mit seiner Kompanie nach Lenvikmark bei Narvik versetzt worden. Mehrmals in der Woche ruft er über die Heeresvermittlung in der Kommandantur an. Ulvalls Blicke sind böse, wenn er Lillian den Hörer weiterreicht. Und wenn der Kurier, der kleine freundliche Herr Bolt, mit den Briefen aus Lenvikmark kommt und schon in der Tür ruft: »Auch für Sie ist wieder einer dabei, Fräulein Berthung«, dann rollt Ulvall nur mit den Augen.

Dann sind sie ja Vierteljüdin

November 2010

Am 9. November fahre ich zu Ilse Kassel nach Krefeld, der Frau, die im Herbst 1944 mit meiner Großmutter und vielen anderen in den Derendorfer Schlachthof nach Düsseldorf gebracht worden ist. Eigentlich ein Zufall, dass unser Treffen an diesem historischen Datum zustande kommt. Frau Kassel hat zwei Stunden für mich eingeplant. Um 6 Uhr will sie zur Gedenkstunde in die Krefelder Innenstadt gehen.

Ich bin aufgeregt, als ich vor ihrem Haus stehe. Am Telefon war Frau Kassel zwar sehr freundlich gewesen. Aber ich glaube auch eine gewisse Skepsis in ihrer Stimme gehört zu haben. Ich drücke auf den Klingelknopf.

»Na, dann kommen Sie mal herein«, sagt Frau Kassel. Kaum zu glauben, dass diese Frau 85 Jahre alt sein soll. Sie strahlt Energie und Entschlossenheit aus. Ilse Kassel hat Tee für uns gemacht. Auf dem Wohnzimmertisch liegt eine mit Spitze umrandete Decke. Eine silberne Schale ist mit Keksen und Pralinen gefüllt. Ich versuche meine Befangenheit abzulegen. Der Gedanke an Carola Crott hilft mir dabei. Ich bin ihre Enkelin, ich darf Fragen stellen.

Frau Kassel erzählt. Sie erzählt zunächst von ihrem Vater, dem Elektromeister Fritz Müller. 1935 hat man ihm die Konzession zur Erstellung elektrischer Anlagen entzogen. Er darf weder für die Krefelder Stadtwerke arbeiten noch für das Rheinisch-Westfälische Elektrizitätswerk. Keine Aufträge an Juden und auch nicht an »jüdisch Versippte«, wie den mit der Jüdin Else Müller, geborene Coppel, verheirateten Fritz Müller.

Die Familie verliert die Existenzgrundlage. Die Versuche des Vaters, ein neues Leben mit der Familie im Ausland zu beginnen, scheitern. Dann kommt Frau Kassel auf den 17. September 1944 zu sprechen. Darüber, wie verbittert sie noch immer über jene Katholiken ist, die an diesem Sonntag in Krefeld gerade aus dem Hochamt kamen, als sie, die Juden, an dem Kirchenportal vorbeigetrieben werden.

»Niemand hat uns geholfen«, sagt sie leise. »Weder meiner Mutter, noch meiner Schwester, noch mir.« Als sie auf den Schlachthof in Derendorf zu sprechen kommt, merke ich, dass es ihr sehr schwerfällt.

»Meine Schwester Lore war damals im sechsten Monat schwanger. Die Nacht war schlimm, es war kalt. Und dann nur diese Schweinetröge. Am nächsten Morgen sind die Züge angerollt. Dann haben die Wachen die Transporte zusammengestellt. Es gab je einen Männertransport und einen Frauentransport. Jeweils zu unterschiedlichen Zielen. Lore kam mit auf den Frauentransport, mein Schwager auf den Männertransport. Man kann sich vorstellen, was das für eine Schwangere bedeutete. Lore warf sich vor dem Gestapo-Mann auf das Pflaster und flehte, dass man sie doch bei ihrem Mann lassen soll. Ich werde nie vergessen, was der dann tat. Er gab ihr einen Tritt und sagte: Meinetwegen. Verrecken müsst ihr ja doch. So oder so.« Frau Kassels Stimme ist jetzt nicht mehr so fest.

Ich fühle mich auf einmal schuldig. Schuldig, weil ich die kleine schmale Frau, die mir gegenübersitzt, dazu gebracht habe, noch einmal auf jene Tage zurückzublicken. Bei unserem ersten Telefonat hatte ich Frau Kassel erzählt, dass mein Vater über die Zeit des Nationalsozialismus und das, was ihm angetan worden ist, immer geschwiegen hat. Jetzt nimmt sie diesen Faden wieder auf. »Sie müssen Ihren Vater verstehen. Es tut sehr weh, wenn man sich erinnert.«

Ich zeige ihr Bilder von meiner Großmutter. Nein, sie kann sich nicht entsinnen.

»Aber wissen Sie, ich war damals die ganze Zeit so mit meiner Mutter beschäftigt, weil es ihr so schlecht ging.« Sie erzählt mir, dass es damals zunächst in ein Lager nach Minkwitz und dann nach Zeitz gegangen war. In die Orte also, aus denen mir Briefe meiner Großeltern vorliegen.

Ich zeige Ilse Kassel den Brief meiner Großmutter, den sie aus dem Arbeitslager in Zeitz an meinen Großvater geschrieben hat: »Wenn ich nun noch von Viola, Paula, Polly, Ilse, Jettchen, Marie und Hanni besonders herzliche Grüße bestellen soll …«

»Ilse …«, sagt Frau Kassel. »Ich bin nicht ganz sicher, aber ich glaube, ich war die einzige Ilse dort.« Dann muss es wohl so gewesen sein, auch wenn sich Frau Kassel nicht mehr an meine Großmutter erinnert: Ilse Kassel war zur gleichen Zeit wie Carola Crott im Schlachthof in Derendorf, dann im Lager in Minkwitz und auch im Arbeitslager in Zeitz.

»Würden Sie mit mir noch einmal nach Zeitz fahren?«, frage ich.

Frau Kassel zögert.

»Ich muss erst darüber nachdenken.«

Es ist inzwischen halb sechs geworden. Frau Kassel will pünktlich bei der Gedenkfeier sein. Ich frage, ob ich sie begleiten darf.

In der Marktstraße sind etwa 150 Leute an jener Stelle versammelt, wo früher einmal die Synagoge gestanden hat.

Jetzt stehen dort sechs Stelen. »Eine für jede Million«, sagt Frau Kassel. »Für jede Million ermordeter Juden.«

Es sind heute weniger Menschen gekommen als sonst. Das liegt sicher am Regen. Frau Kassel hat in der Menge ein bekanntes Gesicht entdeckt. Es ist Frau Dr. Ruth Frank.

»Sind Sie auch jüdischer Abstammung?«, fragt sie mich. Ohne zu überlegen sage ich: »Nein.« Ich verbessere mich sofort. »Ja. Doch. Meine Großmutter war Jüdin.«

»Aber dann sind Sie ja Vierteljüdin«, sagt Frau Dr. Frank zu mir.

Ilse Kassel und ich stehen zusammen unter einem Regenschirm, als der Chor das erste Lied anstimmt. Die Männer und Frauen singen auf Russisch.

»Die jüdische Gemeinde hat sich im Lauf der Zeit verändert«, sagt Frau Kassel. »Und jetzt ist mir manches ein wenig fremd.«

Ich schaue nach oben in den dunklen Novemberhimmel und stelle mir vor, dass mein Vater und meine Großmutter auf mich hinuntersehen. Sie freuen sich bestimmt, dass ich hier stehe. Zusammen mit Ilse Kassel.

Sollten sich von dem Mann fernhalten, Fräulein Berthung

Dezember 1943

Seit Spätherbst 1943 ist Helmut mit seiner Kompanie auf dem Festland bei Narvik. Dort erhält er nicht nur Post von Lillian, sondern auch von seinen Eltern.

> Wir wissen überhaupt nicht, was los ist. Kommst Du oder kommst Du nicht? Doch unsere Meinung mischt sich jetzt mit einigem Vorwurf, den wir uns wegen unserer Vorstellung machen. Du bist ja der Hauptbeteiligte, der die gefährliche Fahrt zu machen hat, und hast vielleicht das richtige Empfinden im Augenblick zu fahren, dem wir mit unserem gegenteiligen Rat einen Stoß versetzt haben. Du kannst Dir denken, wie sehnsüchtig wir unter diesen Umständen deine Nr. 46 erwartet haben, die uns jetzt sicher nachgeschickt wird. Briefe benötigen aber in der letzten Zeit auch innerhalb Deutschlands eine Woche. Hoffentlich läuft alles gut ab, und wir haben uns mal wieder unnötige Sorgen gemacht. Für alle Fälle sprechen wir Dir schon mal an dieser Stelle unsere herzlichsten Glückwünsche zum Geburtstag aus. Es liegt dafür diesmal ein besonderer Anlass vor, weil du am 17. Dezember dreißig Jahre alt wirst und wirklich manchen Sturm erlebt hast.

Helmut ist betrübt, dass die Eltern noch nicht wissen, dass der Heimaturlaub längst beschlossene Sache ist. So kommen sie um die Vorfreude. Er selbst weiß, dass die Fahrt nach Deutschland nicht ungefährlich sein wird. Aber Hauptsache, er kann seine Eltern wiedersehen.

Vor seiner Abreise will er aber zunächst unbedingt noch einmal Lillian treffen, auch um mit ihr seinen 30. Geburtstag zu feiern. »Auf dem Weg nach Narvik mache ich einen Umweg und komme abends mit dem Bus nach Harstad«, hat er ihr am Telefon gesagt. »Ohne dich gesehen zu haben, fahre ich nicht nach Wuppertal.«

Lillian läuft nach dem Dienst schnell nach Hause, um sich für Helmut noch einmal hübsch zu machen. Um zehn vor sechs ist sie an der Bushaltestelle in der Innenstadt. Ein paar Leute stehen im Schnee und warten, darunter zwei Feldjäger – für Lillian leicht an dem Metallschild mit der Aufschrift *Feldgendarmerie* zu erkennen, das sie an einer Kette um den Hals tragen. Da ist auch schon der Bus. Und Helmut, der hinter der Scheibe winkt. Lillian will zu ihm, aber im selben Moment sind schon die beiden Feldgendarme bei Helmut, packen seine Arme und führen ihn ab. Lillian schläft die ganze Nacht nicht.

Am nächsten Morgen erfährt sie auf der Kommandantur, warum man den Obergefreiten Crott abgeführt hat.

»Hat sich unerlaubt von der Truppe entfernt. Ist nach Harstad gefahren, obwohl er nur Genehmigung für Narvik gehabt hat. Muss jetzt für drei Tage hier in den Bau. Sollten sich von dem Mann fernhalten, Fräulein Berthung!«

Nach drei Tagen endlich ein Anruf von Helmut.

»Ich muss jetzt auf direktem Weg nach Narvik und darf keine Stunde länger in Harstad bleiben. Kannst du gleich zur Haltestelle kommen?«

Lillian verlässt unter einem Vorwand die Kommandantur und läuft so schnell sie kann zur Busstation. Zum Glück hat sie die Weihnachtsgeschenke für Helmut und seine Eltern zur Arbeit mitgenommen, um sie Helmut jederzeit überreichen zu können.

»Pass på deg, lille venn!«

Sie umarmen sich fest.

»Ja, ich pass auf mich auf. Du wirst mich nicht mehr los«, lacht er. Dann wird er ernst. »Lillian, du gibst mir so viel Kraft und Vertrauen. Das ist für mich ganz neu.« Genauso ernst und eindringlich kommt von ihr auf Deutsch: »Ich liebe dich, Helmut.«

Ein paar Minuten später ist der Bus mit ihm verschwunden.

Nordnorwegen 1943

Im Januar – Helmut ist noch nicht zurück – erhält Lillian einen Brief aus Friesoythe, wo Heinz und Carola Crott nach der Bombardierung vorübergehend bei Verwandten untergekommen sind:

> Liebe kleine *Hun*, nun sind die vielen Festtage vorüber, und es wird allmählich Zeit, der lieben Kameradin unseres Sohnes für die Aufmerksamkeiten zu danken, die sie auch den Eltern anlässlich des Weihnachtsfestes erwiesen hat … Den Kern des einen Päckchens, eine schön duftende Zigarre, habe ich sogleich mit dem norwegischen Streichholz aus dem anderen Päckchen in Brand gesetzt … Nicht minder hat sich meine Frau über die schönsinnigen Geschenke gefreut, die sie sogleich in unserem Notheim untergebracht hat. So steht das Kästchen mit der »Trondendes Kirke« in stets sichtbarer Nähe auf dem Buffet und wird meine Frau und auch mich während meines Hierseins täglich an die ferne *Hun* erinnern.

Post aus Heidelberg

Oktober 2010

Ich erhalte Post von der Ruprecht-Karls-Universität Heidelberg, und nach der Lektüre klären sich für mich manche Fragen. Aber zunächst einmal bekomme ich einen Schrecken. In dem Umschlag sind auch kopierte Dokumente zur »Geschichte der jüdischen Studenten« – einer Ausstellung der Universität aus dem Jahr 2002. Das Exponat 178 in Vitrine 26 zeigt eine »Namensliste der jüdischen Studenten 1934«. Unter Nr. 7 steht »Crott, Helmut jur.«

2002 lebte mein Vater noch. Er hat – dessen bin ich mir sicher – von der Ausstellung in Heidelberg nichts gewusst. Wie hätte er wohl reagiert, wenn er von dieser Liste erfahren hätte, die sogar im Internet abrufbar ist?

In den Unterlagen aus Heidelberg befinden sich außerdem Kopien von Briefen, in denen mein Vater den Rektor der Universität um die Zulassung zum Studium bittet. So schreibt er 1935:

> Als Christ nicht rein arischer Abstammung war ich bereits im Sommersemester 1934 immatrikuliert. Ich bitte, mich zur Fortsetzung meines Studiums in Heidelberg erneut zuzulassen.

Und 1936, also nach den *Nürnberger Gesetzen*:

> Als Mischling 1. Grades (vorl. Reichsbürger) bitte ich, mein Studium an der Universität fortsetzen zu können.

Was muss wohl in ihm vorgegangen sein, als er sich gezwungen sah, diesen Brief zu schreiben? Und wie wird er sich gefühlt haben, als er seine »Mischlingseigenschaft« angeben musste, diese von den Nationalsozialisten verordnete neue »Identität«?

> Die an der Universität Heidelberg immatrikulierten jüdischen Studenten konnten seit dem Sommersemester 1933 nur unter erheblichen Einschränkungen ihr Studium fortsetzen. Als ›nicht arische‹ Hochschüler waren sie aus der »Deutschen Studentenschaft« ausgeschlossen und verloren zunehmend ihre Rechte: die Unterstützung durch das Studentenwerk (1933), Prüfungszulassung (Einschränkungen seit 1934), schließlich das Promotionsrecht (1937).
>
> Durch das Wirken überzeugter Regimeanhänger erhielt Heidelberg nach 1933 schon bald den Ruf einer ›braunen‹ Universi-

tät. An die Stelle des einst »lebendigen Geistes«, wie von Friedrich Gundolf im Leitspruch der Universität formuliert, trat mit Unterstützung der Universitätsleitung im Verlauf der 30er Jahre der »deutsche Geist«. Über Zweidrittel des Lehrkörpers waren Mitglieder der NSDAP.

Deshalb verlassen mehr als die Hälfte jener »Nichtarier« bereits im Herbst 1933 die Hochschule, für das Wintersemester haben sich nur noch 79 eingeschrieben, im darauf folgenden Sommersemester 1934 sind es nur noch 63, darunter auch mein Vater.

Nach der juristischen Zwischenprüfung wechselte er im Sommer 1934 von Frankfurt nach Heidelberg, um schon ein Semester später nach Köln zu gehen – und dann nur mit dem Studienfach Betriebswirtschaft.

Warum dieser Wechsel? Und warum plötzlich kein Jura mehr?

Diese Merkwürdigkeiten im akademischen Lebenslauf meines Vaters haben ihre Ursache in den neuen nationalsozialistischen Gesetzen und Erlassen. Das verstehe ich jedoch erst ganz, als ich eine Nachricht von Prof. Dr. Klaus-Peter Schröder vom Heidelberger Institut für geschichtliche Rechtswissenschaft (Germanistische Abteilung) erhalte:

Nach der am 22.7.1934 erlassenen Reichsjustizausbildungsordnung waren Studierende nichtarischer Abstammung von den beiden Staatsexamina ausgeschlossen. Einzig die Promotion – da die Doktorarbeit nicht mit einem Beamtenstatus verknüpft war – verblieb ihnen als Möglichkeit eines gewissen Studienabschlusses: Die Ablegung der Staatsexamina gehörte nicht zu den Zulassungsvoraussetzungen, wohl aber ein zweisemestriges

Studium an der Heidelberger Universität und die Anfertigung von vier Klausuren.

Die *Reichsjustizausbildungsordnung* hatte also für meinen Vater zur Folge, dass er als »Halbjude« weder Richter, Anwalt, Notar noch Syndikus werden oder anderweitig in den Staatsdienst treten konnte, weil ihm die Voraussetzungen dazu, nämlich die Staatsexamina, fehlen. Das wird er also damit gemeint haben, als er mir 2008 im Krankenhaus sagte, dass er »von der Universität runter« musste. Im Sommer 1934 gab es für ihn zunächst in Heidelberg keine Möglichkeit, das juristische Studium mit einem Examen abzuschließen. Daraufhin ist er nach Köln gewechselt und hat sich auf Betriebswirtschaft konzentriert. Dort muss er dann erfahren haben, dass es für ihn in Heidelberg noch die Möglichkeit einer Promotion in Jura gibt. Bei Professor Dr. Karl Engisch.

Ich möchte mehr über diesen Professor wissen und finde in der Süddeutschen Zeitung seinen Nachruf. Darin wird erwähnt, dass Engisch trotz seiner NSDAP-Mitgliedschaft aufrecht blieb. Er protestierte gegen SA-Posten vor den Hörsälen nach einem Aufruf des Nationalsozialistischen Deutschen Studentenbundes zum Boykott der Vorlesungen nichtarischer Professoren und kuschte nicht vor der Gewalt. »In Engischs Werken ist nichts zu finden, was den Nazi-Machtmachern zum Munde geredet hätte. Er gehörte zu den wenigen, die die Selbständigkeit der juristischen Methode gegen den braunen Geist, der alles, auch die Rechtswissenschaft, zu durchdringen suchte, verteidigte.«

Ob das der Grund dafür ist, dass in der Doktorarbeit meines Vaters einige denkwürdige Formulierungen erscheinen? Statt auf den Führer und das Führerprinzip bezieht sich mein

Vater auf »die Führung«, einen von der Führerideologie abweichenden Begriff, deren subversiven Grundton ein anderer Doktorvater vielleicht rot angestrichen hätte.

Der Hochschullehrer Karl Engisch gab meinem Vater die Möglichkeit, sein Jurastudium mit einem Titel abzuschließen, indem er sich über die Empfehlung des Reichserziehungsministeriums hinwegsetzte, »nationales Empfinden zu zeigen und keine Juden als Doktoranden anzunehmen«.

Es wird meinem Vater sehr viel bedeutet haben, dass dieser Professor ihn angenommen hat. In seinem Heidelberger Studienbuch lag noch eine Postkarte von Engisch. Sie muss für ihn, der sonst kaum etwas aufzuheben pflegte, etwas ganz Besonderes gewesen sein. In dem Schreiben macht Engisch meinen Vater auf ein mögliches Thema für die Doktorarbeit aufmerksam und gibt Ratschläge zur Lektüre. Vor allem aber heißt es in der Anrede, und das war vielleicht noch viel wichtiger, »Sehr geehrter Herr Crott«.

Hausdurchsuchung

Februar 1944

»Morgen müssen Sie mit der Feldgendarmerie als Dolmetscherin bei einer Hausdurchsuchung dabei sein, Fräulein Berthung. Es gibt eine ganze Reihe von Diebstählen, und wir müssen die Täter finden.«

Mit Schrecken hört Lillian von Unteroffizier Ascher, wie man sie einzusetzen gedenkt. Sie ahnt, was eine solche Hausdurchsuchung bedeutet.

»Um 9 Uhr geht das Motorboot. Seien Sie pünktlich!«

Sie dreht sich von seinem Schreibtisch weg und fühlt, wie er ihr wieder nachschaut. Lillian sind die Blicke des Unteroffiziers unangenehm. Genauso wie seine ständigen Versuche, sie in ein Gespräch zu verwickeln. Vor allem über Dinge, die ihn nichts angehen. Neulich wollte er sogar wissen, welche Kleidergröße sie hat.

Eine Stunde später muss sie noch einmal in das Dienstzimmer von Ascher, um ihn etwas unterschreiben zu lassen. Ascher telefoniert gerade, als sie eintritt. Lillian sieht auf seinem Schreibtisch den Befehl für die Hausdurchsuchung liegen. Es gelingt ihr, den Namen zu lesen. Sie kennt diese Familie. Die Leute wohnen auf der anderen Seite des Fjordes. Ob es noch möglich ist, sie zu warnen?

Ascher hat sein Gespräch beendet. Er unterschreibt das vorgelegte Formular. Lillian darf wieder zurück in das Geschäftszimmer. Auf die Übersetzung, die heute noch fertig werden soll, kann sie sich nicht konzentrieren. Stattdessen greift sie nach dem Telefonbuch und sucht die Nummer der Familie. Aber die scheint kein Telefon zu haben. Vielleicht der Nachbar? Der Lehrer Finseth? Lillian findet Finseths Namen tatsächlich im Telefonbuch und schreibt die Nummer auf einen kleinen Zettel, den sie in ihrer Handtasche verschwinden lässt. Aber von wo aus soll sie anrufen? Von der Kommandantur? Unmöglich.

Es dauert noch eine Stunde, bis das Büro schließt. Lillian ist nervös und aufgeregt. Sie muss versuchen, die Familie zu warnen! Falls man dort etwas findet, würden alle verhaftet werden. Von zu Hause kann sie auf gar keinen Fall anrufen, denn vielleicht werden ja auch private Gespräche abgehört. »Ich muss zum Telegrafenamt«, beschließt sie. Einige Minuten nach Dienstschluss steht sie vor dem Gebäude im Zentrum der

Stadt. Es ist dunkel, Wind und Schneeregen peitschen durch die Straßen. Außer der Angestellten hinter der Theke ist niemand im Raum. Lillian gibt der Frau die Nummer. Dann geht sie in eine der Kabinen. Sie hört, wie es am anderen Ende der Leitung läutet, dann meldet sich die Frau des Lehrers.

»Guten Abend, Frau Finseth, können Sie bitte so freundlich sein und Ihre Nachbarin Frau Borgens ans Telefon holen? Ich muss wirklich sehr dringend mit ihr sprechen.«

Lillian fühlt, wie ihre Hand zittert. Als Frau Borgens endlich ans Telefon kommt, verstellt Lillian ihre Stimme: »Frau Borgens, Sie und Ihre Familie bekommen bald Besuch, vielleicht schon morgen früh. Ich hoffe, es passt und bei Ihnen ist alles in Ordnung. Heutzutage geschieht ja so vieles …« Es ist still am anderen Ende der Leitung. Lillian legt den Hörer auf, bezahlt das Gespräch und verlässt schnell das Gebäude. Draußen atmet sie tief durch. Sie ist froh und erleichtert, dass sie so gehandelt hat. Es bleibt nur die Unsicherheit, ob Frau Borgens sie wirklich verstanden hat.

Die Barkasse legt am nächsten Morgen pünktlich um 9 Uhr im Hafen ab. Lillian hat sich lange Hosen und Lederstiefel angezogen. Die Jacke aus Schafsfell und die Pelzmütze schützen sie vor dem starken Wind und der Kälte.

Außer dem norwegischen Bootsführer sind noch zwei Feldgendarme mit an Bord. Lillian kennt ihre Uniformen nur zu gut, seitdem Helmut an der Bushaltestelle von ihnen abgeführt worden ist. Das Boot nimmt Fahrt auf, die Gischt schäumt über den Bug. Lillian hockt in einer Ecke neben der Kajüte des Bootsführers. Sie fühlt seinen mürrischen Blick. Bestimmt hält der Mann sie für eine Verräterin, weil sie mit diesen Deutschen gekommen ist. Die beiden Feldgendarme sitzen achtern auf einer Bank. Über ihnen weht die Reichskriegsflagge. Wenn Lillian nur verstehen könnte, was sie sagen. Anscheinend geht es um die verschwundenen Elektrogeräte. Aber der Wind verweht ihre Worte.

Nach einer halben Stunde Fahrt ist die kleine Kaianlage auf der anderen Seite des Fjords erreicht. Ein paar Anwohner beobachten, wie sie an Land klettern, und Lillian ist es sehr unangenehm, dass sie zusammen mit den Deutschen gesehen wird. Die beiden Feldgendarme gehen vor ihr. Der eine ist ihr schon von Anfang an besonders unangenehmen aufgefallen, ein Untersetzter, der aussieht, als ob er hart und brutal zuschlagen kann, wenn es darauf ankommt.

Die Küchentür des weiß getünchten Hauses steht offen. »Polizei«, ruft der Untersetzte. Eine kleine Frau erscheint. Ja, sie ist Frau Borgens. Lillian übersetzt, warum die Männer gekommen sind.

»Nun, mein Sohn arbeitet in einem deutschen Lager, aber ich habe nie gesehen, dass er elektrisches Material mit nach Hause gebracht hat.«

Der Untersetzte will sich nicht länger aufhalten lassen. Er schiebt Frau Borgens zur Seite, geht ins Wohnzimmer und beginnt mit der Hausdurchsuchung. Das Sofa wird von der Wand geschoben, jedes Kissen herumgedreht. Dann ist der Eckschrank an der Reihe. Bücher fliegen aus den Regalen. In der Küche wird der Backofen untersucht. Und die Pfannen und die Töpfe.

Lillian versucht, Frau Borgens entsetzten Blick aufzufangen, aber die schaut nur an ihr vorbei. Lillian würde ihr so gerne irgendwie zu verstehen geben, dass sie das gestern Abend am Telefon war, aber das ist natürlich nicht möglich.

Die Feldgendarmen sind inzwischen im Schlafzimmer der Borgens angekommen, sie heben die Matratzen hoch, werfen

Unterwäsche und Handtücher aus den Schränken auf den Boden, finden aber nichts.

»Was ist das für eine Tür?« Lillian übersetzt.

»Das ist der Einstieg zum Keller.« In den Kellerräumen heben die Deutschen Kisten und Schachteln hoch und treten gegen einen Eimer. Kartoffeln kullern über den Boden. Nichts zu finden. Die Feldgendarmen fluchen. »Wir werden euer Diebesgut schon noch finden, wartet nur ab.« Auch das muss Lillian übersetzen. Dann ist die Hausdurchsuchung endlich vorbei.

Ein eisiger Wind ist aufgekommen und treibt den Schnee über den Kai. Der Bootsführer kann nur mit großer Mühe das Boot am Steg halten, damit Lillian und die beiden Feldgendarme wieder an Bord gehen können. Plötzlich rutscht der Untersetzte auf der glatten Bootskante aus. Erst im letzten Augenblick kann ihn der Bootsführer greifen und an Bord ziehen. Als Lillian die Angst in den Augen des Untersetzten sieht, fühlt sie Schadenfreude in sich aufsteigen.

Sie leben nur noch in Ruinen, deine Deutschen

Juni – August 1944

Im Juni 1944 wird Helmuts Kompanie nach Finnland verlegt. Von dort aus soll sie später an die Ostfront gehen. Lillian weiß nicht, wie Helmut es gemacht hat, aber er schafft es, in Harstad zu bleiben. Ihr sagt er nur: »Ich habe die Einheit gewechselt.« Er ist jetzt Bataillonsschreiber beim Pionier-Schären-Bataillon unter Oberleutnant Röttgers. Helmuts Schreibtisch steht in dem kleinen gelben Holzhaus oberhalb des *Harstad*

Botn in Seljestad, das die Deutschen nun auch noch besetzt haben. Die Familie, die bisher dort gelebt hat, hat man kurzerhand woanders untergebracht.

Die Menschen in Harstad stehen den Deutschen immer feindseliger gegenüber. Gerüchte über Verhaftungen, Deportationen und Hinrichtungen in ganz Norwegen versetzen die Menschen in Unruhe und Wut.

Helmut kommt nicht mehr so oft wie früher in die Halvdansgate, um Lillian abzuholen. John begegnet ihm nur noch kühl und abweisend. Für Helmut ist es schwer, dass der Norweger in ihm nun vor allem den Deutschen in Uniform sieht. Er spürt zunehmend, dass ihn die Berthungs einfach nicht mehr sehen wollen. Noch mehr belastet ihn, dass Lillian wegen ihrer Beziehung leiden muss. Nachdem er seinen Eltern von seinen Sorgen erzählt hat, schreibt der Vater am 22. Mai 1944 zurück:

> Wir können die Eltern in der Sorge um ihr Kind wohl verstehen, und Du hast ja auch wohl selbst keinen Anlaß gefunden, ihnen das auch nur innerlich zum Vorwurf zu machen. Ich habe das seit der grundlegenden Änderung der Verhältnisse schon mehrmals angeschnitten. Der Vater sieht die Sache sich auch schon klarer abzeichnen und will anderen Leuten keine Handhabe geben. Was bislang gewesen, dürfte für ihn schon unangenehm genug werden können. Die kleine *Hun* gefällt mir natürlich ob ihrer Haltung immer besser.

Trotzdem: Lillian fühlt sich unglücklich und niedergeschlagen. Ihr Leben läuft jetzt so ganz anders, als sie es sich erträumt hat. Anstatt im Hörsaal zu sitzen und den Vorlesungen berühmter Archäologen zuzuhören, sitzt sie in der Stadtkommandantur, muss Unteroffizier Aschers Aufträge ausführen, seine Blicke ertragen und hat zu allem Überfluss noch ein gespanntes Verhältnis zu den Eltern. Ihre Tante Wally spricht nicht mehr mit ihr, und einige der alten Freundinnen meiden sie. Vera hat den Kontakt zu ihr sogar ganz abgebrochen. »Weil du mit einem Deutschen befreundet bist«, schreibt sie Lillian spitz aus Oslo.

»Was soll nur werden, min kjære Helmut«, fragt Lillian, als sie sich das nächste Mal treffen, »alle sind gegen uns, wir sind ganz alleine.«

Helmut schüttelt den Kopf. »Ich weiß, wie schwer es für dich ist, aber ich kann nur hoffen, dass du nicht an uns zweifelst. Als ich dich vor zwei Jahren in der Hütte zum ersten Mal sah, habe ich mich sofort in dich verliebt, und ich kann gar nicht in Worten ausdrücken, was du seitdem für mich bedeutest. Mein Leben hat nun endlich einen Sinn bekommen. Und trotzdem will ich nicht, dass du es jetzt zu Hause wegen mir so schwer hast.«

Lillian fasst seine Hand. »Wenn ich meinen Eltern nur die Wahrheit sagen könnte, dass du in Gefahr bist, weil deine Mutter Jüdin ist!«

»Nein, Lillian, das geht nicht. Du hast mir versprochen, dass du es niemandem erzählst, hörst du! Bitte verrate mich nicht! Wenn du es deinen Eltern erzählst, dann musst du es auch deinen Geschwistern sagen. Und wenn die es ihren besten Freunden erzählen, dann wird der Kreis der Menschen, die mein Geheimnis kennen, immer größer. Lillian, bitte verzeih, aber ich kann nur dir trauen.«

Als er ihre Tränen sieht, fährt er fort: »Wer weiß – vielleicht ist dieser Krieg auch schon bald vorbei. Es sieht nicht gut aus für die Deutschen an der Front.«

»Und das heißt?«

»Dass es für uns vielleicht doch noch eine Zukunft gibt.«

Zwei Monate später am 17. August 1944 haben sich die Offiziere der Kommandantur vor dem Radio versammelt. Die »Russland-Fanfare« erklingt. *Les Préludes*, Franz Liszt. Sondermeldung des Oberkommandos der Wehrmacht von der Ostfront. Lillian und Ulvall hören durch die halbgeöffneten Doppeltüren die überschnappende Stimme des Sprechers.

»Bolschewistische Sommeroffensive ... Richtung Ostpreußen und Weichsel ... Unsere Streitkräfte ... schwere Kämpfe ... Abwehrschlacht ...«

Es sind nur Fetzen zu verstehen.

Die meisten der Offiziere im Raum nebenan kommen aus Schlesien. Und Richtung Schlesien marschiert jetzt offenbar die Rote Armee. Der Stadtkommandant steht mit gesenktem Kopf vor seinem Schreibtisch. Niemand sagt etwas. Plötzlich verliert ein Leutnant die Fassung. Er sinkt auf einen Stuhl und schlägt die Hände vors Gesicht.

»Reißen Sie sich gefälligst zusammen«, schreit ihn einer der Offiziere an. »Der Führer wird in den nächsten Tagen eine neue Geheimwaffe einsetzen und die wird es ihm ermöglichen, den Feind vernichtend zu schlagen. Der Führer lässt das deutsche Volk nicht im Stich.«

Der Offizier schlägt die Hacken zusammen und reckt – »Heil Hitler!« – den Arm zum Gruß. Dann stürmt er aus dem Raum. Vorbei an Lillian und Ulvall.

Der Kommandant und sein Adjutant sind vor der Karte an der Wand stehen geblieben. Lillian sieht, wie sie die Stecknadeln mit den roten Köpfen, die die Frontlinie zeigen, umstecken. Dann verlassen auch sie die Kommandantur. Ulvall sieht ihnen nach. Dann sagt er leise zu Lillian: »Es dauert nicht mehr lange, bis der Krieg zu Ende ist.« Er stellt sich dicht vor sie und flüstert ihr triumphierend zu: »Hast du von Köln gehört? Von Hamburg, Kassel und dem Ruhrgebiet? Sie leben nur noch in Ruinen, deine Deutschen ...«

Lillian schaut auf die Uhr. »Ich muss runter in den Keller zu Iwan. Ich hab ihm heute Kartoffelkuchen mitgebracht. Und Wollhandschuhe von meiner Mutter.«

Auf dem Weg nach unten geht ihr das, was Ulvall gesagt hat, nicht aus dem Sinn. In Deutschland sind auch Helmuts Eltern.

Sie faltet ihre Hände.

Helmut bekommt einige Tage später Post aus Wuppertal:

> Mein lieber Helmut, soeben kommt das Geburtstagspäckchen an, Junge, wie hast Du das nach 5 Jahren Krieg noch fertiggebracht? Solche Zigarren wie die jetzt von Dir gespendeten habe ich seit langem nicht mehr zu Gesicht bekommen. Das weiterhin ausgewählte Buch entspricht ebenfalls so ganz meinem Geschmack. Bleiben noch die Rasierklingen. Für die nächsten Wochen und sogar Monate besteht nunmehr die berechtigte Aussicht, das Rasieren nicht mehr als Qual zu empfinden, wie es mit den schlechten Klingen letzthin der Fall war.
>
> Alles in allem also Sieg der Organisation auf der ganzen Linie, und nicht nur das, sondern die Hauptsache, mit von mir dankbar anerkannter Liebe zusammengestellt.
>
> Der Krieg spitzt sich offenbar immer mehr zu einer schnellen Entscheidung zu. Im Westen tobt die Schlacht mit von Tag zu Tag sich steigernder Heftigkeit. Alles spricht in den letzten Tagen von der V 2. Schon bald müßte wirklich etwas kommen, was

den Karren entscheidend herumwirft, sonst sieht es blümerant aus, denn im Osten bedarf der Russe offensichtlich auch nur einer kurzen Atempause. Was wird aus Finnland werden? Springt der Finne ab, hat das nicht seine Rückschläge auf die norwegische und da insbesondere auf die nordnorwegische Front? Uns klopft jedenfalls schon dauernd das Herz ... Nun noch viele herzliche Grüße für die kleine *Hun* und insbesondere für Dich. Dein dankbarer Alter.

Die Politik der verbrannten Erde

Nachdem die Wehrmacht bis zum Sommer 1942 an allen Fronten Sieg um Sieg errungen hat, bringt die Niederlage von Stalingrad im Januar 1943 die Wende. Im Verlauf des Jahres 1944 verschieben sich die Fronten. Diesmal nicht nach außen, sondern nach innen, in Richtung Heimat.

Auch an der finnischen Front hat sich die Lage zum Nachteil der Deutschen verändert. Zuvor hatte Finnland an der Seite der Wehrmacht gegen die Sowjetunion gekämpft. Für die Finnen war dies zunächst ein »Fortsetzungskrieg« des Winterkrieges von 1939/1940 gewesen, an dessen Ende sie wichtige Gebiete an die Sowjetunion hatten abtreten müssen.

Diese Gebiete sollen nun mit Hilfe der Deutschen zurückerobert werden. Allerdings macht das stetige russische Vorrücken den Finnen Angst vor einer sowjetischen Besetzung ihres Vaterlandes. So kündigt Feldmarschall Gustav Mannerheim im September 1944 die »Deutsch-Finnische-Waffenbrüderschaft« auf und fordert, alle deutschen Truppen aus dem finnischen Staatsgebiet innerhalb von zwei Wochen abzuziehen. Andernfalls würden diese Einheiten entwaffnet und Stalin übergeben werden.

Empört über den finnischen Verrat, gibt Hitler den Befehl, alle Brücken und Straßen zu sprengen und Geiseln zu nehmen. Auf ihrem Weg zurück hinterlässt die abziehende 20. Gebirgsarmee eine Spur der Zerstörung.

Nachdem norwegischer Boden erreicht ist und sich die deutschen Finnland-Kämpfer mit den deutschen Norwegen-Kämpfern vereinigt haben, wird der bisherige Befehlshaber, der Generaloberst Nikolaus von Falkenhorst, von Lothar Rendulic, dem Befehlshaber der 20. Gebirgsarmee, abgelöst. Rendulic befürchtet ebenso wie Reichskommissar Terboven das Nachrücken der Sowjets auf norwegisches Gebiet. Die Russen sollen deshalb zwischen dem Lyngenfjord und der Grenze zu Schweden aufgehalten werden. Alles, was nordöstlich davon liegt, wird aufgegeben. Den Preis zahlen die Menschen, die dort leben. Sie, ihre Tiere, ihr Besitz und ihre Häuser werden Opfer der »Operation Nordlicht«. Aus Berlin kommt für die beiden Provinzen Nord Troms und Finnmark folgender Befehl:

> Alle Anlagen, die dem Gegner von Nutzen sein könnten, sind nachhaltig zu zerstören, insbesondere Straßen und Eisenbahnen, Hafenanlagen, Flugplätze und sonstige Anlagen der Luftwaffe, Industrieanlagen, Wehrmachtsunterkünfte und Lager. Sämtliche Schneezäune an den Durchgangsstraßen sind rechtzeitig zu verbrennen! Die gesamte wehrfähige Bevölkerung Norwegens ist, soweit es die Marschbewegungen zulassen, mitzuführen und dem Reichskommissar Norwegen zum Arbeitseinsatz zu übergeben.

Weiter in den Norden

Herbst/Winter 1944

Um Rendulics zurückströmender Lappland-Armee beim Übergang über die Fjorde zu helfen, wird das Pionier-Schären-Bataillon der *Armee Norwegen* weiter nach Norden geschickt. Und mit ihm auch der Obergefreite Crott.

Helmut hat sich in großer Sorge von Lillian verabschiedet, denn die Gerüchte über das Vordringen der Sowjets überschlagen sich. Natürlich kennt Helmut die Reichspropagandamaschinerie, aber er fürchtet, dass den Russen, sollten sie jemals Harstad erreichen, eine Denunziation reichen würde, um Lillian in Haft zu nehmen und ihr Schlimmes anzutun.

Auf der Kommandantur sind inzwischen alle sehr nervös geworden. Es herrscht ein ständiges Kommen und Gehen, Türen schlagen, Telefone klingeln, Stimmen schreien, dann wird wieder geflüstert, Leitz-Ordner fliegen in graue Wehrmachtskisten, um dann doch wieder ins Regal zurückgestellt zu werden. Ulvall genießt das Chaos unter den Deutschen. Er ist sich nun ganz sicher, dass das Ende unmittelbar bevorsteht.

Lillian kommt in diesen Herbsttagen nicht mehr gern nach Hause. Die Ablehnung ihres Vaters tut ihr weh. Aber als Helmuts erster Brief auf der Kommode liegt, ist schon der Umschlag ein Trost.

Meine liebe treue Lillian, immer noch stehen Deine Abschiedsblumen vor mir und halten die Erinnerung an Dich wach. Aber auch ohne deren Hilfe sind meine Gedanken stets bei Dir. Ich danke Dir für alles, für Deine Worte, die mich bestärken in meinem Glauben an Dich. Vor einigen Minuten habe ich versucht, Telefonkontakt mit Dir zu bekommen, aber eine Verbindung ist unmöglich, überall scheint Chaos zu sein. Wir können froh sein, wenn wir brieflichen Kontakt halten können. Kurierpost kommt zweimal in der Woche. Ich werde versuchen, diese Zeilen über die norwegische Post zu schicken.

Unsere Reise nach Norden fing nicht gut an. Wir erreichten die Fähre nicht, und die nächste ging erst in der Nacht. Ich bat einen Mann aus der Fährmannschaft, Dich anzurufen, dass es mir gutgeht. Hat er das gemacht? Ich habe ihm dafür eine Schachtel Zigaretten gegeben. Während der ganzen Fahrt musste ich immer an Dich denken, was ich verlassen habe. Ich schaue Dein Foto an und spüre Liebe und Dein wunderbares Wesen. Ich vermisse Dich so, Lillian.

Jetzt sind wir in Kvænangen nördlich vom Lyngenfjord. In der Nähe unserer Baracke stehen drei kleine Häuser. Einer der Bewohner war sehr freundlich zu mir, als ich ihn fragte, ob er etwas Milch für mich hätte. Ja, ich könne jeden Tag kommen und Milch holen. Ich wollte ihm eine Freude machen und schenkte ihm eine halbe Flasche Cognac. Du kannst Dir gar nicht vorstellen, wie sehr er strahlte. Ich fragte ihn, ob er mir helfen könne, ab und zu einen Brief an Dich über die norwegische Post zu schicken. Er hat es versprochen.

Hier am Kvænangenfjord sind wir umgeben von einer einsamen stillen Landschaft, und hohe schneebedeckte Berge steigen aus dem blauschwarzen Meer. Unsere Aufgabe ist, die zurückweichenden deutschen Truppen aus Finnland über die norwegischen Fjorde Richtung Südnorwegen zu transportieren. Sie werden auf große Landungsboote verfrachtet, und Du kannst dir sicher vorstellen, welche bedrückte Stimmung herrscht. Unsere Kompanie wohnt in Baracken, die versteckt für alliierte Flugzeuge liegen. Wir haben ein kleines Aggregat, womit wir etwas Strom bekommen. Das bedeutet, wir haben am Morgen zwei Stunden und am Abend vier Stunden Strom. Um 21.00 Uhr gehen wir zu Bett, aufbleiben mit einer Kerze hat keinen Zweck, außerdem ist es im Schlafsack wärmer. Die Polarnacht liegt bleischwer über uns, nur der Schnee hilft, daß es am Tag etwas heller ist.

Die Situation fängt jetzt wirklich an, kritisch zu werden, und wir müssen darüber nachdenken, ob Du nicht besser nach Südnorwegen fährst, falls du es schaffst, von der Kommandantur wegzukommen. Es gibt Gerüchte, daß das Verhalten Schwedens undurchsichtig sei, so daß ein eventueller russischer Durchmarsch durch Schweden nach Narvik stattfinden könnte.

Einsatz am Lyngenfjord 1944

Bis jetzt haben wir nichts gemerkt, aber man rechnet damit, daß russische Flugzeuge auftauchen werden, wenn sich der Hauptstrom unserer Truppen nach Süden bewegt. Mein größter Wunsch ist, dass Du in Sicherheit bist. Ich zerbreche mir den Kopf, welche Reisemöglichkeiten Du hättest. Versuch doch einmal, ob du nicht als Helferin bei einem eventuellen Kindertransport durch Schweden dabei sein kannst. Meiner Meinung nach ist das die sicherste Reiseroute. Mit dem Bus auf glatten und schlechten Straßen über das Gebirge ist zu anstrengend, und man muß mit mehreren Übernachtungen unterwegs rechnen. Eine Schiffsreise ist wegen der Minen- und U-Boot-Gefahr das Letzte, was ich mir vorstellen kann. Wir müssen der Realität ins Auge sehen, wir werden für längere Zeit getrennt sein. Aber wir wissen, meine liebste Lillian, daß wir aufeinander warten werden und eine höhere Macht uns beschützt. Ich bin in Gedanken bei Dir, heute und immer. Dein Helmut.

Helmuts Mutter wird deportiert

September 1944

Nach den Deportationen zwischen Herbst 1941 und Sommer 1942 leben nur noch Juden in Wuppertal, die mit einem »arischen« Ehepartner verheiratet sind oder einen »arischen« Elternteil haben. Wuppertal gehört zum Gestapo-Bezirk Düsseldorf, und dort gilt im September 1944 unter dem Druck der herannahenden Front der Alliierten der sogenannte »Gutenberger-Befehl«.

Der »HSSPF« (Höherer SS- und Polizeiführer) Karl Gutenberger hat aufgrund der durch die Kriegsfolgen immer schwieriger werdenden Verkehrs- und Kommunikationslage von Reichsführer-SS Heinrich Himmler die direkte Befehlsgewalt erhalten. Gutenberger verfügt, »sämtliche in den Regierungsbezirken Köln, Düsseldorf und Aachen verbliebenen Juden zusammenzufassen und zu erschießen. Der Befehl wurde vom Chef der Düsseldorfer Gestapo, Gustav Nosske, und dem Inspekteur der Sicherheitspolizei im Wehrkreis VI, Walther Albath, jedoch nicht ausgeführt.«

Am 17. September 1944 steht die Gestapo mittags vor der Tür des Hauses in Wuppertal, in dem Heinz und Carola Crott nach der Bombardierung bei Bekannten untergekommen sind. Die Männer in den langen schwarzen Mänteln teilen Carola Crott, geborene Callmann, mit, dass sie ihre Sachen zu packen hat und sich bis 16 Uhr zum Abmarsch fertig machen muss.

Heinz Crott ist erst acht Tage später in der Lage, dem Sohn zu berichten, was seiner Frau und ihm an jenem Tag widerfahren ist. Er muss das in verschlüsselter Form tun, weil er natürlich weiß, dass die Zensur im ganzen Reich mitliest. Und da die Feldpost bis nach Norwegen nun vier Wochen braucht, erfährt Helmut erst Ende Oktober, dass seine Mutter deportiert worden ist:

> Mein lieber Helmut, schon längst hätte ich Deine Nr. 31 beantwortet, aber meine Stimmung war nicht dazu. Du kennst doch die Frau, die Du von jeher die halbe Portion nennst??? Denk Dir nur, sie ist vergangenen Sonntag ganz unerwartet zum Arbeitseinsatz von der Adolf-Hitler-Str. herangezogen worden. Um 13 Uhr kam der Bescheid, und um 16 Uhr musste sie schon mit 10 kg Gepäck, Lebensmittelkarten und für 3 Tage Marschverpflegung antreten. Ihr Mann hat sie begleitet und ist auch mit nach Düsseldorf gefahren, von wo der Zug am nächsten Tage nach Thüringen abgegangen ist. Frau W. und verschiedene andere, die zufällig außerhalb waren, sind bisher nicht weiter behelligt worden, aber aufgehoben ist nicht aufgeschoben. Es liest sich hier so nüchtern, aber das Drum und Dran von Sonn-

tagmittag bis Montagmorgen war für Frau und Mann gräßlich, zumal auch der Aufenthalt während der letzten Nacht in Düsseldorf alles andere als menschenwürdig war.

Was soll die Frau, die stets umhegt wurde, nun arbeiten?? Vom Bestimmungsort liegt noch keine Nachricht vor. Nur ist eine Karte von unterwegs eingegangen, aus der hervorgeht, daß sie sogar, wohl zufällig, in der zweiten Klasse befördert werden, aber unter großem Durst leiden. Der Mann von der halben Portion hat sich schon mit 8–10 Herren in gleicher Lage in Verbindung gesetzt, die sich alle in hervorragender Position befinden. Ein leitender Herr eines hiesigen großen Werkes, ein Dr. chem., ferner ein Fabrikant und noch 2–3 Leute gehören zum engeren Stab, die alles versuchen werden und jedenfalls die Augen offen halten. Schade nur, daß die Frau so pessimistisch war und keinerlei Hoffnung aufbringen konnte. Du warst ja immer ihr besonderer Verzug, und ihr letzter Gruß vor dem Abschied von dem Ehemann galt Dir!!!

Führerbefehl

Herbst 1944

Im Oktober 1944 erhält Lillian auf der Kommandantur den Auftrag, um 17 Uhr im mittleren der drei Militärhäuser am Stabburshaugen zu erscheinen, um dort bei einer Besprechung zu übersetzen.

Das mittlere Haus, so schießt es ihr durch den Kopf, das ist doch das Haus, in dem Vera einmal gewohnt hat!

Als Lillian den steilen Weg hinaufgeht, hat sie ein unangenehmes Gefühl. Hauptmann Ascher hat Pünktlichkeit befohlen, absolute Pünktlichkeit. »Die Sache, Fräulein Berthung, ist ungemein wichtig.« Man könne sich doch auf sie verlassen, nicht wahr?

Der Wachtposten am Zaun betrachtet sie und ihren Passierschein im Schein der Taschenlampe. Dann verschwindet er in der Baracke. Es wird telefoniert. Lillian muss warten. Trotz der Dunkelheit sieht sie, dass das Gebäude von einem hohen Stacheldrahtzaun umgeben ist. Dann öffnet sich das Tor. Lillian muss vortreten. Ein Soldat bringt sie zur Haustür. Hier hat Vera gewohnt. Vera. Die beste Freundin. Die beste Freundin, die nun nichts mehr von ihr wissen will. Wegen Helmut. Und Lillian ist froh, dass Vera sie wenigstens jetzt nicht sehen kann.

Die Eingangstür sieht genauso aus wie früher. Nur das Schild fehlt. Ein Wachsoldat reißt die Tür auf. Lillian tritt in den Flur. Der große Spiegel, der in der Ecke hing, ist weg. Auch die Teppiche sind verschwunden. Lillian zieht den Mantel aus und geht zur Garderobe. Dort hängen einige dunkle Herrenüberzieher, aber keine Soldatenmäntel.

Der Wachsoldat öffnet die Tür zu dem Raum, der früher das Wohnzimmer war. Jetzt nutzt man ihn als Büro. Mehrere Männer stehen in der Ecke und unterhalten sich leise. Lillian bleibt am Kamin stehen. Früher hatten Vera und sie darin Äpfel gebraten. Jetzt ist er kalt. Die Männer grüßen Lillian kurz, nehmen dann aber keine Notiz mehr von ihr. Es sind Norweger. Lillian kann nicht hören, worüber sie reden. Sie schaut hinüber in das erleuchtete Esszimmer. Die große Doppeltür ist nicht mehr da. Dafür hängen vor den Fenstern schwarze Vorhänge zur Verdunklung. Ein großer Tisch steht mitten im Zimmer. An der einen Wand hängt eine Landkarte, an der anderen die Hakenkreuzfahne.

Nach einer Viertelstunde öffnet sich die Wohnzimmertür und ein deutscher Oberst, begleitet von zwei Offizieren, tritt ein. Er bittet alle an den großen Tisch.

»Wo ist die Dolmetscherin?« Lillian tritt nach vorne und stellt sich vor. Sie sieht, dass auf dem Tisch eine große Karte von Nordnorwegen liegt.

»Ich erwarte«, sagt der Oberst, »von der Dolmetscherin und den Herren Lensmenn absolute Verschwiegenheit in dieser Angelegenheit. Wenn Sie mir das bitte durch Ihre Unterschrift bestätigen wollen.« Die Männer sind also Lensmenn, Landräte. Mit einer Handbewegung fordert der Oberst von Lillian die Übersetzung. Einer der Offiziere legt eine Namensliste zur Unterschrift vor. Zuerst sind die Lensmenn dran, einer nach dem anderen, dann Lillian. Niemand sagt etwas. Nur das Kratzen der Feder auf dem Papier ist zu hören.

Während Lillian in der Reihe steht, kann sie den Oberst heimlich betrachten. Er ist sicher über 60, aber noch immer groß und kräftig und wirkt mit seinen blonden Haaren und den buschigen Augenbrauen wie ein norwegischer Bauer. Bloß dass ein norwegischer Bauer keinen Schmiss auf der Wange hat und kein Eisernes Kreuz an der Brust. Lillian unterschreibt als Letzte.

»Sie erhalten Nachricht, falls die Schweigepflicht aufgehoben werden sollte.« Die Stimme des Obersts ist von sachlicher Kühle. »Meine Herren Lensmenn, es geht um Folgendes: Wie Sie wissen, drängt die Rote Armee im Nordosten gegen die Grenzen Norwegens. Die Russen stehen kurz vor Kirkenes, die Front in Finnland ist zusammengebrochen, und unsere Truppen befinden sich im heroischen Abwehrkampf gegen den russischen Feind.« Der Oberst macht eine Pause, damit Lillian alles übersetzen kann.

»Meine Herren, es ist Befehl von Berlin gekommen, dass die Einwohner der Finnmark evakuiert und alle Häuser abgebrannt werden müssen. Falls die russischen Bataillone über die Grenze nach Norwegen kommen, werden sie dort nichts mehr vorfinden.«

Hat er das wirklich gesagt? Hat sie das richtig verstanden? Lillian ist sich nicht ganz sicher, doch das Gesicht des Obersts lässt keinen Zweifel. Sie übersetzt alles Wort für Wort. Auch die Lensmenn scheinen nicht recht glauben zu wollen, was ihnen die junge Frau da auf Norwegisch sagt. Einer bittet Lillian um eine Wiederholung. Sie tut es. Dann fragt er noch einmal nach: »Haben Sie das richtig übersetzt?« Sein Gesicht ist aschfahl. »Ja, ich habe genau übersetzt.«

Der Oberst spricht weiter, und Lillian kann sich nur mit großer Anstrengung auf seine Worte konzentrieren. »Alles, was wir hier noch an Schiffen haben, kommt zum Einsatz, um die Bevölkerung südwärts zu bringen. Für das Vieh wird der Platz aber nicht reichen. Alle Tiere müssen deshalb getötet werden.«

Lillian fühlt, wie ihre Stimme zittert, sie übersetzt ganz mechanisch.

»Die Frage an Sie, meine Herren Lensmenn, ist nun: Wie viele Flüchtlinge können Sie in Ihren Bezirken aufnehmen? Ich wünsche innerhalb der nächsten fünf Tage eine komplette Liste. Wir haben keine Zeit zu verlieren, der Norden braucht unseren Schutz vor den Russen.«

»Frag den Oberst, ob die Häuser nicht stehen bleiben können«, sagt einer der Lensmenn leise. »Und sag ihm, dass wir versuchen werden, weitere Schiffe zu besorgen, damit auch die Tiere weggeschafft werden können.« Lillian übersetzt mit großem Ernst und blickt den Oberst eindringlich an.

»Führerbefehl«, sagt der Oberst knapp. »Meine Herren, Sie wissen, was das bedeutet.« Er nickt kurz den beiden Offizieren zu. Dann verlassen die drei das Zimmer. Lillian und die acht Lensmenn bleiben erschüttert zurück.

»Du bist so blass, fühlst du dich krank?«, fragt die Mutter, als Lillian nach Hause kommt.

»Ich glaube, ich bekomme die Grippe, ich will mich gleich hinlegen.« Sie kann jetzt mit niemandem sprechen. Die Mutter schaut ihr bekümmert nach. Auf der Kommode liegt ein Brief von Helmut. Er ist nun schon so lange mit seiner Kompanie am Lyngenfjord. Lillian lässt den Brief liegen. Sie wirft sich auf ihr Bett. Sie kann die Tränen nicht mehr aufhalten. Sie presst das Gesicht in das Kissen, damit niemand im Haus hört, dass sie weint.

Carola arbeitet für die Organisation Todt

September/Oktober 1944

Am 27. September 1944, neun Tage nach der Deportation seiner Frau vom Schlachthof in Düsseldorf-Derendorf, fährt Heinz mit dem Zug nach Minkwitz bei Zeitz. Er hat herausgefunden, dass sich Carola dort in einem Lager der »Organisation Todt« befindet, 40 Kilometer südlich von Leipzig.

Ende 1944 verfügt die »Organisation Todt« über 1 360 000 Arbeitskräfte. Eine davon ist Carola Crott. Heinz Crott schreibt an seinen Sohn Helmut am 1. Oktober 1944 in Brief Nr. 43 aus Minkwitz/b. Zeitz:

Mein lieber Helmut, ich bin Mittwochabend von Elberfeld abgefahren und kam Donnerstag nach 20-stündiger Fahrt hier an. Mit mir reisten noch 2 Herren, einer aus Remscheid und einer aus Elberfeld.

Bisher ist man noch in einem Saal mit 160 Personen gleichen Geschlechts untergebracht. Die O.T. ist die Betreuerin. Notlager und Wehrmachtsverpflegung. Es ist aber nur ein vorübergehender Zustand, da die Aufteilung noch vor sich gehen soll. Soviel aber zur Beruhigung, daß vorläufig kein Anlaß zur übermäßigen Sorge vorliegt, es scheint auch ein wesentlicher Unterschied zwischen dieser Aktion und früheren (Tetta) zu bestehen. Und so wollen wir hoffen, daß alles ein gutes Ende findet.

Ich konnte auch mit Genugtuung feststellen, daß die halbe Portion doch ein tapferer Kerl ist, der wegen seiner aufrechten und keineswegs sich hängen lassenden Haltung allgemein Sympathie genießt und bereits den Spitznamen »Liebling« trägt.

Morgen fahre ich wieder nach Hause, aber es ist mir bei unveränderter Lage unbenommen, mit der halben Portion Briefe zu wechseln und auch fernerhin Besuche zu machen. Dienstagmorgen werde ich wieder in Elberfeld sein.

Damit will ich meine Epistel beschließen, etwaige Briefe für die halbe Portion kannst Du an mich leiten, damit ich sie zusammen mit meinen eigenen abschicke. Viele herzliche Grüße

Dein schon wieder besser gelaunter Alter.

Darunter stehen nur ein paar Zeilen von Carola:

Mein lieber, guter Helmut, viel schreiben kann ich heute noch nicht und Du wirst verstehen, weshalb. Nimm, wie immer, von mir die herzlichsten Grüße und die allerbesten Wünsche für die Zukunft von Deiner M.

Helmut ist zunächst erleichtert. Die Mutter lebt, und der Vater kann sie besuchen. Vielleicht schaffen es die Crotts ja doch, dies alles zu überleben.

Inzwischen ist es sehr kalt am Lyngenfjord geworden, und die Soldaten kämpfen nicht nur gegen heftigen Schneefall, sondern auch gegen die Niedergeschlagenheit und die Angst. Sooft es geht, schreibt Helmut an Lillian, aber von der Deportation seiner Mutter erzählt er ihr nichts. Das will er erst tun, wenn sie sich in Harstad wiedersehen.

Finnmark wird niedergebrannt

Ende Oktober/November 1944

Am 28. Oktober 1944 hat Hitler den Befehl zur Zwangsevakuierung der Bevölkerung und zum Niederbrennen der beiden nördlichsten Provinzen Norwegens Nord-Troms und Finnmark gegeben. Das entspricht einem Fünftel der Fläche des norwegischen Festlandes, einem Gebiet anderthalb Mal so groß wie Dänemark. 50 000 Menschen haben dort ihr Zuhause. Die meisten ignorieren zunächst den Befehl, denn sie können sich einfach nicht vorstellen, dass die Deutschen tatsächlich alles niederbrennen werden.

Daraufhin unterzeichnet Alfred Jodl, der Chef des Wehrmachtführungsstabes, einen Befehl, der an die 20. Gebirgsarmee gerichtet ist:

> Aufgrund der geringen Bereitwilligkeit der nordnorwegischen Bevölkerung zur freiwilligen Evakuierung hat der Führer den Vorschlägen des Reichskommissars für die besetzten norwegi-

schen Gebiete zugestimmt und befohlen, daß die gesamte norwegische Bevölkerung ostwärts des Lyngenfjords in ihrem eigenen Interesse zwangsweise zu evakuieren und alle Wohnstätten niederzubrennen bzw. zu zerstören sind. Oberbefehlshaber Nordfinnland ist dafür verantwortlich, daß der Führerbefehl rücksichtslos durchgeführt wird.

Hierdurch allein kann vermieden werden, daß der Russe mit starken Kräften, gestützt auf die Wohnstätten und die ortskundige Bevölkerung, unseren Absetzbewegungen noch im Winter folgt und in Kürze vor der Lyngenstellung erscheint. Mitleid mit der Zivilbevölkerung ist nicht am Platze.

Das Entsetzen bei den Menschen ist groß. Viele wollen sich nicht damit abfinden und wenigstens in der Nähe ihrer Häuser und Ställe bleiben, wenn sie schon alles verlieren. Rolv Breivik, der zu jener Zeit als junger Mann in Finnmark lebt, beschreibt in seinem Buch die verzweifelten Versuche, in der Heimat zu bleiben:

Eines Abends fragte mich ein Mann, der Frau und mehrere kleine Kinder hatte, ob ich nicht zusammen mit ihm und seiner Familie ein Versteck vor den Deutschen suchen wolle, damit wir die Evakuierung umgehen könnten. Irgendwo könnten wir sicher eine Erdhütte bauen.

Ich habe nur geantwortet, daß das Risiko zu groß sei, schon allein wegen der nahenden Schneestürme, und daß es praktisch unmöglich sein würde, etwas zu essen zu organisieren. Und daß seine Kinder das nicht überleben würden.

Quisling sendet seinen Polizeiminister Jonas Lie nach Alta, der größten Stadt Finnmarks, um die Evakuierungen zu überwachen und jeden Widerstand zu brechen. Als Lie von einem Bauern hört, der sich gegen den Befehl aus Berlin stellt, macht er kurzen Prozess: »Er hat sofort ein Volksgericht auf die Beine gestellt, das den Mann zum Tode verurteilt hat. Die Deutschen haben dann die Exekution durchgeführt.«

Trotzdem gelingt es vielen Norwegern, sich in Verstecke zu flüchten und dort zu überleben. Auch Rolv Breivik und seine Freunde beschließen an einem dunklen Novemberabend schließlich doch, über den Altafjord zu rudern und sich in einer Erdhöhle in Sicherheit zu bringen.

Die »Operation Nordlicht« führt zu den größten Zerstörungen auf norwegischem Boden überhaupt. Die Soldaten »zogen von Ort zu Ort, von Gehöft zu Gehöft und trieben die Menschen aus ihren Häusern, die Kranken aus den Hospitälern, das Vieh aus den Ställen. Die Gebäude wurden in der Regel nach kurzer Frist in Brand gesetzt, das Vieh zum Teil an Ort und Stelle geschlachtet, zum Teil auch mit verbrannt.«

Insgesamt werden 11 000 Wohnhäuser, 4700 Ställe, 230 Gebäude für Industrie und Handwerk, 420 Geschäfte, 306 Fischereibetriebe, 53 Hotels und Gastwirtschaften, 106 Schulen, 60 Gebäude der öffentlichen Verwaltung, 21 Krankenhäuser und Krankenstuben, 140 Versammlungsgebäude und 27 Kirchen zerstört. Wochenlang liegt der Geruch von verbranntem Stallvieh über dem Land. Auf größeren und kleineren Schiffen versuchen die Menschen nach Süden zu gelangen, den britischen Minen und Flugzeugangriffen ausgeliefert.

Die nordnorwegischen Städte, in die die Flüchtenden gelangen, sind auf diesen Ansturm nicht vorbereitet. Die Stadt Tromsø, die 10 000 Einwohner hat, verdoppelt ihre Bevölkerungszahl.

Im deutschen kollektiven Bewusstsein sind diese Ereignisse nicht verankert, handelt es sich doch um eine militärisch begründete Zerstörungsaktion wie andere im Verlauf des Zweiten Weltkrieges auch, ins nationale norwegische Gedächtnis sind sie aber eingebrannt als humanitäre und wirtschaftliche Katastrophe des Landes – ins Werk gesetzt von deutschen Soldaten.

Als Helmut für ein paar Tage nach Harstad kommt, ist die Halvdansgate 16 endgültig für ihn verschlossen. Nach dem Niederbrennen Nordnorwegens hat Lillians Vater dem deutschen Soldaten das Haus verboten. John ist außer sich und will Helmut nie mehr sehen. Lillian weint, als sie es Helmut sagen muss. Als er ihr von der Deportation seiner Mutter erzählt, fühlt sich Lillian auf dieser Welt völlig verlassen.

Die Front rückt näher

November 1944

Heinz Crott ist sehr besorgt, seit sein Sohn an den norwegischen Fjorden im Einsatz ist. Zur Angst um Carola kommt nun auch die Angst um Helmut.

Am 14. November 1944 schreibt er in Brief Nr. 49:

Ich entnehme Deinen Briefen als Hauptmerkmal die betrübliche Tatsache, dass es mit Deiner bis zum Ende dauernden Verschonung vom Kriegsgeschehen nun doch nichts geworden ist. Deine fortgesetzten Bemühungen, uns die Veränderung der Lage als ziemlich harmlos hinzustellen und sie so zu schildern, als wenn man im zivilen Leben seine Wohnung wechselt, unterstreichen nur Deine Sorge, dass wir uns jetzt um dich ängstigen, was Du aber bei aller Schreibfertigkeit doch nicht verhindern kannst.

Bei dem täglichen Wehrmachtbericht sehe ich jetzt zuerst nach dem Schluss, wo etwas von der Eismeerfront stehen könnte, und ich atme täglich befreit auf, wenn da nichts mehr zu finden ist. Unter diesen Umständen empfinde ich über Deinen Bericht, daß Du in Sachen Verpflegung und Unterkunft nur eine geringe Einbuße hinsichtlich der letzteren zu verzeichnen hättest, nicht die große Freude wie sonst, und ich lese nur: »denn schließlich ist die Kompanie jetzt eingesetzt«, wogegen alles andere verblassen muß. Zu allem Unglück bleibt jetzt auch die Post aus, und da soll man nicht das kalte Kotzen kriegen.

Was bleibt mir anderes übrig, als Dir, meinem lieben Jungen, Hals- und Beinbruch zu wünschen. Gott möge Dich in seinen Schutz nehmen, daß ich wenigstens Dich in nicht allzu ferner Zeit glücklich wiedererhalte und aus mir nicht ein gänzlich vereinsamter Mensch wird.

In Harstad nimmt nach dem Niederbrennen der nördlichen Provinzen die Beunruhigung unter der Bevölkerung ständig zu. Nach viereinhalb Jahren Besatzung jetzt noch einmal eine solche Eskalation! Als Lillian eines Morgens in die Kommandantur kommt, teilt ihr Ulvall mit, dass Rittmeister Wölle von der Zahlmeisterei sie sofort für eine sehr wichtige Übersetzung braucht. Aber vorher hält ihr Ulvall noch die Zeitung unter die Nase. Ein junger Mann in NS-Uniform ist nachts in Oslo erschossen worden. »Hast du eigentlich noch diesen Freund, Lillian«, flüstert Erik Ulvall, »diesen Hitlersoldaten?«

Die Zahlmeisterei liegt eine Etage über ihnen. Seit ihrem ersten Tag in der Kommandantur hat Lillian den Eindruck gehabt, dass Rittmeister Wölle, ein Gutsbesitzer aus Pommern, kein schlechter Mensch sein kann. Sie klopft an seine Tür. Der Rittmeister steht von seinem Schreibtisch auf, begrüßt sie und bittet, Platz zu nehmen.

»Bevor wir mit unserer Übersetzung anfangen, Fräulein Berthung, möchte ich etwas Persönliches mit Ihnen besprechen. Aber es muss unter uns bleiben.« Lillian schaut ihn erstaunt an. Der Rittmeister hat sich eine Zigarre angezündet, sein Blick folgt den aufsteigenden Rauchringen. Das schmale Gesicht mit den graublauen Augen wirkt angespannt.

»Sie arbeiten nicht nur auf der deutschen Kommandantur, Fräulein Berthung, sondern Sie haben auch einen Freund, einen deutschen Soldaten.«

Was kommt jetzt? Will er sie erpressen? Lillian erstarrt.

»Warum sage ich das zu Ihnen? Ich mache mir Sorgen um Sie. Weil Sie mich an meine einzige Tochter erinnern. An meine Tochter, die mit meiner Frau auf unserem Gut in Pommern lebt. Niemand weiß, wie sich die Situation entwickeln wird.«

»Welche Situation?«, fragt Lillian, die den Rittmeister nicht so recht versteht. »Die Front«, sagt der Rittmeister. »Die russische Front rückt näher. In Pommern wie in Norwegen. Ich habe meiner Frau geschrieben, dass sie mit unserem Kind zu Verwandten nach Bayern gehen soll, bevor es zu spät ist.« Rittmeister Wölle beugt sich ein wenig vor. Seine Stimme ist jetzt ganz leise. »Sie haben keine Verwandten in Bayern? Zufälligerweise?«

»In Bayern?«, antwortet Lillian vollständig verwirrt.

»Mein Gott, Fräulein Berthung, so verstehen Sie doch bitte – Ihr deutscher Freund, Ihre Arbeit auf der Kommandantur für uns Deutsche – Sie sollten jetzt in Südnorwegen sein. Schon längst ...«

Dann räuspert sich der Rittmeister, setzt sich auf und beginnt den sehr wichtigen Text zu diktieren, den Lillian übersetzen soll. Es geht um einen Verwaltungserlass. Der Verschwendung von Büromaterial soll an allen Fronten und auf allen Ebenen entgegengewirkt werden.

Ich werde weggehen

Harstad, November 1944

Lillian ist erst spät am Abend nach Hause gekommen und will deshalb heute am Sonntag etwas länger schlafen. Doch plötzlich heulen die Sirenen. Nach über vier Jahren gibt es wieder Fliegeralarm in Norwegen.

Lillian springt aus dem Bett und zieht sich an. Ihre Eltern, Pus und Bjørn warten schon unten auf sie. Dann rennen alle zusammen zum nächsten Schutzraum, der bereits ziemlich voll ist. Er muss jetzt nicht nur für die Menschen aus Harstad reichen, sondern auch für die Vertriebenen aus dem Norden, die man im Gotteshaus Bethel einquartiert hat. Jeden Tag kommen neue Flüchtlinge dazu, und das, was sie berichten, ist erschütternd.

Der Alarm dauert 20 Minuten, dann dürfen alle wieder nach draußen. Die englischen Lancaster-Bomber haben abgedreht. Erleichterung will sich deshalb nicht einstellen. Diesmal ist man davongekommen. Aber was ist beim nächsten Mal?

Als sich die Berthungs wieder im Esszimmer versammeln, ist alles Sonntägliche verflogen. Umso größer ist das Erstaunen, als John vorschlägt, dass man zum Grunnvannet gehen soll, um Eis zu laufen. Das Wetter sei einfach zu schön und man wolle sich nicht jedes Vergnügen vom Krieg nehmen lassen.

Abends schaut Lillian aus dem Fenster über den Vågsfjord. Der Mann, den sie liebt, ist jetzt irgendwo da oben im Norden. Sie stellt sich vor, wie er hundert Kilometer weiter auf jene fernen Gebirgsspitzen im Süden schaut und an das Mädchen denkt, das dort lebt und ihn liebt. Sie setzt sich hin und schreibt:

> Min kjære Helmut, da ich Dich telefonisch nicht erreichen kann, versuche ich es mit diesem Brief. Alle Gerüchte über die schrecklichen Geschehnisse im Norden machen uns sehr nervös. Zu Hause werden die Möbel zum Teil weggeschafft, und wahrscheinlich werden wir nach Kilbotn evakuiert werden. Morgen kommt der Lastwagen und holt die Sachen.
>
> Wir haben hier in den letzten paar Tagen viel Unruhe gehabt, und gestern war es besonders schlimm. Bis zu drei Mal Fliegeralarm. Ich denke immer an Dich und Deine Eltern, besonders an deine Mutter. Ich ersehne Post von Dir und kann nur hoffen, daß die augenblickliche Situation bald ein Ende hat. Es ist kaum auszuhalten. Ich vermisse Dich so sehr. Deine Lillian.

In den folgenden Tagen wird die Halvdansgate tatsächlich teilweise ausgeräumt. John und Annie wollen alles, was ihnen wichtig ist, bei Verwandten auf dem Land unterbringen. Auch ein Koffer mit Lillians persönlichen Sachen, ihren Büchern und lieb gewonnenen Erinnerungsstücken kommt auf den kleinen Lastwagen. Die Briefe von Helmut behält sie natürlich bei sich. Wenn sie sie nicht mit sich herumtragen kann, liegen sie in der hinteren Ecke ihres Kleiderschranks. Der soll nämlich nicht abgeholt werden. Trotzdem, das Haus, die Zimmer – alles wirkt so trostlos. Wo ist ihr Heim, ihr Zuhause geblieben?

Auf der Kommandantur haben inzwischen alle den Verstand verloren. Vollständig. Meint jedenfalls Ulvall. Und Lillian muss ihm zustimmen.

Der neue Stadtkommandant, ein wuchtiger Pedant aus Westfalen, hat herausgefunden, dass die norwegischen Angestellten nur 44 Stunden statt 48 Stunden in der Woche arbeiten. Also wird ab sofort auch am Samstagnachmittag gearbeitet und die Mittagspause um eine Stunde verkürzt.

Lillian muss zum ersten Mal bei einem Kriegsgerichtsverfahren dolmetschen. Die Verhandlung findet in einer Baracke der Brigade statt. Ein Wehrmachtsangehöriger soll ein norwegisches Mädchen geschwängert haben. Das Mädchen verlangt, dass die Vaterschaft anerkannt werden soll. Davon will der Soldat aber nichts wissen.

Die Verhandlung ist schwierig und sehr unangenehm. Auch für Lillian. Ein deutscher Soldat, ein norwegisches Mädchen. Ulvall wird, wenn sie wieder zurück in der Kommandantur ist, nicht mit seinen Bemerkungen zurückhalten. Die Verhandlung endet ohne Ergebnis und wird vertagt.

Wenn sie nur wüsste, was zu tun ist. Die Schreibarbeit auf der Kommandantur ist grässlich. Das, was sie übersetzen muss, noch grässlicher. Und dass der neue Kommandant ihr auch noch anzügliche Blicke zuwirft, ist am grässlichsten. Das soll sie noch zwei Monate aushalten? Denn so lange dauert der Arbeitseinsatz noch, der im Mai nach Ablauf der ursprünglich angesetzten Zeit von neun Monaten noch einmal um dieselbe Zeit verlängert worden war.

Sie muss an das denken, was ihr der Rittmeister aus Pommern gesagt hat: Wenn die Russen nach Harstad kommen, wird sie in Gefahr sein, weil sie für die Deutschen gearbeitet hat. Es wird Zeit, die Heimat zu verlassen. Sie muss versuchen, nach Südnorwegen zu gelangen. Und sie hat eine Idee, wie es gelingen kann, vom Stadtkommandanten dafür die Genehmigung zu erhalten: Sie wird ihre Cousine Liv um Hilfe bitten. Liv soll einen Brief schreiben und um Unterstützung bei der Pflege ihrer kranken Mutter in Odda bitten. Odda liegt tausend Kilometer weiter südlich. Zu weit für Stalin und zu weit für Hauptmann Ascher. Aber leider auch zu weit für Helmut.

Die Eltern reagieren ablehnend auf Lillians Vorhaben. John und Annie halten es für richtig, dass ihre Tochter in dieser schwierigen Zeit zu Hause ist und nicht unter großen Gefahren die lange Reise in den Süden antritt. Der Vater hat ihr ohnehin nicht verziehen, dass sie immer noch an diesem deutschen Soldaten hängt. Und sich selbst verzeiht er nicht, dass er die beiden zusammengebracht hat.

Lillian leidet sehr unter der ablehnenden Haltung ihrer Eltern. Als sie einmal mit ihrer Mutter in der Küche allein ist, will sie noch einen Versuch wagen:

»Mama, du hast ihn doch auch kennengelernt. Meinst du wirklich, dass er über das glücklich ist, was die Deutschen hier machen?«

Aber Annie weist sie ab. »Er trägt eine deutsche Uniform, Lillian. Die Uniform derer, die Finnmark abgebrannt haben! Papa und ich wollen nicht, dass unsere Tochter etwas mit einem Mann zu tun hat, der in dieser Uniform steckt. Warum kannst du das eigentlich nicht verstehen?« Lillian beginnt zu weinen. »Weil ich ihn liebe. Deshalb. So wie du Papa geliebt hast, als ihr euch kennengelernt habt.«

Es ist aussichtslos, ihre Mutter will sie nicht verstehen. Wenn sie ihr doch nur sagen könnte, in welcher Gefahr Helmut ist und wie schwer er es hat, nachdem man seine Mutter in dieses Arbeitslager verschleppt hat. Aber sie hat Helmut ihr Ehrenwort gegeben.

»Ich werde weggehen von hier, Mama.«

Wenige Tage später steht sie vor Hauptmann Ascher. Sie zeigt ihm den inzwischen eingetroffenen Brief der Cousine. Ascher macht ein süßsaures Gesicht. Am nächsten Tag teilt er ihr nach Rücksprache mit dem Stadtkommandanten mit, dass sie zu ihrer Tante nach Westnorwegen fahren darf. Ausnahmsweise. Und weil er, Ascher, sich für sie eingesetzt hat.

Die letzten Tage in Harstad

Januar 1945

Als Helmut im Januar für einige Urlaubstage zu Lillian fährt, fallen sie sich an der Haltestelle in die Arme. Das Haus in der Halvdansgate ist und bleibt Helmut verschlossen. Lillian fragt nach Helmuts Eltern, und er holt einen Brief seines Vaters aus Zeitz hervor und gibt ihn ihr zum Lesen:

> Mein lieber Helmut, während meiner letzten Wuppertaler Tage gingen drei Päckchen mit Dosen von Dir ein. Ich nehme an, Fischfrikadellen und Ölsardinen. Für alles meinen Dank.
>
> Es war schon an der Zeit, dass ich mich hier mal wieder sehen ließ, denn ich traf die halbe Portion nicht so an, wie es mein Wunsch gewesen wäre, und meine Dir bereits geäußerten Be-

fürchtungen waren mehr als berechtigt. Nach meinem letzten Besuch ist sie andauernd von Krankheiten geplagt worden. Ein Fußleiden, an dem sie ohne Erfolg herumdokterte, und schließlich eine Erkältung, an der sie augenblicklich noch leidet. Das Schlimmste an der ganzen Geschichte waren aber nicht diese Leiden, sondern die durch dieselben hervorgerufene Gemütsbewegung. Bei ihr verstärkte sich der Gedanke, daß die häufigen Erkrankung die andere Seite veranlassen könnte, sich ihrer zu entledigen. Die Selbstaufgabe war in greifbare Nähe gerückt, was ich mit Mißbehagen bei meiner Ankunft feststellen mußte, als ihr Gesicht auch ihre Not widerspiegelte.

In den wenigen Tagen meines Hierseins ist aber schon zu meiner Freude eine erfreuliche Verbesserung eingetreten. Viel dazu beigetragen hat auch der von mir angestrebte und auch erzielte Erfolg an der maßgebenden Stelle, die mir nach der nötigen »Nachhilfe« wörtlich versicherte, nachdem ich von den Krankheiten meiner Frau offen gesprochen und auch ihre Angst nicht unerwähnt gelassen hatte, daß eine zur Verfügungstellung niemals in Frage kommen würde.

Man wird in allen Fällen eine Lösung finden, die aber nicht die Abschiebung sein wird. Du kannst Dir denken, daß nicht nur ich beruhigt war, sondern daß vor allen Dingen die halbe Portion den Boden nicht mehr unter sich wanken sieht.

Lillian lässt den Brief sinken. »Wie gut, dass dein Vater sie sehen und etwas für sie tun kann.« Helmut nickt und drückt ihr dankbar den Arm.

Ein paar Tage später bekommt auch Lillian Post von Heinz Crott. Schon seit einiger Zeit hat sie mit Helmuts Eltern brieflichen Kontakt, aber jetzt ist es nur noch Heinz, der ihr schreiben kann:

Meine liebe Lillian (von uns die kleine *Hun* genannt), Du musst schon entschuldigen, dass ich nicht mehr das förmliche ›Sie‹ gebrauche, aber ich kann unmöglich einem so lieben Menschenkind, das mir einen derart schönen Brief geschrieben hat und das so treu und unverdrossen zu meinem einzigen steht, weiterhin so gewissermaßen fremd gegenüberstehen ...

Schon mehrmals habe ich Deinen lieben Brief gelesen, und ich freue mich immer wieder über das sonnige und warme Gemüt, das aus jeder Zeile spricht. Du kannst Dir wohl kaum vorstellen, wie teuer Du auch meinem Herzen geworden bist, und ich mag es so gar nicht ausdenken, daß meinem lieben Mädel in diesem grausigen Kriege auch nur ein Haar gekrümmt würde.

Sehr betrübt bin ich über die Mitteilung von Helmut, daß sein Verhältnis zu Deinem lieben Vater durch die neuerlichen Ereignisse eine gewisse Trübung erfahren hat. Das tut mir aufrichtig leid für beide Teile, da beide gewissermaßen unbeteiligt sind, denn weder ist Dein Vater von Haus aus ein Deutschenfresser, noch ist mein Junge auch nur im geringsten für das verantwortlich zu machen, was geschehen ist. Du kennst Helmut auch zur Genüge, um die Wahrheit dieser Behauptung unterstreichen zu können. Direkt weh tut mir aber die Erkenntnis, daß Du jetzt zu Helmut hältst und dadurch Dir den Zorn des Vaters zuziehst.

Ist das nicht ein Jammer, daß jetzt nicht meine liebe Frau da ist. Ich muß sehen, daß ich jetzt auf Umwegen wie ein Dieb Deine lieben Zeilen an sie weiterbringe. Leider wird sie nicht in der Lage sein, Dir wie ich zu antworten, jedoch darfst Du sicher sein, dass sie sich sehr, sehr freuen wird, denn die halbe Portion, wie Helmut und ich sie nennen, hat so ein feines Gespür für Herzenswärme, die aus jeder Deiner Zeilen spricht, daß sie Deinen Brief wie ein Kleinod aufheben wird.

Mit Ilse in Zeitz

Mai 2011

Am 22. Mai 2011 hole ich Frau Kassel morgens in Krefeld ab. Sie kommt mit einem kleinen Rollkoffer aus dem Haus. Und mit einem blauen Beutel: »Hier ist Proviant für uns drin!« Wir sind auf dem Weg nach Zeitz, wo wir zwei Tage bleiben werden. Zeitz liegt an der Weißen Elster im Süden von Sachsen-Anhalt, 40 Kilometer von Leipzig entfernt.

Frau Kassel macht sich nun mit ihren mittlerweile 86 Jahren zum dritten Mal in ihrem Leben nach Zeitz auf. Das erste Mal hat sie die Gestapo dorthin gebracht, das war 1944. Das zweite Mal ist sie 2002 in Zeitz gewesen. Ganz allein. Und aus eigenem Willen. »Es war zwar nicht leicht für mich, aber ich wollte diesen Ort noch einmal sehen.« Ein drittes Mal sollte es eigentlich nicht geben.

In der letzten Nacht habe sie nicht besonders gut geschlafen, sagt sie, nachdem sie zu mir ins Auto eingestiegen ist. Umso dankbarer bin ich, dass sie jetzt, 2011, die Reise in die Vergangenheit noch einmal auf sich nehmen will.

Unsere Reise soll auch nach Minkwitz gehen, der ersten Station nach dem Abtransport aus Düsseldorf. Nach fünf Stunden haben wir Zeitz erreicht. Wir quartieren uns in einem Gasthof am Markt ein. Schon auf der Fahrt durch die Stadt passt es nicht zu meinen Gefühlen, dass Zeitz ein hübscher Ort ist. Mit restaurierten Häusern und hellen Plätzen.

Abends sitzen wir in der Gaststube zusammen und Frau Kassel bietet mir das Du an. Ich freue mich, weil ich mich ihr nah fühle und es für mich so ist, als wäre ich mit meiner Großmutter hier.

In der Geschwister-Scholl-Straße 11, der früheren Naetherstraße, stehen wir am nächsten Morgen vor einem dreistöckigen Backsteinhaus. Der stark verfallene Bau ist einmal die katholische Volksschule gewesen, dahinter, umringt von hohen Bäumen, stehen immer noch Kirche und Pfarrhaus. Hier hat Pfarrer Clemens Wittelsbach gewohnt, einer der vielen unbekannten deutschen Helden. Er hat im Herbst 1944 mit seinem Amt und seiner Person dafür gekämpft, dass einige der zunächst nach Minkwitz verschleppten Frauen, darunter auch Ilse Kassel, ihre Mutter und meine Großmutter, in den Räumen seiner Kirche in Zeitz unterkommen konnten. Die, die er nicht mehr aus den Klauen der Gestapo befreien konnte, kamen in die Lager nach Halle und Berlin oder gleich nach Theresienstadt.

Die längst zerborstenen Glasscheiben der verwitterten hellgrünen Holztür sind mit Pappe vernagelt. Ich gehe die Stufen zum Eingang hoch und versuche, durch das Schlüsselloch etwas zu erkennen. Ich sehe eine kleine Treppe und einen Flur. Meine Großmutter ist durch diese Eingangstür gegangen, die Treppe hoch und dann durch diesen Flur.

Ilse Kassel kann sich nicht mehr erinnern, wie sie damals von Minkwitz hierhin gekommen sind, aber in der »Chronik der Diasporapfarrei Zeitz« lesen wir später, dass »am Abend vor dem Allerheiligenfeste 1944 32 Frauen und Mädchen in Lastwagen hier ankamen und sich im Erdgeschoß der Schule einrichteten.«

Wir gehen um das Haus herum. Im Hochparterre reihen sich vier Fenster aneinander, zwei davon mit Eisenplatten versperrt, eines mit einer hellen Holzplatte, das vierte ist zugemauert. Vor dem Haus ein Wiesenstück, eingefasst von einem hohen Drahtzaun. »Früher war hier eine hohe Mauer, und die Wiese war ein Hof. Da durften wir uns aufhalten, aber es war ja viel zu kalt. Hinter den Fenstern waren die zwei Zimmer, in denen wir untergebracht waren«, sagt Ilse. »Es war sehr eng, und wir schliefen in durchgelegenen Hochbetten. Die Tür dort führte in den Garten des Pfarrhauses. Wenn sie aufging, wussten wir, dass wir Hilfe und Trost bekommen würden. Pfarrer Wittelsbach hat wirklich alles versucht, um uns das Leben zu erleichtern.«

Auch seine Haushälterin tat, was sie konnte. Auf alle Fälle mehr, als sie durfte: Sie öffnete Ilse die Tür ins Pfarrhaus und ließ sie mit einer Freundin telefonieren, die im Fernmeldeamt Krefeld arbeitete und ihren Aufenthaltsort herausgefunden hatte.

Ich habe die Briefe, die meine Großmutter aus Zeitz an meinen Vater geschrieben hat, mitgenommen und hole den vom 28. November 1944 aus der Tasche:

> Wie sich mein Leben hier abspielt, wirst du ja aus Wuppertal erfahren haben. Leider dürfen wir jetzt nur noch alle vierzehn Tage schreiben und auch nur in dieser Zeit Briefe empfangen, die beiderseits durch die Zensur gehen müssen. Im Winter ist das Lagerleben auch insofern weniger erfreulich, weil man durch die früher eintretende Dunkelheit weniger unternehmen kann, sei es durch Handarbeiten, Schreiben oder Lesen, da man durch die ziemlich hoch angebrachten Lampen kein günstiges Licht erhält... Indem ich Dich noch bitte, gelegentlich die kleine *Hun* vielmals von mir zu grüßen, verbleibe ich mit vielen guten Wünschen und Grüßen stets Deine halbe Portion.

Ich stelle mir meine Großmutter hinter diesen Fenstern vor und bin sehr bedrückt. Gleichzeitig spüre ich, wie neben mir Ilse das Herz schwer geworden ist. »Früh am Morgen wurden wir von einer mit Gewehren bewaffneten Truppe zur Arbeit in die Oberstadt gebracht«, sagt sie, »zur *Werner-Gerhardt-Schule* am Steinsgraben, wo die ›Organisation Todt‹ stationiert war.«

Dann zeigt Ilse mir den Weg, den sie jeden Morgen mit den anderen Frauen gegangen ist. Ilse geht diesen Weg sehr langsam und ihr Gesicht sagt mir, dass es für sie nun Schritt für Schritt in die Vergangenheit geht.

Der Weg zur Zwangsarbeit in Zeitz

Als wir die Messerschmiedestraße erreichen mit ihren Katzenköpfen, jenem buckeligen Kopfsteinpflaster aus Blaubasalt, das mit seinen unregelmäßigen Fugen das Tausendjährige Reich und die DDR überdauert hat, bleibe ich stehen und lese Ilse vor, was meine Großmutter am 19. Januar 1945 geschrieben hat:

> Mein lieber, guter Junge, für Deine lieben Zeilen danke ich Dir vielmals. Du wirst es schon ermessen können, was es für mich bedeutet, von Dir zu hören. Wie Du wohl schon erfahren hast, habe ich mich im Großen und Ganzen den Verhältnissen angepasst, zumal ich mit 3 unserer Damen einen netten Kreis gefunden habe. Was weniger schön ist, daß ich mir meinen rechten Fuß durchgetreten habe, da das Zeitzer Pflaster derart holprig ist, daß man wie auf Nadeln geht! Der Weg vom Lager zur Arbeitsstätte beträgt eine Viertelstunde, und frühmorgens um halb 6 Uhr sowie auch abends sieht man in der Dunkelheit nicht, wo man hintritt, und so ist das Malheur entstanden. Du kannst Dir denken, daß diese körperliche Behinderung, ich muß stark humpeln, nicht günstig auf meine Stimmung wirkt, doch gebe ich mir die allergrößte Mühe, mich nicht unterkriegen zu lassen. Bist Du mit mir zufrieden?

Ich gehe neben Ilse die steile Straße hoch, mache Aufnahmen von dem Kopfsteinpflaster und den alten Häusern und denke: Was die Menschen hinter diesen Fenstern wohl damals gedacht haben, als sie Morgen für Morgen diese bewachte Frauen-Kolonne an ihren Häusern vorbeiziehen sahen?

Und vor allem – was hat meine Großmutter gedacht und gefühlt? Wie verloren ist sie sich vorgekommen? Wie viel Angst hat sie gehabt? Für einen Moment ist es so, als gingen wir diesen Weg gemeinsam. Für einen Moment scheint es mir, dass ich ihr dadurch noch nachträglich etwas abnehmen, auf mich nehmen kann. Dass ich für sie da bin. Damals aber hatte meine Großmutter meinen Großvater an ihrer Seite. Zum

Glück. Er konnte sie zumindest ein paar Mal in Minkwitz und Zeitz besuchen, und ohne ihn wäre sie wohl an ihrem Schicksal verzweifelt.

Seinen Brief Nr. 56 vom 3. Januar 1945 lese ich heute noch im tiefen Respekt vor diesem Mann, der seine Frau entgegen allen Forderungen der Zeit einfach nicht aufgeben wollte:

> Seit Freitag bin ich wieder in Wuppertal. Meinen Brief aus Zeitz wirst Du inzwischen erhalten haben. Was ich nicht geschrieben habe, ist mein Erschrecken gewesen, als ich bei meiner Ankunft die halbe Portion in nur wenigen Wochen stark gealtert vorfand. Das Gesicht drückte Angst und Sorge aus. Bei meiner Abreise verließ ich eine ganz andere halbe Portion. Sie hat jetzt einen, wenigstens bei der OT, sicheren Halt an dem Lagerführer, mit dem ich immer wieder über die halbe Portion gesprochen habe. Die halbe Portion ist ermächtigt, was sonst verboten ist, sich unmittelbar an den Lagerführer zu wenden, wenn sie sich nicht stark genug fühlt, den Dienst und vor allem den langen und steilen Weg zur Arbeitsstätte zu machen. Auf keinen Fall kommt eine Zurverfügungstellung in Frage.

Ilse und ich sind an der damaligen *Werner-Gerhardt-Schule* angekommen und gehen um das riesige Haus herum, um irgendwo durch die dichten Büsche hindurch einen Blick über die Mauer in den Garten werfen zu können.

»Da ist die Küche«, ruft Ilse und zeigt auf die Reste einer Baracke, in deren vorderem Teil noch weiße Kacheln zu erkennen sind.

»Das war damals schon so ein provisorischer Bau, wo wir zusammen mit russischen Frauen meistens Kartoffeln schälen mussten, die wir aus dem eiskalten Wasser fischten. Dabei saßen wir auf Kartoffelsäcken, und es hat immer so gezogen von hinten, denn das Ganze war damals schon nur ein Rohbau und hatte gar keine Türen.« Ilse schüttelt den Kopf. Kaum zu fassen, dass alles noch genauso aussieht wie damals. Jeder Stein könnte erzählen, wie es war. Aber Steine reden nicht.

Ein paar Stunden später sind wir in Minkwitz. Auch in Minkwitz war ich noch nie. Ilse ist hier allerdings schon einmal gewesen. Damals, im Herbst 1944. Wieder stehen wir vor einem verfallenen Haus. Es ist das alte Wirtshaus gleich an der

Unterkunft für 160 Frauen in Minkwitz

Hauptstraße. Im September 1944 trifft man sich hier zum Bier. Trotz des Krieges. Trotz der Ostfront. Und trotz der 160 Mädchen und Frauen, die im Hinterhaus auf dem Tanzboden zusammengepfercht sind. »Die Judenfrauen«. So heißen sie im Dorf. Bewacht von Männern der »Organisation Todt«. Der Wirt Max Meinhardt, selbst kein Nazi, war gezwungen worden, die jüdischen Frauen unterzubringen.

Die Fenster des ehemaligen Tanzsaales stehen jetzt offen. Efeu wuchert hinein. Zwei Säulenreihen teilen den Raum bis zur kleinen Bühne. Ich drehe mich um. Ilse kommt zögernd durch die Tür. Sie macht ein paar Schritte über den Schutt, mit dem hier alles übersät ist. Und zeigt auf eine Stelle rechts neben der Bühne. »Da«, sagt sie, »da haben wir gelegen. Meine Mutter und ich. Genau da.« Und, nach einer Pause: »Auf Strohsäcken. Und unsere Schlafsäcke hatten vorher schon andere benutzt.«

Ilse kommt mir auf einmal so klein vor. Viel kleiner, als sie in Wirklichkeit ist. Ich lege den Arm um sie, drücke sie an mich und fühle mich dabei doch schlecht, sehr schlecht, weil ich sie hierhergebracht habe.

»Das Essen kam aus einer Gulaschkanone. Die hygienischen Verhältnisse waren eine Katastrophe. Ich hatte Flöhe, meine Mutter hatte Kopfläuse, es war furchtbar.«

Ich habe das Gefühl, dass Ilse jetzt lieber alleine sein möchte, und gehe hinaus.

Als wir abends wieder in der Gaststube sitzen, merke ich, wie sich die Anspannung bei ihr nur langsam lösen will. Für Ilse sind diese beiden Tage in Zeitz besonders bitter gewesen, weil ihre Mutter im Februar 1945 dann doch noch nach Theresienstadt verschleppt wurde, wo sie nach der Befreiung gestorben ist. Sie hatte sich freiwillig zur Krankenpflege gemeldet und mit Typhus infiziert.

Am nächsten Tag gehen wir in die Kirche, um Kerzen für den tapferen Pfarrer Wittelsbach und seine Haushälterin aufzustellen.

Kurz nach unserer Reise bekomme ich einen Brief von Ilse: »Der Stadtschreiber von Zeitz will uns bei dem Bemühen helfen, die Benennung einer Straße oder eines Platzes zum Gedenken an Clemens Wittelsbach zu erreichen. Aber jetzt muss ich endlich wieder loskommen von Zeitz und den Erinnerungen.«

Man verlässt im Krieg nicht sein Elternhaus

Februar 1945

Lillian schaut immer wieder auf die Fahrkarte. Sie hat endlich den ersehnten Platz auf dem Schiff erhalten. Es wird die *Lofoten* sein, die sie in zwei Wochen nach Süden bringen wird.

Ihre Eltern sind entsetzt, als Lillian ihnen erzählt, dass es nun tatsächlich Ernst wird mit ihrer Abreise. »Man verlässt im Krieg nicht sein Elternhaus.« Ihr Vater hat sie kaum angesehen, aber Lillian merkt, dass seine Stimme doch eher besorgt als zornig klingt.

Die Abfahrt soll am 8. Februar sein. Als Helmut von dem Termin erfährt, setzt er noch einmal alles daran, nach Harstad zu kommen, um sich von Lillian zu verabschieden. Da er immer wieder auch als Kurier eingesetzt wird, gelingt es ihm. Er ist jetzt übrigens Unteroffizier geworden, denn Beförderungen und Auszeichnungen scheinen das Gebot der Stunde zu sein.

Am Nachmittag vor der Abreise gehen die beiden ein letztes Mal den Weg in Richtung Trondenes. Es ist kalt, und sie stapfen langsam durch den Schnee. Heute ist es Lillian völlig gleichgültig, ob sie jemand sieht. »Ab morgen bin ich weg«, geht es ihr durch den Kopf, »da könnt ihr denken, was ihr wollt!« Viel mehr beschäftigt sie, wann sie Helmut wiedersehen wird.

»Auch wenn wir das nicht wissen«, sagt er und drückt sie an sich, »wir wissen, dass wir uns lieben, dass wir aufeinander warten. Wir wissen, dass wir uns wiedersehen werden, wo und wann das auch immer sein wird.«

Zwei deutsche Soldaten kommen ihnen entgegen und grüßen Helmut kurz im Vorbeigehen.

»Ich bin so froh, dass du in den Süden fährst, Lillian, denn es ist völlig unsicher, wie das hier ausgehen wird.« Sie nickt und fängt dann doch an zu weinen. »Aber ich habe auch Angst, wie es da unten weitergehen wird. Und ich bin traurig, dass ich Harstad verlasse, meine Eltern, meine Geschwister ...« Sie drehen um. Bevor Lillian alleine zur Halvdansgate weitergeht, bleiben sie noch einmal stehen und umarmen sich.

»Ich habe ein Abschiedsgeschenk für dich, Helmut.« Lillian holt eine kleine Dose aus ihrer Manteltasche. Es ist ein goldener Ring. Diesen Ring hatte ihr die geliebte Großmutter vererbt, die vor ein paar Monaten gestorben war. »Ich habe den Ehering von *Bestemor* Solstad in zwei goldene Ringe umgetauscht. Einen für jeden von uns.« Helmut macht sich gar nicht erst die Mühe, seine Tränen zu verbergen. »Ich liebe dich so sehr, Lillian.«

Es wird ein halbes Jahr vergehen, bis sie sich wiedersehen werden.

D/S Lofoten

8. Februar 1945

Am nächsten Nachmittag stehen nur Annie, Pus und Bjørn in der Tür in der Halvdansgate, als Lillian sich aus ihrem Elternhaus verabschiedet. Ihr Vater ist nicht dabei. Lillian hofft bis zuletzt, dass er noch kommt, aber er hat sich ins Schlafzimmer zurückgezogen. Ihr Herz ist so schwer wie nie, als sie sich auf den Weg zum Hafen macht.

Mit der *Lofoten* nach Süden (Foto: © Stiftelsen Norsk Hurtigrutemuseum)

Am Kai nimmt die *Lofoten* gerade den letzten Teil der Ladung an Bord. Die Hafenarbeiter sehen müde aus. Vor der Gangway steht ein deutscher Wachsoldat mit Stahlhelm und Gewehr. Den Pelz seines Schaffellmantels hat er gegen die beißende Kälte nach innen gewendet. Niemand darf das Schiff ohne Passierschein betreten. Außerdem müssen Pass und Billett vorgezeigt werden. Das Meer ist unruhig. Die *Lofoten* hebt und senkt sich am Kai. An Bord stellt Lillian ihre beiden Koffer in eine Ecke und geht an die Reling, um zu beobachten, wie die letzten Passagiere an Bord gehen. Plötzlich kommt ein deutsches Auto in voller Fahrt und bremst scharf vor der Gangway. Der Fahrer reißt die hintere Tür auf und schlägt die Hacken zusammen.

Lillian kann nicht glauben, was sie sieht: Es ist der neue Stadtkommandant. Und sein Adjutant. Die beiden gehen mit schnellen Schritten an Bord. Lillian drückt sich gegen die Wand, denkt an die aufdringlichen Blicke des Stadtkommandanten im Büro, er darf sie auf keinen Fall entdecken.

Die Abfahrt ist eigentlich für 17 Uhr vorgesehen, aber wegen eines U-Boot-Alarms werden erst um 20 Uhr die Leinen gelöst. In den Korridoren stehen die Passagiere dicht gedrängt und die Schlange vor dem Schalter, wo die Kabinen vergeben werden, ist lang. Lillian bittet eine Frau, auf ihre Koffer zu achten und sucht sich auf dem Oberdeck eine windstille Ecke. Sie will mitbekommen, wenn das Schiff ablegt. Es ist völlig dunkel geworden. Auch am Kai sind alle Lichter gelöscht.

Niemand von der Familie hat sie zum Hafen begleitet. Gewiss, sie wollte es so, aber wenn jetzt doch noch jemand käme und winkte. Vater vielleicht ... Lillian weint leise vor sich hin und ist in diesem Augenblick tiefunglücklich. Das Elternhaus, die Geschwister, die Liebe und die Fürsorge ihrer Mutter, alles Vertraute verschwindet in der Dunkelheit.

»Jetzt gehst du also deinen eigenen Weg«, waren die letzten Worte des Vaters gewesen. Das klang so ernst, so traurig. Sie wischt sich mit ihren Handschuhen die Tränen aus dem Gesicht. Und Helmut wird mit jeder Seemeile weiter weg von ihr sein. Als der Dampfer hinter der Trondenes-Halbinsel Kurs auf Svolvær nimmt, atmet sie tief durch und versucht sich zu beruhigen. Sie geht nach unten zur Rezeption und fragt nach der Kabine, die sie reserviert hat.

»Leider können Sie erst ab Svolvær eine Kabine bekommen«, antwortet der Stewart. »Das verstehe ich nicht«, sagt sie. Und sie zeigt ihm den Durchschlag der Reservierung. »Ihre Bestellung muss verschwunden sein, jedenfalls sind Sie nicht auf meiner Liste.« Nun, dann muss es eben ohne Kabine gehen.

Das Schiff ist völlig überfüllt, die Passagiere sitzen oder liegen überall. Auf Treppen, in Salons oder auf Gängen. Koffer,

Kisten und Säcke versperren die Durchgänge, man hört Kinder weinen. Viele Flüchtlinge aus Finnmark sind mit an Bord, man evakuiert sie weiter in den südlichen Teil des Landes.

Eine alte Frau sitzt auf einer Kiste, eine Pappschachtel auf ihrem Schoß, in der eine Katze mit sieben neugeborenen Jungen liegt. »Schau, wie wunderbar sie sind.« Liebevoll streichelt sie die Katze und ihren Nachwuchs.

Ein deutscher Soldat verteilt an die umstehenden Kinder Bonbons. Ein kleines Mädchen, das ganz hinten in der Schlange steht, hat nichts bekommen. Ein anderer Soldat gibt ihm eine Tafel Schokolade.

In einer Ecke des Salons findet Lillian einen Sitzplatz. Sie hat immer noch Angst, von dem Kommandanten entdeckt und angesprochen zu werden. »Hallo, Lillian«, hört sie plötzlich eine weibliche Stimme hinter sich. Lillian dreht sich um. »Ach, Frau Knudsen, Sie wollen auch nach Süden?« »Ja, ich will zu meinen Eltern nach Helgeland, mein Vater ist erkrankt. Ich gehe jetzt aber in meine Kabine, da ist mehr Ruhe.«

Lillian schaut sie bekümmert an. »Ich habe auch eine Kabine reservieren lassen, aber irgendwas ist schiefgelaufen, und ich kann sie erst ab Svolvær bekommen.«

»Das dauert ja noch Stunden, bis wir da sind«, sagt Frau Knudsen, »so lange sollst du hier nicht bleiben. Ich habe eine Kabine für mich alleine, bis Svolvær können wir sie uns teilen.« Lillian folgt ihr dankbar.

Der Wind hat zugenommen, das Schiff stampft durch die Wellen. Sie müssen sich am Geländer festhalten. In der Kabine öffnet Frau Knudsen eine Tasche, holt eine Thermosflasche heraus und eine Blechdose mit Butterbroten. »Echter Bohnenkaffee! Und der Rest meines kleinen versteckten Reichtums.«

Das Schiff hebt und senkt sich mächtig, denn es geht bei schwerem Wetter über das offene Meer. Hohe Wellen schlagen gegen das Kabinenfenster, und es knackt und knirscht im Holzwerk der *Lofoten.*

Auf Frau Knudsens Frage hin erzählt Lillian, dass sie mit dem Schiff bis Trondheim fahren will und von dort weiter mit dem Zug nach Oslo. »Nach ein paar Tagen in Oslo werde ich dann weiter mit dem Zug nach Westnorwegen zu meiner Cousine fahren. Und dort bleiben, bis der Krieg zu Ende ist.« Dann stockt das Gespräch. Lillian ahnt, welche Frage Frau Knudsen gleich stellen wird.

»Lillian, hast du noch deinen deutschen Freund? Ich habe dich einmal mit ihm gesehen. Ist das vorbei? Fährst du deshalb weg?« Frau Knudsen schaut sie prüfend an. »Nein, Frau Knudsen, mit meinem Freund ist es nicht zu Ende. Wir werden immer aufeinander warten. Aber er will nicht, dass ich in Nordnorwegen bleibe. Wenn die russische Armee kommt, wird sie nicht gnädig mit denen umgehen, die mit den Deutschen Umgang hatten und für die Wehrmacht gearbeitet haben, freiwillig oder nicht.«

Frau Knudsen fragt, wie sich Lillian denn die Zukunft vorstellt. »Ich weiß es nicht, ich weiß nicht einmal, wann wir uns wiedersehen werden, aber irgendwann wird ja auch dieser Krieg zu Ende sein. Vielleicht gehe ich dann mit ihm nach Deutschland.«

Frau Knudsen gießt noch einmal Kaffee nach. »Du nimmst für diesen Mann viel auf dich, Lillian. Glaubst du, dass du mit ihm in Deutschland eine Zukunft haben wirst? Denk daran, wie schrecklich es in Deutschland sein soll. Da gibt es fast nur noch Ruinen. Und dann der Hass gegen dieses Volk. Keiner mag die Deutschen. Lillian, es gibt doch so viele nette norwegische junge Männer. Du solltest es dir gut überlegen, ob du Norwegen wirklich verlassen willst. Was sagen denn deine Eltern überhaupt dazu?«

»Es ist für mich eine schwierige Zeit gewesen, mein Vater ist sehr dagegen, dass ich wegfahre, und er hat in der letzten Zeit kaum mit mir gesprochen.« Es tut Lillian gut, mit Frau Knudsen zu sprechen, allein schon deshalb, weil sie ihr keine Vorwürfe macht.

Nach einer unruhigen Reise kommt das Schiff am frühen Morgen des 9. Februar in Svolvær an. Lillian bekommt jetzt endlich das reservierte Bett zugewiesen. Sie teilt die Kabine mit einer jungen Frau, die sich als Helen vorstellt und Krankenschwester ist. Als das Schiff am Abend wieder losfährt, liegt Lillian in der oberen Koje. Sie fühlt sich Helmut so nah und ist in diesem Moment von grenzenloser Zuversicht erfüllt. Sie lächelt bei dem Gedanken an das Gesicht, das er wohl macht, wenn er am Sonntag ihren Gruß über den Soldatensender von Radio Tromsø hören wird. 100 Kronen hat sie dafür bezahlt, damit ihr gemeinsames Lied gespielt wird.

»Hoffentlich kommen wir heil über den Vestfjord!« Helens Worte unterbrechen ihre Gedanken und holen sie zurück in die Realität. Seit einer halben Stunde sind sie wieder auf offener See. Dass die *Hurtigruten*-Schiffe auch Wehrmachtsmaterial und Angehörige der Wehrmacht transportieren, wissen die Alliierten, und deshalb ist die Gefahr groß, auf Minen zu treffen, von Torpedos beschossen zu werden oder auch aus der Luft angegriffen zu werden.

Helen reicht ihr ein Stück Schokolade. »Die Tafel habe ich von einem Kaufmann in Tromsø bekommen, weil ich seine Mutter drei Monate in einem Krankenhaus gepflegt habe. Jetzt ist sie verstorben. Hätten wir die richtige Medizin gehabt, wäre sie vielleicht noch am Leben. Sie ist nur 60 Jahre alt geworden. Sie und ihr Mann hatten lange Zeit ein Geschäft, das jetzt vom Sohn weitergeführt wird. Der Mann sitzt in Grini ein, weil die Deutschen in seinem Keller ein altes Radio gefunden hatten. Er weiß wahrscheinlich noch nicht, dass seine Frau tot ist. Ist das nicht furchtbar!« Sie setzt sich auf ihr Bett. »Ich bin so froh, dass ich nun erst einmal für drei Wochen zu meinen Eltern fahren kann.«

Mit einem Mal merken sie, dass die Maschinen nicht mehr laufen. Schwester Helen öffnet die Kabinentür. Man hört Stimmen, ängstliche Stimmen, zu verstehen ist aber nichts. Ein Schiffsoffizier geht durch den Gang und ruft: »Bewahren Sie Ruhe! Wir müssen zurück nach Svolvær! U-Boot-Alarm!« Er eilt zu den anderen Korridoren und wiederholt die Meldung. An Schlaf ist nicht mehr zu denken.

Auch in der Kabine von Lillian und Schwester Helen nicht. »Ich habe eine Flasche Cognac, eigentlich ein Geschenk für meinen Vater«, sagt die Schwester, »aber nach diesem Schreck gönnen wir uns ein Glas.« Sie öffnet ihren Koffer und zieht eine Flasche heraus, die in einen Skipullover gewickelt ist. »Wir nehmen die Zahnputzgläser.« Vorsichtig schenkt sie ein. »Skål, liebe Reisegefährtin, es wird schon gut gehen.«

Ihre ruhige Art tut Lillian gut. Dann hören sie, dass die Maschinen wieder arbeiten. Das Schiff fährt zurück nach Svolvær. Erst einen Tag später, am Sonntag, dem 11. Februar, wird sich die *Lofoten* wieder Richtung Süden wagen.

An diesem Sonntagabend sitzt Helmut in Harstad vor dem Radio. Als der Gruß von Lillian für ihn durchgegeben und das Lied »Nach jedem Abschied gibt's ein Wiedersehen« gespielt wird, küsst er den Ring, der jetzt an seinem Finger steckt.

Die halbe Portion ist nicht mehr in Zeitz

Februar 1945

13. Februar

Carola Crott, Zeitz, an Heinz Crott, Wuppertal:

Mein lieber Heinz, morgen früh gegen 6 Uhr müssen wir von hier fort, wohin natürlich noch unbekannt.

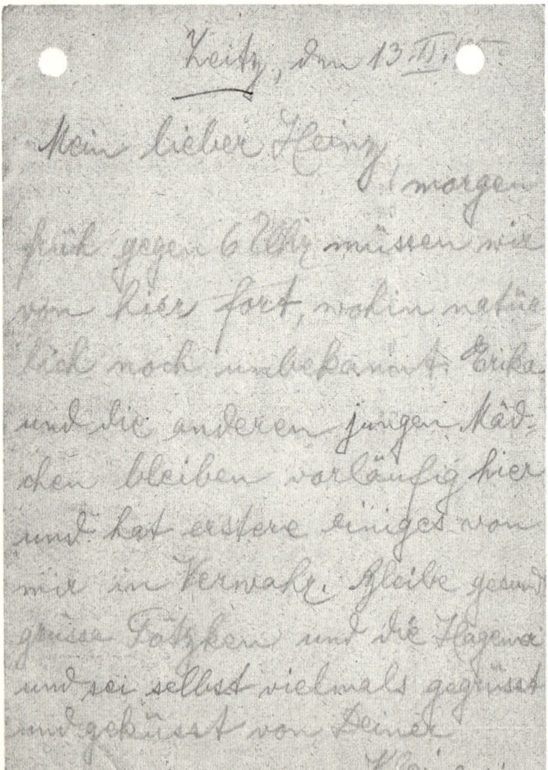

Zeitz, den 13.II.45.

Mein lieber Heinz! morgen früh gegen 6 Uhr müssen wir von hier fort, wohin natürlich noch unbekannt. Erika und die anderen jungen Mädchen bleiben vorläufig hier und hat erstere einiges von mir in Verwahr. Bleibe gesund, grüsse Fatzken und die Hagena[illegible] und sei selbst vielmals gegrüsst und geküsst von Deiner Kleinen.

Letzte Nachricht aus Zeitz

19. Februar

Heinz Crott, Wuppertal, an Unteroffizier Helmut Crott, Harstad: Die halbe Portion ist nicht mehr in Zeitz. Schon im vergangenen Brief hätte ich Dich vorbereiten können, aber ich habe davon abgesehen, weil ich es nicht wahrhaben wollte. Die Damen aus Weimar sind nämlich schon seit Anfang Februar abbefördert worden, und da konnte es ja nur eine Frage der Zeit sein, daß es auch die von Zeitz treffen würde. Grund war leicht zu finden, wenn man die Ereignisse im südlichen Ostabschnitt sich vor Augen hält. Sonnabend erhalte ich denn auch eine Karte, worin mir die halbe Portion unter dem 13. mitteilt, daß sie mit den anderen Damen – nur die jungen Mädels bleiben vorläufig noch – am nächsten Morgen um sechs Uhr mit unbekanntem Ziel abtransportiert würden. Sie bestellt u.a. auch an Dich herzlichste Grüße. Was das unbekannte Ziel anbelangt, so befürchte ich zu wissen, wohin es gegangen ist, und zwar wird es mit dem von Tetta übereinstimmen. Doch wollen wir noch nicht verzagen, weil die Zeiten sich doch inzwischen erheblich gewandelt haben …

26. Februar

Heinz Crott, Wuppertal, an Unteroffizier Helmut Crott, Harstad: Wie Du Dir wohl denken kannst, habe ich von der halben Portion noch keine weitere Nachricht. Ich hab von anderer Seite, die eine Karte von unterwegs erhalten hat, erfahren können, dass sie nicht wie die meisten Betroffenen in einem Güterwagen, sondern in einem Personenwagen Unterkunft gefunden hat. Immerhin war man nach mehr als zwei Tagen noch nicht aus Sachsen heraus, was bei nicht geheizten Zügen keiner weiteren Erklärung mehr bedarf. Für mich war es ein grausamer Schlag, als ich die Nachricht von der Abschiebung hinnehmen mußte. Wie die Verhältnisse jetzt da unten sein werden, weiß man nicht.

Wir wollen uns jetzt noch nicht über alle Möglichkeiten einer künftigen Entwicklung in dieser Beziehung unterhalten, da man sich das Herz damit nur noch schwerer macht. Eine persönliche Annäherung wird kaum möglich sein. Hast Du schon Nachricht von *Hun*, ob sie gut an ihrem vorläufigen Aufenthaltsort angelangt ist? Falls möglich, grüße sie auch herzlichst von mir. Bei ihrem mitfühlenden Herzen wird sie die neue Wendung mit der halben Portion mit großer Betrübnis aufnehmen.

5. *März*
Heinz Crott, Wuppertal, an Unteroffizier Helmut Crott, Harstad:
Ich habe seit Wochen keinen Brief mehr von Dir erhalten. Ich könnte mir Sorgen machen, wenn ich nicht die inzwischen mehr als verworrenen Postverhältnisse berücksichtigte. Somit will ich denn Deinethalben auch weiterhin guter Dinge sein, da ich ganz selbstverständlich den Fortgang der Dinge auf allen Kriegsschauplätzen mit großem und begreiflichem Interesse verfolge. Dort oben ist danach wieder alles ruhig. Von der halben Portion habe ich noch keine Nachricht. Es ist auch in absehbarer Zeit kaum mit einer solchen zu rechnen. Von einem der jungen Mädels, die vorläufig in Zeitz zurückgeblieben sind, erhalte ich vor wenigen Tagen die Schilderung von dem Abtransport. Die halbe Portion hat nicht einen Schritt gehen können. Zwei Mädels haben sie zum Bahnhof und nachher in das Abteil getragen. Das Mädel hat dann noch den Lagerführer von Zeitz, mit dem ich erfolgreich verhandelt hatte, veranlaßt, daß er das Tragen der halben Portion in Halle in den endgültigen Wagen, den einzigen Personenwagen, anordnete. Schließlich hat die Mutter dieses Mädels ausdrücklich versprochen, daß sie nicht von der Seite der halben Portion weichen würde. Damit ist, wenn auch wenig, doch alles getan worden, was im Augenblick getan werden konnte.

Das sind die letzten Informationen, die Heinz über den Verbleib von Carola erhalten hat. Er weiß nicht, wohin man sie verschleppt hat.

Ich fahre im Januar 2011 noch einmal nach Wuppertal zur *Begegnungsstätte Alte Synagoge*. Sie ist an der Stelle in der Genügsamkeitsstraße, wo früher jene Synagoge gestanden hat, in die meine Großmutter und mein Vater jeden Samstag gegangen sind. Aus den dort befindlichen Akten entnehme ich, dass die Gestapoleitstelle Frankfurt für die Deportierten aus dem Arbeitslager der »Organisation Todt« in Zeitz zuständig war. In deren Protokoll steht: »Abfahrt von Zeitz 13.2.1945, über Frankfurt dann mit dem Transport XII/X von Frankfurt nach Theresienstadt. Ankunft dort: 18.2.1945.« Dieser Tag ist ein Sonntag. Dreieinhalb Wochen vor dem 58. Geburtstag meiner Großmutter. Sie hatte die Transportnummer 481.

Ein Brief aus Prag erreicht mich Anfang Februar 2011: »Zu Ihrem Gesuch betreffend Carola Crott (geb. 14.3.1887) teilt das Nationalarchiv in Prag mit, dass sie im Ghetto Theresienstadt unter diesen Adressen gelebt hat: Parkstraße 12/38, ab dem 23.2.1945 Parkstraße 12/33 und ab dem 24.4.1945 Seestraße 10.«

Odda

15. Februar 1945

Lillian wacht auf. Sie muss einige Sekunden nachdenken, bevor sie weiß, wo sie ist. Sie ist in Odda. Bei Liv und Einar. Von irgendwo im Haus vernimmt sie die Stimme ihrer Cousine. Liv telefoniert.

Lillian 1945 in Odda

»Lillian ist ein nettes Mädchen«, hört sie Liv sagen. »Wir werden ihr helfen, wo wir können. Sie tut mir leid. Du weißt ja von Annie in Harstad, dass sie einen Freund hat, der deutscher Soldat ist. Wir dürfen es hier niemandem erzählen. Man hört, dass alle Mädchen, die mit Deutschen zusammen sind, bestraft werden sollen, wenn der Krieg vorüber ist. Lillian sagt, dass sie auf ihren Freund warten will, was auch immer geschieht.«

Lillian steht auf und geht leise ins Badezimmer. Liv soll nicht wissen, dass sie etwas von dem Gespräch mitbekommen hat.

Liv und Einar haben sie herzlich aufgenommen. Die beiden sind seit zwei Jahren verheiratet und haben noch keine Kinder. Einar arbeitet im Rationierungsamt und verlässt jeden Morgen um 8 Uhr das Haus. Eigentlich ist er Lehrer, hat aber den Dienst quittiert, nachdem die Deutschen und die Nasjonal Samling die Macht in Norwegen übernommen haben. Das, was er jetzt den Kindern beibringen soll, will er ihnen nicht beibringen.

Nach dem Frühstück hilft Lillian ihrer Cousine beim Abwasch. So wie früher, in den gemeinsamen Sommerferien auf dem Hof des Onkels in Kilbotn bei Harstad. Für Lillian war Liv schon damals ein ganz besonderer Mensch. Und sie ist es geblieben.

Im Schlafzimmer steht eine Staffelei mit einem halbfertigen Aquarell. »Hier verschwinde ich, sooft es nur geht. Das ist meine liebste Beschäftigung«, sagt Liv. »Du weißt ja, dass meine schwedische Großmutter Malerin gewesen ist. Vielleicht habe ich ja ein bisschen Talent von ihr geerbt.«

Außerdem leitet Liv eine Gymnastikschule und – zusammen mit Einar – auch noch eine Pfadfindergruppe. »Aber zurzeit müssen wir uns zurückhalten. Die Deutschen sehen die Boy Scouts nicht gern. Ist schließlich eine englische Erfindung. Aber wir treffen uns heimlich.«

Lillian hat sich in dem Zimmer, das für die nächste Zeit das ihre sein wird, schon ein wenig eingerichtet. In der Schublade des Nachttischs liegt ihr Tagebuch und das Bündel mit Helmuts Briefen. Bevor sie das Foto, das Helmut mit einem hellen Anzug zeigt, auf die Kommode stellt, küsst sie es. Jetzt ist er über tausend Kilometer von ihr entfernt! Daneben stellt sie die Bilder von ihren Eltern und Geschwistern auf. Sie lässt sich in den Sessel fallen. Es wird sich alles fügen, da ist sie sich in diesem Moment ganz sicher. Hier ist sie auf jeden Fall willkommen, auch wenn sie einen deutschen Freund hat.

Am nächsten Tag treffen sie beim Einkaufen eine Bekannte von Liv. »Ich hoffe, dass Sie sich wohlfühlen bei uns in Vestlandet«, sagt sie zu Lillian.

»Das war Frau Irgens, die Vorsitzende vom Roten Kreuz in Odda«, erklärt ihr Liv später. »Ihr Mann ist im Konzentrationslager Sachsenhausen als politischer Gefangener. Die Gestapo hat ihn vor zwei Jahren abgeholt. Der Sohn ist nach der Verhaftung nach England geflohen. Jetzt ist Frau Irgens ganz allein.«

Abends gehen sie zu Einars Eltern. Die Luft ist feucht und kalt, der Boden von einer Schneedecke überzogen. Einars Mutter steht in der Haustür und nimmt sie in Empfang. »Willkommen, Lillian, heute Abend wird es in unserer Familie für dich eine kleine Feier geben.« Einars Mutter ist in der Nähe des Hardanger Fjords aufgewachsen. Sie spricht einen ganz eigenen Dialekt, den Lillian zunächst nur schwer versteht, aber sie mag die Frau mit dem Mittelscheitel und dem Haarknoten auf Anhieb. Mor Eitrem hat ein warmes Lachen, legt ihren Arm um Lillian und drückt sie fest an sich.

Bei Tisch wollen alle von Lillian wissen, wie ihre Reise war. Sie erzählt von der Fahrt mit der *Lofoten*, der Reise danach mit dem Zug von Trondheim nach Oslo, dann nach Odda und erwähnt auch das fingierte Telegramm, das dazu verholfen hat, von der Kommandantur wegzukommen.

»Die verdammten Deutschen! Unser ganzes Land steckt wie in einem Schraubstock fest«, kommt es von Einars Bruder Tormod.

»Dass du auch ausgerechnet bei den Deutschen in Harstad arbeiten musstest.« Die 16-jährige Björg schaudert. »Wie hast du das bloß ausgehalten? Sagen die auch im Büro andauernd ›Heil Hitler?‹« Mor Eitram will ihre Tochter dämpfen. Aber nun beginnen alle lautstark über die Deutschen und Quisling zu schimpfen. Lillian wirft Liv einen verlegenen Blick zu.

»Und wie sieht es in Harstad aus?«, sagt Liv schnell. Lillian nimmt den Ball dankbar auf. Sie erzählt von zu Hause. Von den Flüchtlingen aus Finnmark. Alle am Tisch sind jetzt ganz still geworden.

»Wie weit weg wir hier in Odda doch von alldem sind«, sagt Einar nachdenklich. »Trotz allem ist es bei uns noch friedlich.« Er setzt sich ans Klavier und schlägt einige Akkorde an. Lillian weiß sofort, welches Lied das ist, aber bevor die Tränen kommen, singt sie zusammen mit den anderen die nordnorwegische Hymne »*A Eg veit meg et land langt deroppe i nord* – O ich weiß ein Land ganz weit oben im Norden.«

»Norwegen wird bis zum Äußersten verteidigt«

Frühjahr 1945

Die letzten Monate des »Tausendjährigen Reiches« haben begonnen. Die Wehrmacht befindet sich zu Beginn des Jahres 1945 an allen Fronten auf dem Rückzug. Auch die Ardennen-Offensive im Dezember 1944 wird die Niederlage nicht aufhalten. Aber was passiert in Norwegen, wo immer noch über 300 000 deutsche Soldaten stationiert sind?

Die »Festung Norwegen« spielt in den politischen und militärischen Überlegungen der obersten deutschen Führung während der letzten Monate des Krieges nur eine drittrangige Rolle. Im Kriegstagebuch des Oberkommandos der Wehrmacht ist belegt, dass es bei den Lagebesprechungen im Wesentlichen um den Abzug der Verbände aus dem Norden an andere Fronten geht. Diese Truppenbewegungen bringen neue Probleme, denn die norwegischen Widerstandsgruppen stören mit ihren Aktionen empfindlich. Sabotageakte gegen Eisenbahnen und Verladehäfen häufen sich.

Die norwegische Exilregierung und Teile der Widerstandsbewegung haben die Befürchtung, dass die Deutschen das Land nicht kampflos aufgeben werden. Reichskommissar Terboven gibt Mitte Februar einer schwedischen Zeitung ein Interview und betont: »Norwegen wird bis zum Äußersten verteidigt.« Es deutet wenig darauf hin, dass sich die deutschen Truppen in Nordeuropa kampflos ergeben werden. Und nach den Grausamkeiten in Finnmark sind die Norweger voller Sorge, dass sich Ähnliches auch im Süden wiederholen könnte. Exilregierung und Widerstandsbewegung entwerfen einen Plan für die Beendigung des Krieges. Punkt 1 dieses Planes ist eine »geordnete deutsche Kapitulation«. Die Hoffnung, dass dies gelingen könnte, hatten nur ganz wenige Optimisten.

Historische Quellen belegen jedoch, dass in der zweiten Aprilhälfte nur noch Terboven und einige Anhänger Quislings für einen Kampf bis zum letzten Mann eintreten. Die Wehrmachtsführung, die inzwischen von Oslo nach Lillehammer umgezogen ist und an deren Spitze nun Ritterkreuzträger Franz Böhme steht, ist in ihrer Haltung unentschieden.

Am 30. April 1945 begeht Hitler in Berlin Selbstmord. Sein Nachfolger, Großadmiral Dönitz, bestellt am 1. Mai die Hoheitsträger aus den besetzten Gebieten zu sich, um die Lage zu erörtern. Aus Norwegen reisen zu der Konferenz am 3. Mai Terboven und Böhme an. Offensichtlich wird erörtert, ob das besetzte Norwegen ein »Faustpfand« in den Bemühungen sein könnte, einer bedingungslosen Kapitulation zu entgehen. Aber »alles deutet darauf hin, dass die Runde am 3. Mai 1945 mit dem Beschluss bzw. Befehl Dönitz' auseinanderging, es auf ein weiteres sinnloses Blutvergießen in den okkupierten nordischen Staaten nicht ankommen zu lassen, sondern vielmehr alle Vorbereitungen für eine friedliche Abwicklung der Besatzung zu treffen.« Böhme erlässt am 6. Mai einen Tagesbefehl, in dem der »Auftrag der Wehrmacht zur Verteidigung Norwegens« bekräftigt und »eiserne Disziplin« gefordert wird.

> Völlig zu Recht hat die norwegische Forschung hervorgehoben, dass es Böhme in erster Linie darum ging, die Auflösung seiner Truppe zu verhindern. Die Aufrechterhaltung der Disziplin war unumgänglich, weil sich die Kapitulation und Entwaffnung einer Armee von 300 000 Mann nur bewerkstelligen ließ, die absolut in der Hand ihrer Offiziere war ... Ein weiteres Motiv für den im Tagesbefehl angeschlagenen Ton war ... möglicherweise die Genehmigung zum geschlossenen Rückmarsch ins Reich zu erhalten.

Bis heute ist nicht klar, wann und von wem die Entscheidung getroffen wurde, im Norden keinen Krieg mehr zu führen. Klar ist nur, dass Terboven anders entschieden hätte. Ihm war an einer friedlichen Abwicklung nicht gelegen. Doch Terboven spielt keine Rolle mehr in Norwegen. Dönitz hat ihn am 7. Mai abgesetzt. Reichskommissar soll nun der Wehrmachtbefehlshaber Böhme werden. Da am frühen Morgen dieses 7. Mai aber im französischen Reims der Chef des Wehrmachtführungsstabes, Generaloberst Alfred Jodl, die Urkunde der bedingungslosen Kapitulation unterzeichnet, erhält Böhme noch am Abend seiner Ernennung zum Reichskommissar den Befehl, sich entsprechend dieses Vertrages zu verhalten. Böhme gehorcht. Um 22 Uhr erklärt er über den Rundfunk, dass sich die Wehrmacht auch in Norwegen ergebe.

Helmut erfährt dies in Drammen, 40 Kilometer südwestlich von Oslo. Auch seine Kompanie war im April zurückbeordert worden, und er wartet mit den anderen Soldaten darauf, wie es jetzt weitergehen soll.

Es ist Friede, und alle jubeln

Mai – August 1945 in Tagebüchern und Briefen

8. Mai

Tagebuch Lillian, Odda:

Es ist früher Vormittag. Vor zwei Stunden haben wir von der bedingungslosen Kapitulation Deutschlands erfahren. *Norsk Rikskringkasting* ist wieder geöffnet und sendet ununterbrochen neue Meldungen. Im Zentrum von Odda übertragen Lautsprecher die Rede des amerikanischen Präsidenten Truman. Der letzte Akt der Tragödie ist zu Ende. Es ist Friede, und alle jubeln. Aber was soll jetzt mit den Hunderttausenden Okkupationssoldaten geschehen, die immer noch bewaffnet sind? Wie wird es sich entwickeln? Am Abend treffen sich Tausende von Menschen im Zentrum von Odda. Norwegische Flaggen werden geschwungen, Musikkapellen spielen. Es wird gesungen und getanzt. Immer wieder erklingt die norwegische Nationalhymne *Ja vi elsker dette landet*. Es ist so, als ob alle sich kennen, als ob jeder Einzelne den Krieg gewonnen hat. Einige sind total betrunken. Heute Abend dürfen sie es sein. Es ist, als ob die Zeit stillsteht.

9. Mai
Tagebuch Lillian, Odda:
Ständig kommen neue Radiomeldungen: Deutsche Truppen ziehen sich zurück aus den Gebieten, auch aus Sörreisa und Harstad. Ich komme zufällig vorbei und werde Augenzeuge, wie Mitglieder der Nasjonal Samling aus ihren Häusern abgeholt werden. Von den Menschen wüst beschimpft, stehen sie auf den Ladeflächen der Lastwagen mit hoch erhobenen Händen. Einige werden angespuckt. Manche wollen die Gefangenen verprügeln. Die Polizei versucht es zu verhindern. Aber es gelingt nicht. Zwei junge Mädchen werden an den Haaren gezogen, verspottet und verhöhnt.

Es tut weh, das zu sehen. Sie haben sich auch in einen Deutschen verliebt. Wenn mich hier jemand kennen würde, ginge es mir genauso.

13. Mai
Tagebuch Lillian, Odda:
Blanche schreibt: »Gut, dass du nicht in Harstad bist. Heimatfrontsoldaten haben alle Mädchen geholt, die was mit Deutschen hatten. Sie wurden angespuckt und man hat ihnen die Haare abgeschnitten!« Müssen Norweger auf diese Weise zeigen, dass sie gute Norweger sind? Inmitten all der Freude also auch Verzweiflung und Rachegefühle.

Heute haben wir die Freigelassenen aus Deutschland und aus dem Gefängnis Grini begrüßt. Alle werden mit Jubel und Blumen empfangen. Es werden Reden gehalten, einige der Heimgekehrten weinen, viele sehen mitgenommen und ausgemergelt aus. Unter den Freigelassenen ist auch ein Russe. In gebrochenem Norwegisch hält er eine Dankesrede. Zu seinen Ehren wird die »Internationale« gespielt.

Die ersten Gerüchte über die Konzentrationslager kommen. Man kann es nicht fassen, was man hört. In den Straßen marschieren die Heimatfront-Soldaten mit geschulterten Gewehren und auch die ersten englischen Soldaten zeigen sich. Sie sind freundlich und winken der Bevölkerung mit dem Victory-Zeichen zu.

Ständig hört man von Verhaftungen. NS-Leute werden aus allen öffentlichen Ämtern entlassen. Reichskommissar Terboven hat sich im Bunker seiner Residenz in Skaugum in die Luft gesprengt und Quisling ist festgenommen worden. Ich hoffe trotz allem, dass es keine Todesurteile in Norwegen geben wird. Was ist mit all denen, die in den fünf langen Jahren der Besatzung reich geworden sind, weil sie mit Deutschen Geschäfte gemacht haben und Baracken und Festungsanlagen gebaut haben? Der König und der Kronprinz werden erwartet, und das Volk bereitet sich auf die erste 17.-Mai-Feier nach der Besatzung vor.

5. *Mai*

Brief von Helmut Crott, Drammen, an Lillian Berthung, Odda:
In den letzten Tagen ist mir oft der Gedanke gekommen, zu gegebener Zeit und vor einer passenden Stelle das Dir bekannte Geheimnis zu lüften. Aber auch in dieser Beziehung weiß man wieder nicht, welches der richtige Zeitpunkt ist, um weder nach der einen noch nach der anderen Seite irgendwelche Nachteile zu verursachen. Das Leben ist und bleibt ein Glücksspiel, wobei wir hoffentlich wie bisher begünstigt werden.

9. *Mai*

Brief von Helmut Crott, Drammen, an Lillian Berthung, Odda:
Draußen auf den Straßen kann man ein Leben beobachten, wie

ich es so noch nie gesehen habe. Die Menschen laufen durch die Stadt mit kleinen und großen norwegischen Flaggen. Es herrscht unbeschreiblicher Jubel. An einem Kiosk las ich die Überschrift einer Zeitung: Unser Kampf ist mit einem Sieg gekrönt. Den Soldaten gegenüber verhält sich die Bevölkerung hier in Drammen ruhig. Einige scheinen sogar Mitleid mit uns zu haben. Bis jetzt wissen wir nicht, was mit uns geschehen soll. Vor einer Stunde hörte ich, dass die Engländer in Oslo gelandet sein sollen. Da wird es nicht mehr lange dauern, bis sie hier sind, und dann habe ich wahrscheinlich keine Möglichkeit mehr rauszukommen, um einen Brief an Dich zu schicken. Was wird mit uns geschehen? Im größten Vertrauen in unsere Zukunft, Dein Helmut

10. Mai

Brief von Helmut Crott, Drammen, an Lillian Berthung, Odda:
Meine geliebte Lillian, es ist immer noch Nacht.Vier Uhr. Wir haben gerade Befehl bekommen, den Stützpunkt zu verlassen. Wir sollen ins Kongsberger Gebiet verfrachtet werden. Mit der Freiheit ist es jetzt zu Ende. In diesem Augenblick habe ich nur einen einzigen Wunsch, daß meine persönliche Situation bald aufgeklärt wird. Falls Du längere Zeit nichts von mir hörst, ist es nicht gelungen, Dir weitere Briefe zu schicken. Ein glückliches Wiedersehen wird eines Tages kommen. Dein treuer Helmut

P.S. Versteck alles, was darauf hindeutet, dass Du eine deutsche Verbindung hast. Schau nach in Deiner Handtasche. In Oslo, so hört man, werden Leute auf der Straße kontrolliert.

10. Mai

Brief von Lillian Berthung, Odda, an Helmut Crott:
Vorläufig müssen meine Briefe liegen bleiben, aber ich schreibe dennoch jeden Tag, wie es mir geht und was um mich herum an

großen und kleinen Begebenheiten geschieht. Die letzte Radiomeldung ist, daß alle deutschen Soldaten sofort ihre Stützpunkte in Norwegen verlassen müssen und daß sie vorläufig in großen Lagern interniert werden sollen, bevor sie nach Deutschland geschickt werden. Ist dort überhaupt ein Wiederaufbau möglich? Wir hören jeden Tag schreckliche Dinge von dort. Die Hauptschuldigen an dieser Katastrophe sind zu feige, um sich für ihre Handlungen zu verantworten, und geben sich selbst eine Kugel.

Wenn Du jetzt wahrscheinlich interniert wirst, hoffe ich, daß es Dir gelingen wird, Deine Verhältnisse offenzulegen. Was beweisen wird, daß Dich an allem keine Schuld trifft. Wo ist die halbe Portion, wo ist Dein Vater? Wo bist Du heute?

12. Mai

Brief von Helmut Crott, Kriegsgefangenenlager Heistadmoen, an Lillian Berthung, Odda:

Meine liebe kleine Schicksalsgefährtin, wie ich Dir gestern noch kurz mitteilen konnte, sind wir im Laufe des Tages gruppenweise von Drammen abgefahren, wobei wir nach zweistündiger Fahrt bereits am Ziel waren. Es handelt sich nicht um ein ehemaliges KZ, sondern um ein früheres deutsches Armeegelände. In diesem Lager werden alle Soldaten des Oslofjordes gesammelt. Oft habe ich daran gedacht, alles auf eine Karte zu setzen und mich zu entfernen. Aber ich will wie immer einen geraden Weg gehen, der mir bisher die richtigen Ziele gewiesen hat.

13. Mai

Brief von Helmut Crott, Kriegsgefangenenlager Heistadmoen, an Lillian Berthung, Odda:

Während des Schreibens sitze ich auf einer aus Birkenstämmen gebauten Bank unter drei hohen Fichten, durch die die Sonne ihr Licht auf dieses Blatt wirft. Mein Blick geht weit über Wiesen, Felder, Häuser, Straßen, Wälder und Höhen in die Ferne, in der auch die Freiheit und Du auf mich warten.

13. Mai
Brief von Helmut Crott, Kriegsgefangenenlager Heistadmoen, an Lillian Berthung, Odda:
Jedenfalls darfst Du vorläufig nicht nach Harstad zurückkehren, denn wir hören, daß jetzt überall die Frauen festgenommen und belästigt werden, die mit Deutschen dienstlich oder persönlich zu tun hatten.

2. Juni
Brief von Helmut Crott, Kriegsgefangenenlager Heistadmoen, an Lillian Berthung, Odda:
Meine liebste Lillian. Im Radio wurde bekanntgegeben, daß die Entwaffnung der deutschen Soldaten bis Ende Juni und der Abtransport in 3–4 Monaten beendet sein sollen. Die Waffen haben wir bereits abgegeben, ob wir auch bei der Heimfahrt bei den Ersten sein werden? Am liebsten wäre es mir natürlich, wenn ich noch eine Zeitlang mit Dir gemeinsam in Norwegen verbringen und eine Ausnahmegenehmigung erreichen könnte.

8. Juni
Brief von Helmut Crott, Kriegsgefangenenlager Heistadmoen, an Lillian Berthung, Odda:
Gestern habe ich zum ersten Mal meinem Vater geschrieben. Ich habe die Hoffnung ausgesprochen, daß meine Mutter nicht doch noch im letzten Augenblick den Mißhandlungen oder sonstigen Machenschaften der bisherigen Machthaber zum Opfer gefallen ist. Nach ihrem Abtransport aus Zeitz mit unbekanntem

Ziel gehört allerdings mehr als Optimismus dazu, an einen guten Ausgang zu glauben.

9. Juni
Brief von Helmut Crott, Kriegsgefangenenlager Heistadmoen, an Lillian Berthung, Odda:
Mein Leben ist wirklich von einer gewissen Tragikomik verfolgt. Während ich eigentlich gar nicht mehr in der Wehrmacht sein sollte, bemühen sich jetzt die verschiedenen Dienststellen um mich, und gegen meinen Willen wurde ich befördert. Ich unternehme alle Anstrengungen, das Lager für immer verlassen zu können, und nun setzt man mich als obersten Leiter des kaufmännischen Ausbildungswesens ein! Natürlich hat das keinen Einfluss auf meine sonstigen Absichten, aber daß von 5000 Soldaten gerade auf mich die Wahl fällt, ist schon wieder komisch.

12. Juni
Brief von Helmut Crott, Kriegsgefangenenlager Heistadmoen, an Lillian Berthung, Odda:
Aber so wird meine Mutter wohl den grausamen Weg aller derer haben gehen müssen, die in den Konzentrationslagern gewesen sind. Selbst wenn man die Schuldigen langsam in Stücke schneiden würde, wäre ihr Verbrechen nicht auszulöschen.

6. Juli
Brief von Helmut Crott, Kriegsgefangenenlager Heistadmoen, an Lillian Berthung, Odda:
Verhör durch zwei englische Oberfeldwebel, die unsere politische Einstellung bzw. Parteizugehörigkeit überprüfen. Es geht um die Mitarbeit für die Alliierten bei der demnächst beginnenden Weiterleitung der Soldaten nach Deutschland.

Ich habe bei der Gelegenheit die Wahrheit über meine Abstammung gesagt und wurde natürlich angenommen, wobei sich beide Engländer sehr interessiert zeigen.

20. Juni
Brief von Lillian Berthung, Odda, an Helmut Crott, Kriegsgefangenenlager Heistadmoen:
Gerade hörte ich im Radio aus Berlin die Anzahl der jüdischen Personen aus verschiedenen deutschen Städten, die sich noch in Theresienstadt befinden. Von Wuppertal wurden 37 erwähnt. Es wurde darum gebeten, umgehend Eisenbahnwaggons abzustellen, um die Personen abholen zu können. Wie sehr ich es mir wünsche, daß Deine Mutter auch dabei wäre.

7. Juli
Brief von Helmut Crott, Kriegsgefangenenlager Heistadmoen, an Lillian Berthung, Odda:
Schön wäre es, wenn meine Mutter sich unter den 37 befände, die in Theresienstadt auf Abholung warten. Aber ich glaube nicht, daß sie damals von Zeitz aus dorthin transportiert worden ist. Bleiben wir vorläufig bei unserer Hoffnung auf das Wunder und das gute Schicksal.

10. August
Brief von Helmut Crott, Kriegsgefangenenlager Heistadmoen, an Lillian Berthung, Odda:
Ich werde alles tun, um Dich nach Deutschland zu holen. Wenn die Ernährungsfrage einigermaßen geklärt ist und ich eine Stellung habe. Wir müssen unserem guten Stern weiter vertrauen, der mich so sicher durch den grausamen Krieg geleitet und uns zusammengeführt hat.

Heistadmoen

August 1945

Fieberhaft überlegen Lillian und Helmut, wie sie es schaffen können, dass sie sich vor Helmuts Transport nach Deutschland noch einmal sehen können. Denn es gibt wohl keine Möglichkeit, dass Helmut erst einmal in Norwegen bleiben kann. Der Abtransport der deutschen Soldaten soll im Spätsommer 1945 beginnen. Er wird erst ein Jahr später abgeschlossen sein.

Helmut schreibt Lillian, dass sie im Hauptquartier der alliierten Kontrollkommission in Oslo Verbindung mit einem amerikanischen Offizier namens Ohlsen aufnehmen soll, der vielleicht helfen wird.

Lillian arbeitet und lebt seit ein paar Monaten bei Olga Vikestad, einer Bekannten von Liv. Sie hilft ihr bei Hausarbeiten, ist aber vor allem dazu angestellt worden, Frau Vikestad Gesellschaft zu leisten und sie am Wochenende in ihr Sommerhaus zu begleiten. Frau Vikestad hat nicht den mindesten Zweifel aufkommen lassen, dass sie die Deutschen hasst. Lillian hält es daher für das Beste, Helmuts Briefe, die sie über Livs Adresse bekommt, gut zu verstecken.

Oslo ist von Odda erst nach mehrstündiger Fahrt zu erreichen. Zunächst mit dem Bus über das Hochplateau der Hardangervidda, dann weiter nach Telemark und von dort aus mit der Bahn in die Hauptstadt. Aber in der Busstation in Odda eröffnet man Lillian, dass sie erst in 14 Tagen einen Platz bekommen kann. Vielleicht ist Helmut dann schon gar nicht mehr in Norwegen!

Während sie niedergeschlagen vor dem Schalter steht, klingelt hinten im Büro das Telefon. Eine Absage für den nächsten Tag! Lillian bekommt den Platz. Zu Frau Vikestad sagt sie, dass sie für eine Woche nach Oslo zu ihrem Bruder fahren wird.

Lillian muss auf der Straße vor dem Osloer Headquarter den Umschlag gleich noch einmal aus ihrer Handtasche nehmen, um ihr Glück fassen zu können. Sie hat sie, die Genehmigung, und darf Helmut im Kriegsgefangenenlager Heistadmoen besuchen. Es ist ihr tatsächlich gelungen, bis zu Colonel Ohlsen vorzudringen. Der amerikanische Offizier ist sehr freundlich, erzählt von seinen norwegischen Vorfahren und stellt, nachdem Lillian ihm von sich und Helmut berichtet hat, sofort eine handschriftliche Sondergenehmigung aus, die besagt, dass das Alliierte Oberkommando in Oslo Miss Lillian Berthung erlaubt, an diesem 27. August den *Prisoner of War* Dr. Helmut Crott für einige Stunden im Kriegsgefangenenlager Heistadmoen zu besuchen.

Sie eilt zum Bahnhof und fährt mit dem nächsten Zug nach Kongsberg, wo sie sich für ein paar Tage einmietet und eine Landkarte kauft, die Stadt und Umgebung zeigt. Bis Heistadmoen sind es zehn Kilometer, und sie muss zunächst den Bus bis Hedenstad nehmen.

Leider ist der letzte gerade abgefahren. Sagt die Frau am Schalter. Und der nächste kommt erst morgen Nachmittag. Lillian geht die Straße hinunter und überlegt, ob sie sich zu Fuß aufmachen soll. Im Hotel weiß man Bescheid, dass sie einen Tag wegbleiben wird. Den Handkoffer hat sie dort gelassen und nur ihre Reisetasche mitgenommen. Vor einer Apotheke sieht sie einen kleinen Lastwagen. Auf der Ladefläche stehen Milchkannen. Ein alter Mann kommt aus der Apotheke und setzt sich ans Steuer.

»Fahren Sie zufällig in Richtung Hedenstad?«, fragt Lillian. Der alte Mann nickt.

»Darf ich mitfahren? Ich habe gerade den Bus verpasst.« Der alte Mann nickt noch einmal und zeigt nach hinten zu den Milchkannen, denn neben ihm auf dem Beifahrersitz liegt ein großer Hund.

Lillian muss sich gut festhalten, denn die Straße ist nicht asphaltiert. Der kleine Lastwagen umfährt Schlagloch nach Schlagloch. Irgendwo in dieser Gegend ist Helmut, denkt Lillian zwischen den scheppernden Milchkannen. Und der ahnt nicht, dass sie tatsächlich auf dem Weg zu ihm ist.

Der Fahrer ruft nach hinten durch das offene Rückfenster: »Ich biege gleich rechts ab, Fräulein! Nach Hedenstad geht's da hinten links.«

Lillian reicht ihm eine Schachtel Zigaretten. Dann ist der Mann mit seinem Wagen weg. Lillian sieht auf die Karte. Noch ein ganzes Stück bis Heistadmoen. Sie hört ein Auto. Ob sie winken soll? Der Wagen hält auch so. Ein junger Mann kurbelt das Fenster hinunter.

»Ich muss nach Hedenstad. Ich habe den Bus verpasst.«

»Steigen Sie ein. Ist meine Richtung.« Lillian lässt sich auf den Beifahrersitz fallen.

»Sie kommen aus Nordnorwegen, nicht wahr?« Lillian sieht den jungen Mann verwundert an.

»Man hört's an Ihrer Sprache«, sagt er und lacht. »Ich war einmal auf den Lofoten. Großartige Landschaft. Und Sie, was machen Sie hier im Süden?«

»Ich besuche meinen Bruder.«

»Aha«, sagt der junge Mann. Dann überlegt er kurz, tritt auf die Bremse und fährt rechts ran. Lillian erstarrt. Was soll das jetzt werden …

Der junge Mann sieht Lillian nicht an. Er hat beide Hände auf das Lenkrad gelegt.

»Hören Sie, wir kommen gleich an eine Kreuzung. Dort steht die Heimatfront. Die will genau wissen, wer da auf dem Weg nach Heistadmoen ist. Nach Heistadmoen, wo das Gefangenenlager ist. Die sind ganz besonders auf norwegische Mädchen aus, die ihren deutschen Freund im Lager besuchen wollen.« Der Mann schaut Lillian jetzt an, aber sein Blick ist nicht böse. »Haben Sie vielleicht auch einen Freund dort?« Tränen steigen in Lillians Augen. »Ja, sagt sie leise, »habe ich.«

»Dann werden Sie es kaum durch die Wachen schaffen.«

Lillian fasst sich ein Herz. Sie erzählt dem jungen Mann von Helmut. Dass sie mit ihm verlobt ist und ihn seit vielen Monaten nicht mehr gesehen hat. Dass sie nur einen Wunsch hat: ihn noch einmal zu treffen, bevor er nach Deutschland geschickt wird. Und dass sie die Erlaubnis des Alliierten Oberkommandos dazu hat.

Sie zeigt dem jungen Mann das Formular. Der schüttelt den Kopf. »Ich glaube kaum, dass die Heimatfront-Soldaten das Papier akzeptieren werden. Die haben ihre eigenen Bestimmungen.« Lillian ist auf dem Beifahrersitz in sich zusammengesunken. »Wissen Sie was«, sagt der junge Mann. »Legen Sie sich hinten auf den Fußboden. Und nehmen Sie diese Decke. Wenn ich an der Kreuzung angehalten werde, zeige ich meinen Pass und sage einfach, dass ich zu meiner Tante nach Hedenstad will.«

Lillian nimmt die Decke, steigt nach hinten und legt sich hinter die Sitze. Der junge Mann lässt das Auto wieder an. Nach einigen Minuten hört sie ihn leise sagen: »Da ist sie, die Kreuzung. Ich sehe drei Soldaten vor dem Zelt stehen. Sie müssen sich jetzt ganz ruhig verhalten.«

»Halt!« Das muss der Posten sein. Lillian hält den Atem an.

»Wohin wollen Sie?«

»Ich muss etwas abliefern, auf dem Hof meiner Tante in Hedenstad.«

»Ihren Pass.«

Der Soldat von der Heimatfront muss direkt neben dem Auto stehen. So hört es sich jedenfalls an. »In Ordnung. Weiterfahren.« Der Wagen beginnt wieder zu rollen. »Sie können jetzt wieder hochkommen«, sagt der junge Mann nach einer Weile.

Lillian weiß nicht, wie sie ihre Dankbarkeit ausdrücken soll. Sie bittet ihn um seinen Namen und seine Adresse. Vielleicht kann sie ihm später etwas schicken. Er hält an, reicht ihr die Hand und lacht. »Da hinter der nächsten Kurve ist ein Waldweg. Der führt direkt zum Lager. Aber seien Sie um Himmels willen vorsichtig.«

Lillian nimmt ihre Reisetasche und geht den Waldweg entlang, bis sie zu einer Lichtung kommt, die von einem hohen Stacheldrahtzaun durchschnitten wird. Hinter dem Zaun sitzen drei Männer im Gras und spielen Karten. Sind das deutsche Uniformen? Sie sehen so abgerissen aus. Die Schulterstücke und Kragenspiegel fehlen. Und auch der Adler mit dem Hakenkreuz.

Die Männer haben Lillian entdeckt. Sie lassen die Karten sinken und springen auf. »Was macht die denn hier? Weißt die denn nicht, dass es für Zivilisten verboten ist, hier zu sein?«

Lillian lässt sich nicht wegschicken. Sie fragt den Mann auf Deutsch, ob er einen Helmut kennt. Einen Helmut Crott.

»Crott? Klar, kenne ich. Aber den kannst du unmöglich sprechen. Vorm Lagereingang stehen die Norweger. Und die werden dich gleich verhaften.« Er sieht sich nervös um. Seine

Kameraden sind wie vom Erdboden verschluckt. Wahrscheinlich haben sie die beiden Norweger von der Heimatfront rechtzeitig gesehen, die nun direkt auf sie zukommen.

»Pass«, sagt der eine. Mehr nicht. Lillian versucht ruhig zu bleiben. Sie gibt dem einen ihren Pass und dem anderen die Erlaubnis des amerikanischen Offiziers. Der wirft nur einen Blick auf das Papier, zerknüllt es und stopft es mit einem Blick der Verachtung in seine Tasche. »Abführen«, sagt er zum anderen. In diesem Augenblick sieht Lillian, wie hinter dem Zaun ein Mann auf sie zuläuft. Es ist Helmut. »Helmut«, ruft sie. »Ich darf nicht zu dir. Sie erlauben es nicht.« Helmut dreht sofort ab.

Die norwegischen Wachsoldaten haben offenbar genug von dem Theater. Sie fassen Lillian am Arm und wollen sie wegziehen. Auf einmal sind die drei Kartenspieler wieder da. Sie haben noch ein paar Kameraden mitgebracht. Sie veranstalten einen ziemlichen Radau hinter dem Zaun. Das lenkt die Norweger ab.

Und da ist auch Helmut. Diesmal auf der anderen Seite des Zauns. Und in Begleitung eines englischen Offiziers. Die norwegischen Soldaten lassen Lillian sofort los. Sie fällt Helmut in die Arme. Beide weinen. Hinter dem Zaun gibt's lauten Beifall.

»Until 11 p.m.«, sagt der Offizier knapp, als sie zum Tor gehen. »Then you have to be back in the barracks, Helmut!« Helmut drückt Lillian an sich. »Ich bin sein Dolmetscher und habe von dir erzählt, und auch gesagt, wie gerne ich dich noch einmal sehen würde, bevor ich nach Deutschland muss.« Er strahlt sie an. »Ich kann nicht glauben, dass du hier bist. Aber es ist doch kein Traum. Es ist wahr! Dass du das geschafft hast!«

Lillian darf im Gästeraum des Offizierskasinos schlafen. Als sie sich am nächsten Morgen von Helmut verabschiedet, können beide kaum sprechen. Schließlich sagt sie: »Ich werde immer auf dich warten, und wenn es 50 Jahre dauert.«

Wie war das, Mutter?

Juni 2011

Sonntag, den 26. Juni. Ich bin in der Wohnung meiner Mutter. Vor uns, auf ihrem Esszimmertisch, liegen Briefe. Hunderte von Briefen. Es sind die Briefe, die sich meine Mutter und mein Vater in den Jahren zwischen 1945 und 1947 geschrieben haben. Jeden Tag einen Brief. Einige konnten sofort abgeschickt werden, andere mussten darauf warten, bis es wieder eine Adresse gab, an der sie auch ankommen konnten.

Als sie aus Heistadmoen zurück in das Haus von Frau Vikestad kommt, sollte es für meine Mutter eine traumatische Begegnung geben, die bis heute nachwirkt:

»Es brannte noch Licht im Haus an dem Abend, und dann stand sie wie eine Furie vor mir.« Meine Mutter kämpft auch jetzt noch, 65 Jahre später, mit den Tränen.

»Frau Vikestad schrie mich an: Du warst nicht bei deinem Bruder! Du warst im Gefangenenlager bei deinem deutschen Freund! Schämst du dich nicht? Ich schäme mich, dass ich so was wie dich hier im Haus gehabt habe. Du bist das Letzte! Du hast mich hintergangen! Verlass sofort mein Haus!«

Der Postbote hatte meine Mutter verraten. Er hatte sich gewundert, dass sie so viele Briefe aus Kongsberg bekam, die aber an Livs Adresse gerichtet waren. Ihm war eingefallen, dass das

Kriegsgefangenenlager Heistadmoen in der Nähe von Kongsberg lag, und da hatte er einfach mal einen der Briefe an dieses hübsche Fräulein Berthung geöffnet.

Meine Mutter ist immer noch verbittert über den Hass von Frau Vikestad. Sie hatten sich doch die ganze Zeit so gut verstanden! Meinen zaghaft vorgetragenen Einwand, man könne doch die Wut der Frau irgendwie begreifen, will meine Mutter auch heute nicht gelten lassen: »Sie hat mich nicht mehr als einen Menschen gesehen, das ist immer falsch.«

Durch Vermittlung ihrer Freundin Blanche, die inzwischen eine Ausbildung zur Krankenschwester macht, bekommt meine Mutter im September 1945 eine Stelle im Krankenhaus in Tønsberg, 70 Kilometer südlich von Oslo. Meine Mutter verzieht wieder das Gesicht. »Oberschwester Kitty schaute mich bei der Einstellung ganz streng an: ›Jetzt kommt das Wichtigste für mich: Fräulein Berthung, haben Sie während der Okkupation nationale Haltung gezeigt?‹« Bevor sie antworten kann, hört sie neben sich die Stimme von Blanche: »Ja, das hat sie.«

Dass Fremde wieder Briefe von Helmut öffnen, muss meine Mutter nicht mehr befürchten, denn es kommen keine Briefe mehr. Helmut ist inzwischen aus dem Kriegsgefangenenlager entlassen worden und nach Deutschland zurückgekehrt. Und zwischen Deutschland und Norwegen gibt es keinen Postverkehr mehr.

Hilde, eine Freundin aus Harstad, meint: »Vergiss den Helmut. Der ist bestimmt verhungert oder er hat eine andere.«

Die Finger meiner Mutter gleiten über die vielen Briefe. »Ich war oft sehr verzweifelt in diesen Monaten. Ich durfte mit niemandem über meinen deutschen Freund reden, ich habe nur Hass und Ablehnung erfahren. Und von meinen Eltern habe ich weiterhin nichts gehört.« Hat sie ihnen denn nichts von

Helmuts tatsächlichen Lebensumständen, von der jüdischen Abstammung, der verschleppten Mutter, der verschleppten Tante geschrieben? »Doch, das habe ich«, sagt meine Mutter, »später aber habe ich erfahren, dass alle meine Briefe ungeöffnet in der Nachttischschublade meines Vaters lagen.«

Ich schaue meine Mutter an und merke, wie sehr ihr die letzten Monate zugesetzt haben. Es muss mehr als anstrengend für sie gewesen sein, jenes Eintauchen in die Vergangenheit, weil dabei immer wieder eine große Nähe zu ihrem Mann heraufbeschworen worden ist. Aber der, um den es geht, ist nicht mehr da. Ihre Augen sehen so müde aus, so traurig. Sie will jedoch ihre Geschichte zu Ende erzählen.

Die Geschichte, die an jenem Vormittag im März 1946 weitergeht, als Blanche aufgeregt in das Haus von Frau Mikkelsen – Lillian arbeitet seit einiger Zeit bei der Lehrersfrau – gelaufen kommt.

»Im Krankenhaus ist dieser Brief für dich abgegeben worden, Lillian. Von der Heilsarmee aus Oslo!« Blanche strahlt. »Vielleicht hat das was mit Helmut zu tun?«

Lillian zittert, als sie den Umschlag öffnet. Der Stempel sagt, dass der Brief drei Tage zuvor, am 26. März, in Oslo abgeschickt worden ist. Der Brief enthält tatsächlich ein Anschreiben der Heilsarmee:

Angenommene Sache Nr. 23350. Für Lillian Berthung

Durch unsere Beziehungen haben wir den beigefügten Brief entgegengenommen, den wir Ihnen heute zuschicken und hoffen, dass er in die richtigen Hände kommt. Wir wären dankbar zu erfahren, ob Sie den Brief bekommen haben. Gott mit Ihnen. Ergebenst, N.E. Antonsen.

Blanche schaut sie ungeduldig an. »Nun sag schon – ist auch was von Helmut dabei?« Lillian nickt. Sie hält Blanche einen weiteren Briefbogen hin.

Dr. jur. Helmut Crott
Wuppertal-Elberfeld, den 27.1.1946
Königstraße 87
Tel. 35634

Meine liebste Lillian. Vielleicht hast Du bereits einige der vielen Briefe erhalten, die ich seit meiner Rückkehr nach Wuppertal an Dich geschrieben habe. Ich habe es über die verschiedensten Wege versucht: Über die Caritas, das Rote Kreuz, zwei Briefe über einen englischen Soldaten, der sie mit auf Urlaub nach England hatte, aber zurückgebracht hat, weil der Postverkehr nach Norwegen noch gesperrt war. Ich bin bis jetzt noch ohne Lebenszeichen von Dir!

Blanche drückt Lillian die Hand. Sie spürt, dass Lillian jetzt alleine sein will, wenn sie weiterliest, glücklich über dieses erste Lebenszeichen seit sieben Monaten.

Bei meiner Rückkehr nach Wuppertal habe ich nicht nur meinen Vater wiedergefunden, sondern auch meine Mutter, die sich tatsächlich unter den 37 Wuppertalern befunden hat, von deren Rückbeförderung von Theresienstadt Du seinerzeit im dortigen Rundfunk gehört hattest. Es geschehen also doch noch Wunder. Außerdem wohnen sie wieder in einem eigenen Heim, wo auch für Dich genug Platz ist. Ich habe meine frühere Stellung in Düsseldorf wiederbekommen, und daher besteht kein Hinderungsgrund, daß Du so schnell wie möglich zu mir kommst!

Im Augenblick sehe ich allerdings keinen Weg, den Du dazu benutzen kannst, da noch jeglicher Verkehr über die Grenzen Deutschlands verboten ist.

Meine Mutter legt den Brief wieder zurück zu den anderen und schaut mich an. »Das schrieb dein Vater mir im Januar 1946, Randi. Da konnten wir beide nicht ahnen, dass es noch weit über ein Jahr dauern würde, bis ich die Reise zu ihm antreten konnte. Wie oft hat er von Deutschland aus über alle möglichen Mittelsmänner versucht, meine Einreise nach Deutschland zu organisieren, und wie oft haben sich alle Hoffnungen wieder zerschlagen.«

Meine Mutter gibt mir zwei weitere Briefe meines Vaters. In dem vom 22. Mai 1946 lese ich: »Es ist mir gelungen, bei der hiesigen Militär-Regierung die Genehmigung zu erhalten, dass du sofort hierherkommen kannst!«

Und am 7. Juli 1946 schreibt er:

Damit hatte ich wirklich nicht gerechnet! Es ist mir völlig unmöglich, diese Einstellung der dortigen englischen Stelle zu begreifen, nachdem die Genehmigung der hiesigen Militärregierung vorliegt. Wie kann da nur das Military Permit Office in Oslo anders entscheiden? Nimmt man dazu die Schwierigkeiten unserer Familie unter den Nazis, so fällt es einem wahrhaftig schwer, an eine Befreiung und vor allem Gerechtigkeit zu glauben! Aber wer die Gewalt hat, hat auch das Recht.

Nach langer Zeit kommt endlich auch ein Brief aus Harstad. Lillians Vater erwähnt Helmut mit keinem Wort. Er schreibt nur, dass sie nach Hause kommen und sich um eine Ausbildung bemühen soll. »Denk darüber nach, Lillian. Dein Vater will das Beste für dich.« Lillian mag keine Sekunde darüber nachdenken. Ihre Zukunft ist ein Leben mit Helmut. Sie hat nie, auch in schwierigen Momenten, daran gezweifelt.

Mitte Juli 1946 zieht Lillian nach Oslo, denn nur in der Hauptstadt befinden sich die Behörden, bei denen sie sich um eine Einreisegenehmigung nach Deutschland bemühen kann. Zunächst muss sie sich aber um eine neue Verdienstmöglichkeit und neue Unterkunft kümmern. Sie will eine Anzeige aufgeben und denkt lange über die Formulierung nach. Sie ist entschlossen, von Anfang an mit offenen Karten zu spielen. Damit das Lügen und Verheimlichen endlich aufhört.

Dass es dadurch für sie nicht leichter wird, bekommt sie bereits zu spüren, als sie am Schalter von *Aftenposten* ihre Anzeige aufgibt:

»*Ung, absolutt dannet pike, forlovet med tysker, ø. midlertidig huspost,* Junges, sehr gebildetes Mädchen, verlobt mit einem Deutschen, sucht mittelfristige Beschäftigung im Haushalt.«

Ung barnekjær hushjelp søker post. Eget værelse ønskes. Bm. 19810.

Ung, absolutt dannet pike, forlovet med tysker, ø. midlertidig huspost 7-4 i Oslo. Arbeider selvstendig. Ikke klæsvask. Att. has. Bm. 2370 Ærlig.

Troende pike, nær 18 år, søker god huspost hos greie mennesker. Ikke sær-

Lillians Anzeige in *Aftenposten* 1946

Der Mann auf der anderen Seite der Theke mustert sie mit verächtlichem Blick.

Einige Tage später kann Lillian einige Zusendungen auf ihre Annonce abholen. Schon die erste jagt ihr einen Schrecken ein. »Dass du dich nicht schämst, dich gebildet zu nennen! Weißt du was, ich spucke auf dich!« Nach weiteren Briefen mit beleidigendem Inhalt findet sie, schon reichlich resigniert, einen von einer Julia Berg-Hansen. Eine Niederländerin, die mit einem Norweger verheiratet ist und die eine Gesellschafterin sucht. Lillian ruft sofort die angegebene Telefonnummer an, und eine freundliche Stimme am anderen Ende der Leitung bittet sie, um 6 Uhr zur Gyldenløvesgate 47 zu kommen.

Am Abend sitzt sie Frau Berg-Hansen in deren Wohnzimmer gegenüber. »Ich bewundere Sie für Ihren Mut«, sagt Julia Berg-Hansen. »Die Liebe zwischen zwei Menschen ist Schicksal. Da soll niemand den ersten Stein werfen.« Diese Frau ist meine Rettung, denkt Lillian dankbar und erzählt der fremden Niederländerin die ganze Geschichte von sich und Helmut. Fünf Monate lang wohnt und arbeitet Lillian im Haus der Berg-Hansens in Oslo, bevor sie Weihnachten 1946 nach Harstad reist. Fast zwei Jahre sind seit jenem Tag vergangen, an dem sie mit der *Lofoten* Harstad verlassen hat.

Meine Mutter stockt, wenn sie über diese Rückkehr erzählen soll. »Als ich wieder nach Hause gekommen bin, haben sich meine Mutter und meine Geschwister schon sehr gefreut, und das erste Mal in meinem Leben hat mir meine Mutter Frühstück ans Bett gebracht! Aber irgendwie war alles anders als früher, und Papa war nach wie vor mir gegenüber reserviert.«

Über Helmut wird in diesen Weihnachtstagen 1946 so gut wie gar nicht gesprochen, obwohl Lillian weiß, dass er Kontakt zu ihren Eltern aufgenommen hat, denn sie findet seine

Briefe in einer Schublade des Buffets im Esszimmer. So auch den vom März 1946:

> So nutze ich den ab morgen eröffneten Postverkehr mit dem Ausland umgehend aus, um endlich ans Ziel zu gelangen ... Lillian wird Sie inzwischen über meine Familienverhältnisse aufgeklärt haben ... Gleichzeitig möchte ich auf diesem etwas ungewöhnlichen, aber durch Zeitumstände bedingten Wege um die Hand von Lillian anhalten.

Und diesen, der einige Monate später datiert ist:

> Eigentlich bin ich ein wenig enttäuscht, daß ich bisher ohne eine Erwiderung auf meine Zeilen geblieben bin ... Nun, ich verkenne in keiner Weise Ihre Bedenken, die bei den über die Zustände in Deutschland verbreiteten Nachrichten nur allzu berechtigt sind ... Ich kann Sie nur bitten, das Vertrauen zu mir zu haben, daß ich jederzeit um Lillians unbeschwertes Dasein bemüht sein werde.

Und schließlich den zu Weihnachten 1946:

> Umso mehr bedauere ich diesen Zustand zwischen uns, weil seine Ursache nicht in einer persönlichen Differenz zu suchen ist. Vielmehr ist er einzig und allein als Ihre durchaus verständliche Reaktion auf die Wahnsinnspolitik der früheren deutschen Verbrecher-Regierung und die daraus entsprungenen militärischen Ereignisse in Ihrem schönen Lande anzusehen.

Lillian versucht immer wieder mit ihren Eltern über Helmuts Geschichte zu sprechen. Aber Annie und John wollen nicht, dass ihre Tochter ihre Zukunft in Deutschland sieht. Im Land der Verbrecher. Im Land, in dem man hungert. »Das wird ein Leben in Armut«, sagt der Vater zu ihr.

Nach drei Monaten hält Lillian es zu Hause nicht mehr aus. Sie will zurück nach Oslo, dort muss sie sich weiter um eine Einreise nach Deutschland bemühen, von dort gehen die Schiffe Richtung Süden ab. Aber die Grenzen nach Deutschland sind immer noch geschlossen.

Von Wuppertal aus sucht Helmut immer wieder nach neuen Wegen und schreibt entsprechend verschlüsselte Briefe an Lillian. Einmal scheint schon alles klar zu sein für eine Fahrt nach Rotterdam zu einem gewissen Theo Gumbrecht, der Lillian nach Deutschland bringen soll. Aber als sie in die Visumsbehörde nach Oslo kommt, schüttelt der Mann am Schalter den Kopf: »Wir wissen, dass Sie eigentlich nach Deutschland wollen, Fräulein Berthung, und diese Adresse in Rotterdam nur ein Zwischenstopp ist.«

Offenbar hat Gumbrecht nicht die Nerven gehabt und alles verraten. Auch alle anderen Versuche in den nächsten Monaten scheitern. All die Briefe, die Helmut an die alliierten und norwegischen Behörden schreibt und in denen er – mit Verweis auf seine Familiengeschichte – um die Einreise seiner norwegischen Braut bittet, sie bleiben unbeantwortet.

Lillian ist mit Julia Berg-Hansen mittlerweile gut befreundet, arbeitet aber seit Februar 1947 bei einer Frau Bergstrøm und bekommt in der großen Villa, die einst von Terbovens Männern beschlagnahmt worden war, auch ein Zimmer. »Ich hoffe«, sagt Frau Bergstrøm, »Sie können gut in dem Bett schlafen, denn da hat vor Ihnen ein deutsches Schwein gelegen.« Lillian legt Helmuts Briefe später unter die Matratze. Lillian ist im Haus für die Hunde zuständig, denn Frau Bergstrøm züchtet schottische Terrier. 16 Käfige stehen im Keller, und vor jedem hängt eine Zahnbürste …

64 Jahre ist das her. Meine Mutter schenkt uns Tee nach, dann greift sie zu einem Brief, den sie sich schon zurechtgelegt hat.

»Das hier war der entscheidende Brief, hier drin verbarg sich der Weg, auf dem ich nach Deutschland kommen sollte.« Sie liest ihn mir vor:

> Meine liebste ferne Lillian. Ich glaube Dir heute eine Freude bereiten zu können, indem ich Deine Tage im Norden als gezählt bezeichnen möchte. Um Dich allen Anfeindungen zu entziehen, habe ich gestern in Altena mit Frau Dr. Ziegler vereinbart, daß Du vorläufig zu ihrem Onkel nach Kopenhagen fahren sollst. Er ist dort in der Verstervoldgate 40 als Zahnarzt Dr. Eduard Christensen tätig. Er ist über Dein Kommen unterrichtet. Vielleicht kannst Du ihm auch ein wenig in der Praxis helfen. Erkundigen musst Du dich nur, ob Du noch ein besonderes Visum für Dänemark nötig hast. Anderenfalls überlege nicht lange und fahre gleich los, wobei Du all Deine Sachen mitnehmen kannst. Wegen der Unterstellung der Sachen und der eventuellen Weiterbeförderung derselben setze dich mit der Transportfirma Assmussen in Kruså bei Padborg in Verbindung, indem du eben mal dorthin fährst. In Padborg empfehle ich dir auch einen Besuch in der Metzgerei Karing. Unterrichte von der Ankunft in Kopenhagen unbedingt die Eltern von Frau Dr. Ziegler, die Familie Adolf Matz in Flensburg, Große Straße 30, Telefon 473, die Dich auf dem Wege des kleinen Grenzverkehrs sicher einmal besuchen wird. Auch Herr Schlohfeld in der Vogtstraße 23 wird sich sicher über einen Gruß von seinen Freunden in Norwegen freuen.

Meine Mutter legt den Brief beiseite und schaut aus dem Fenster. »Auch wenn ich die versteckten Hinweise nicht alle verstehen konnte, ich habe keine Sekunde gezögert, mich auf die Reise nach Kopenhagen zu machen. Später habe ich dann erfahren, wie diese einzelnen Verbindungen zustande gekommen waren. Kurz gesagt: über Freunde von Freunden und über Geschäftspartner.«

Mit drei Koffern, die auch alle Briefe von Helmut enthalten, verlässt sie am 5. Juni 1947 mit dem Fährschiff *Prinz Olaf* Norwegen.

»Ich habe nur eine Nacht in Kopenhagen im Haus von Dr. Christensen geschlafen, am nächsten Tag bin ich dann nach Padborg und wusste überhaupt nicht, was mich da erwartet.«

Bare oss to

Juni 1947

Der Zug hat Kopenhagen gegen Mittag verlassen. Die Fahrt geht zunächst über die Insel Seeland. Und dann durch Fünen. Lillian sieht aus dem Fenster. Fünen wirkt auf sie wie ein unendlich großer Garten. Um 8 Uhr abends ist der Zug in Padborg. Auf dem Fahrplan sieht sie, dass der nächste Bus nach Kruså erst morgen früh geht. Sie fragt die Frau, die die Fahrkarten verkauft, nach einem Hotel.

»Ein Hotel? Wo denken Sie hin. Die sind alle vom Militär besetzt. Es gibt hier doch so viele Soldaten. Wir sind hier doch gleich an der deutschen Grenze …« Plötzlich hält ein Jeep vor dem Bahnhof. Die Frau hinter dem Schalter lässt Lillian stehen und geht mit schnellen Schritten zu den drei dänischen

Soldaten, die in dem Fahrzeug sitzen, und wechselt ein paar Worte mit ihnen. Dann winkt sie Lillian zu sich. »Sie fahren nach Kruså. Ein Platz ist noch frei – wenn Sie wollen, können Sie mitfahren.« Sie zeigt auf Lillians Koffer. »Ihr Gepäck passt aber nicht mehr in das Auto. Sie können es gerne hier aufbewahren.«

Lillian reicht ihr eine Schachtel amerikanischer Zigaretten, die sie aus ihrer Tasche gezogen hat. Nein, das ist wirklich nicht nötig – »Es ist doch gut, dass wir Glück gehabt haben.« Dass die Frau »wir« gesagt hat, rührt Lillian. Sie nennt den Soldaten den Namen der Transportfirma, die in Helmuts Brief erwähnt ist. »Die Firma kenne ich«, sagt der Fahrer und legt den Gang ein. Dann geht es über die dunkle Landstraße mit einer Geschwindigkeit, die Lillian fast den Atem nimmt.

Nach einer halben Stunde kommt der Jeep mit quietschenden Reifen vor der Einfahrt zum Stehen. Lillian dankt den Soldaten und gibt jedem eine Schachtel Chesterfield. Dann greift sie nach ihrer Reisetasche, fährt sich kurz durchs Haar und geht zum Gartentor. Dahinter liegt ein lang gestrecktes Haus, aus dessen Fenstern warmes Licht fällt. Lillian schellt.

Eine junge Frau erscheint und schaut sie fragend an. Lillian nennt ihren Namen. »Entschuldigen Sie, dass ich noch so spät störe. Ich möchte gerne mit Herrn Assmussen sprechen.«

»Das ist mein Schwiegervater. Aber der ist nicht zu Hause und wird erst in der Nacht wieder hier sein. Kann ich Ihnen helfen?«

»Ich kann leider über mein Anliegen nur mit Herrn Assmussen sprechen«, sagt Lillian. Für einen Augenblick herrscht Stille. Dann bittet die Frau Lillian hinein und stellt sich ihr als Hanne vor. »Ich höre, dass Sie aus Norwegen sind«, sagt Hanne. »Es ist so selten, dass Ausländer hierherkommen. Wir sind ja Grenzgebiet und militärische Sperrzone. Niemand verbringt hier seine Ferien.« Und dann erzählt sie, wie viele Soldaten jetzt die Grenze bewachen.

»Trotzdem kommen manchmal hungrige Deutsche, um etwas zu essen zu besorgen. Aber sobald sie entdeckt werden, schickt man sie zurück.«

Lillian weiß nicht recht, was sie dazu sagen soll. »Es gibt sehr strenge Kontrollen. Überall wurden Stacheldrahtsperren aufgestellt, und überall sind Wachhunde im Einsatz. Diese Deutschen! Die Gestapo hat zu viel Schlimmes in Dänemark gemacht. Wie in Norwegen ja auch!«

Lillian nickt. Hanne redet weiter.

»Wir haben ein Transportgeschäft, und alle vierzehn Tage fährt mein Schwiegervater mit seinem Lastwagen hinüber nach Deutschland, um Lebensmittel an das Rote Kreuz zu liefern. Es muss ganz schrecklich in Deutschland sein. Überall nur Ruinen, viele Menschen verhungern. Mein Schwiegervater sagt, dass es bestimmt hundert Jahre dauern wird, bis alles wieder aufgebaut ist.« Hanne füllt Kaffee in die Tassen und zündet eine Kerze an. Alles, was sie erzählt, deckt sich mit dem, was Lillian in den norwegischen Zeitungen gelesen hat.

»Sie können übrigens gerne hier übernachten. Es wird noch dauern, bis er zurückkommt, und Sie sind sicher sehr müde.« Lillian ist gerührt von dem Angebot. So viel Güte hatte sie nicht erwartet.

In ihrem Gästebett liegt sie lange wach. Wird dieser Assmussen ihr helfen können? Er fährt regelmäßig nach Deutschland! Vielleicht hatte Helmut eine Verabredung mit ihm getroffen. Aber trotzdem, wie soll sie es über eine Grenze schaffen, die so scharf bewacht wird? Lillian versucht sich zu beruhigen. »Bisher ist alles gut gegangen, ich darf nicht verzweifeln.

Auf jeden Fall war es richtig, erst einmal zu Assmussen zu gehen und nicht zu diesem Metzger in Padborg«, sagt sie sich und schiebt Helmuts Foto unter ihr Kissen.

Am nächsten Morgen sitzt Herr Assmussen bereits am Küchentisch, als sie nach unten kommt. Er sieht müde und erschöpft aus und scheint gar nicht geschlafen zu haben. »Meine Schwiegertochter hat von Ihnen erzählt. Jetzt bin ich sehr neugierig, um was es sich handelt. Ich habe nämlich keine Bekannten in Norwegen. Ich kenne überhaupt niemanden in Norwegen.«

Lillian bittet ihn, die Tür zu schließen.

»Herr Assmussen, ich bin mit einem Deutschen verlobt, und ich versuche, zu ihm zu gelangen. Wir haben uns seit zwei Jahren nicht gesehen, und ich darf erst einreisen, wenn es einen Friedensvertrag mit Deutschland gibt. Das kann Jahre dauern.« Assmussen scheint nicht zu wissen, was sie von ihm will.

»Nun hat mein Verlobter vielleicht doch einen Weg gefunden. In einem Brief erwähnt er Ihren Namen. Er schrieb, dass Sie mir vielleicht helfen können.«

Der Mann am Küchentisch schüttelt bedauernd den Kopf.

»Armes Mädchen. Wie um alles in der Welt soll ich Ihnen helfen? Ja, ich fahre wohl alle vierzehn Tage zum Roten Kreuz nach Deutschland. Aber ich kann Sie unmöglich auf dem Lastwagen mitnehmen. Ich werde jedes Mal an der Grenze strengstens kontrolliert. Einen Menschen mitzunehmen ist ganz und gar ausgeschlossen. Ich würde Ihnen wirklich gerne helfen, wenn ich könnte.«

Lillian bemüht sich, ihre Enttäuschung nicht zu zeigen. »In demselben Brief, in dem Ihr Name erwähnt ist, ist noch von einem Carl Karing die Rede. Kennen Sie ihn vielleicht?«

»Natürlich. Karing hat eine Metzgerei in Padborg. Kann durchaus sein, dass er einen Weg weiß. Sie können den Bus von hier um 11 Uhr nehmen. Sein Geschäft liegt genau gegenüber der Bushaltestelle in Padborg.«

In Padborg bleibt Lillian einen Augenblick vor dem Geschäft stehen. *Carl Karing Slagteri.* Im Laden steht ein großer kräftiger Mann in einer weißen Jacke und hackt Fleisch, und zwei Verkäuferinnen bedienen. Lillian wartet, bis alle Kunden das Geschäft verlassen haben. Als sie die Türe öffnet, geht die Ladenglocke und sofort fragt eine der beiden Verkäuferinnen:

»Bitte schön, was möchten Sie?«

»Ich möchte Metzgermeister Karing sprechen.« Als der Meister seinen Namen hört, senkt er die Axt und schaut sie fragend an. »Ich möchte gern mit Ihnen sprechen, Herr Karing. Aber bitte unter vier Augen.«

»Mit mir?« Der große Mann lacht.

»Sie sind Norwegerin, nicht wahr? Und wollen mich unter vier Augen sprechen? Da bin ich aber gespannt. Gehen wir also in mein Büro.«

Dort setzt er sich hinter seinen Schreibtisch. »Und worum geht es nun, kleine Norwegerin?«

Als Lillian erzählt, dass sein Name in einem Brief ihres deutschen Verlobten steht, runzelt er die Stirn. »Ich habe überhaupt keine Verbindungen nach Deutschland. Meine Frau ist zwar Deutsche, aber sie lebt schon seit 30 Jahren in Dänemark. Ihre einzige Verbindung zu Deutschland ist ihr kranker alter Vater, der in Flensburg lebt. Wir haben mehrmals versucht, ihn zu uns zu holen, weil die Not in Deutschland so groß ist. Aber er ist ein deutscher Bürger, und Sie wissen ja, was das heute bedeutet.«

Karing ruft nach seiner Frau. Die Bürotür geht auf und eine Frau mit rosigen Wangen und kurzen lockigen Haaren steht im Türrahmen.

»Emma, dies ist ein norwegisches Mädchen, das zu seinem Verlobten nach Deutschland will. Dort ist jemand, der meint, dass wir ihr helfen können, irgendwie über die Grenze zu kommen. Unser Name wurde in einem der Briefe erwähnt, die sie aus Deutschland bekommen hat. Kannst du das verstehen?«

»Nein, überhaupt nicht.« Frau Karing betrachtet Lillian nachdenklich. Es ist ganz still im Zimmer. Nur die Uhr auf dem Schreibtisch tickt. Lillian nimmt den Brief von Helmut aus der Reisetasche und liest ihn noch einmal durch.

»Hier steht noch ein weiterer Name – Schlohfeld.« Sie reicht den Brief an die Frau des Metzgers.

»Schlohfeld, Schlohfeld … Der Name kommt mir allerdings bekannt vor. War das nicht der Lokomotivführer, der früher einmal in dem Haus von meinem Vater gewohnt hat? Mein Gott, das sind sicher über 25 Jahre her, seitdem ich diesen Schlohfeld das letzte Mal gesehen habe. Carl, das muss doch etwas bedeuten?« Sie überlegt kurz. Dann fasst sie Lillian herzlich am Arm.

»Wir werden gleich zu Mittag essen. Sie, nein – du bist bei uns willkommen. Tu so, als wärst du bei uns zu Hause. Wir werden versuchen, alles für dich zu tun. Du wirst natürlich auch hier wohnen.«

Ihr Mann schaut sie überrascht an. »Du weißt, Emma, wir müssen sehr vorsichtig sein. Bei unerlaubtem Grenzübertritt drohen hohe Strafen. Die ganze Angelegenheit muss absolut unter uns bleiben.«

»Bleibt sie auch, Carl. Wir haben zwar eine Hausgehilfin und zwei Verkäuferinnen, die alle mit Grenzsoldaten befreundet sind. Und weil die auf keinen Fall erfahren sollen, warum unser Gast wirklich hier ist, werde ich ihnen sagen, dass die Eltern von Lillian schon seit langem unsere Freunde sind.« Sie schaut Lillian an. »Ich mag dich, ich habe ganz stark das Gefühl, dass es richtig ist, dir zu helfen.«

Nach dem Essen fährt Carl Karing mit Lillian zum Bahnhof, um die Koffer aus der Gepäckaufbewahrung abzuholen. »Drei Koffer! Wie willst du die bloß über die Grenze bekommen?«

In dem Zimmer, das sie von den Karings bekommen hat, packt Lillian die Kleidung für die nächsten Tage aus. Dann werden die Koffer auf dem Speicher versteckt, damit sich niemand wundert, warum der Gast mit so viel Gepäck angereist ist.

»Falls deine Reise nach Deutschland übrigens nicht gelingen sollte«, sagt Carl später beim Kaffee, »ich hätte in Kopenhagen auch einen Sohn, der eine Frau sucht.«

Lillian erschrickt. Doch dann merkt sie, dass es nur ein Scherz gewesen ist.

In der Küche umarmt sie Emma. Es tut ihr gut, dass diese fremden Menschen so lieb zu ihr sind. »Wir haben uns immer eine Tochter gewünscht«, sagt Emma. Und dann fügt sie plötzlich auf Deutsch hinzu: »Jetzt bist du für eine Zeitlang eben unsere Tochter.« Emma lächelt. »Deutsch ist schließlich meine Muttersprache.«

Am nächsten Tag hilft Lillian im Haus und auch im Garten. Es ist schön, sich abzulenken und zu arbeiten. Aber immer wieder ist sie in Gedanken damit beschäftigt, sich zu fragen, wie es wohl weitergehen wird. Was ist mit dieser Telefonnummer in Flensburg? Sie muss auf jeden Fall versuchen, bald da anzurufen. Aber sie will nicht sofort so viel von den Karings fordern.

Am Samstag nehmen Emma und Carl sie mit ans Meer zu ihrem kleinen Sommerhaus. Das kleine Häuschen ist einfach und schlicht eingerichtet. Von der Terrasse blickt man auf das Wasser. »Schau, Lillian, da drüben ist Deutschland.« Carl weist auf einen Landstrich, der vielleicht nur zwei Kilometer entfernt ist.

Lillian hat eine Idee. »Ich bin eine gute Schwimmerin. Meint ihr, ich kann hinüberschwimmen, wenn es dunkel geworden ist?«

Carl schüttelt den Kopf. »Mein kleines Mädchen. Wie willst du das schaffen? Siehst du die Schiffe dort, die immer an der Küste hin und her fahren? Das sind die Patrouillenboote der dänischen Marine und die passen auf, dass niemand hin und her schwimmt. Wir müssen eine andere Möglichkeit für dich finden.«

Lillian erwähnt jetzt doch die Telefonnummer in Flensburg. »Können wir versuchen da anzurufen?« Emma ist skeptisch. »Alle Telefongespräche nach Deutschland werden abgehört, und außerdem bekommt man so gut wie nie eine Verbindung. Manchmal muss man tagelang warten. Aber wir können es versuchen. Ich werde morgen ein Gespräch anmelden«, sagt sie.

Am nächsten Tag ist Schützenfest in Padborg. Im Festsaal ist für die Familie des Metzgers ein eigener Tisch reserviert. Und wieder wird Lillian als Tochter von Freunden vorgestellt, die hier ihre Ferien verbringt.

Die Musik spielt auf und ein junger dänischer Leutnant kommt an den Tisch und fordert Lillian zum Tanz auf. Lillian sieht Emma fragend an. Emma nickt.

»Sie haben ja Musik im Blut, mein Fräulein«, sagt er, als sie sich beim Walzer drehen. »Habt ihr das alle da oben bei euch im Norden? Woher ich weiß, dass Sie Norwegerin sind? Nun, die Neuigkeiten gehen schnell um in unserer kleinen Stadt.«

Der Leutnant begleitet sie zurück an den Tisch. Er nimmt einen Augenblick Platz: »In der vorigen Woche haben wir auch eine Norwegerin aufgegriffen. Sie wollte durch den Wald über die Grenze nach Deutschland. Wir haben sie verhaftet und zurück nach Norwegen geschickt. Armes Ding! Sie wird es gewiss nicht einfach haben, wenn sie zu Hause vor das Gericht muss.«

In Lillian krampft sich alles zusammen. »Ich begreife wirklich nicht, was ein norwegisches Mädchen ausgerechnet in Deutschland will, in diesem zerstörten Land«, hört sie ihre eigene Stimme sagen.

»Habe ich das nicht erwähnt?«, fragt der junge Leutnant. »Sie soll da einen Freund gehabt haben, einen Hitlersoldaten.« Der Leutnant steht auf. Dann fragt er, ob er noch einen Tanz heute Abend mit ihr haben kann.

Lillian schüttelt den Kopf.

Um 2 Uhr nachts wird Lillian von Emma geweckt. »Das Gespräch aus Flensburg ist da«. Sie reicht Lillian den Hörer. »Sei vorsichtig – es wird abgehört.«

»Ja?«, fragt Lillian auf Deutsch. Am anderen Ende der Leitung meldet sich eine Frau Matz.

»Hallo, Frau Matz? Hier ist Lillian, können Sie mich hören? Ich bin in Padborg im Urlaub. Ich soll Sie grüßen von meinen Eltern in Norwegen.«

Frau Matz antwortet langsam und deutlich. »Danke. Uns geht es gut. Aber um uns herum gibt es Schwierigkeiten. Ich hoffe auf bessere Zeiten, sodass wir uns wiedersehen können.«

Lillian fallen vor Aufregung kaum die deutschen Worte ein. »Und ich würde mich freuen, Frau Matz, wenn Sie einmal zur Vogtstraße 23 gingen und dem Herrn Schlohfeld viele Grüße von seinen norwegischen Freunden bestellen könnten.«

Dann bricht die Verbindung ab. Lillians Hand zittert, als sie Emma den Hörer reicht.

»Jetzt können wir nur warten, Lillian«, sagt Emma und legt den Hörer zurück auf die Gabel.

Einige Tage später sitzt Lillian im Wohnzimmer der Karings und liest die Zeitung. Plötzlich klingelt nebenan das Telefon. Lillian hört Emma sagen: »Ja, sie wird kommen. Ja, natürlich – sofort.« Augenblicklich ist Emma in der Küche. »Lillian, das war Schlohfeld. Er ist jetzt in Padborg. Du musst sofort zu ihm gehen. Er will dir einen Zettel geben. Darauf steht genau, was du machen sollst. Warte – ich komme mit, du kennst dich da am Bahnhof ja gar nicht aus.«

Das Bahngelände von Padborg ist Grenzgebiet – es ist umzäunt und darf von niemandem ohne Befugnis betreten werden. Der Weg zum Bahnhof geht durch eine Unterführung. Dann muss man eine Treppe hoch und gut hundert Meter an einem Zaun entlang, hinter dem die Gleise verlaufen, bis man zum Bahnhofsgebäude kommt. Hinter dem Zaun sehen Emma und Lillian drei Eisenbahner, die auf einer Bank sitzen. Der eine schaut in ihre Richtung, sieht sie und kommt näher.

»Ja, das ist Schlohfeld«, sagt Emma leise.

Jetzt sind sie auf gleicher Höhe.

Der Mann schiebt etwas durch den Zaun. Es ist ein Zettel. Lillian greift danach und steckt ihn in die Manteltasche. Der Mann entfernt sich. Und auch die beiden Frauen gehen weiter. Jetzt bloß keinen Verdacht erregen. In der Bahnhofshalle tun sie so, als würden sie die Abfahrtszeiten der Züge studieren.

Erst zu Hause holt Lillian den Zettel wieder hervor. »Seien Sie heute um 24 Uhr oben beim ersten Signalmast. Passen Sie auf, dass Sie nicht beobachtet werden. Nehmen Sie kein Gepäck mit. Wenn es heute nicht funktioniert, dann erst wieder in 14 Tagen.« Lillian starrt Emma an.

»Heute Nacht schon. Und ganz ohne Gepäck!«, sagt sie in einer Mischung aus Entsetzen und Freude.

Nach dem Mittagessen bittet Lillian Emma um Arbeit, damit die Zeit schneller vorbeigeht. Im Laufe des Nachmittags bügelt sie ein Dutzend Schlachterschürzen aus fester Baumwolle, die nur schwer zu glätten sind.

Am Abend packt sie eine kleine Reisetasche. Mit hinein kommen drei Tennisbälle für Helmut, dänische Pralinen für seine Mutter, Zigarillos für seinen Vater und reichlich belegte Brote von Emma. Dann macht sich Lillian noch einmal auf, um sich den Weg zum Signalmast ganz genau anzusehen.

Der Mast steht ein ganzes Stück vom Bahnhof entfernt auf der gegenüberliegenden Seite der Gleisanlage. Sie wird also nachher an der Straße über den Zaun steigen müssen, um über die Böschung zu den Gleisen zu gelangen.

Später sitzt sie mit Emma und Carl im Wohnzimmer. Alle drei sind sehr angespannt. Gesprochen wird wenig. Schließlich schenkt Carl allen ein Glas Cognac ein.

Carl hat Lillian vorgeschlagen, dass sie das Haus erst verlassen soll, wenn das Geräusch der einfahrenden Lokomotive aus dem Süden zu hören ist, der Dampflok, mit der Schlohfeld den Nordexpress aus Deutschland bringt. Die Dänen haben noch ihre Oberleitung, deshalb wird in Padborg eine elektrische Lokomotive vorgespannt.

Bis halb zwölf ist nichts zu hören. Lillian tritt ungeduldig ans Fenster. Draußen gehen dänische Grenzer mit geschulterten Gewehren vorbei. Plötzlich sagt Carl zu Emma: »Hättest du das eigentlich auch für mich getan?«

»Niemals, Carl«, sagt Emma. »Niemals.«

In diesem Augenblick hört man die Lokomotive.

Lillian umarmt die beiden Menschen, denen sie so viel zu verdanken hat.

Wenig später ist sie am Zaun. Niemand ist zu sehen. Sie wirft ihre Tasche über den Zaun. Dann steigt sie selbst hinüber. Sie will gerade die Böschung hochklettern, als sie hinter sich auf der Straße Schritte hört. Es sind zwei Wachen. Lillian wirft sich in das hohe Gras und hält den Atem an.

Sie ist unbemerkt geblieben. Sie wartet noch ein wenig und steigt dann die Böschung hoch. Oben, an den Gleisen, singt jemand. Zwar leise, aber deutlich vernehmbar. Und der Gesang kommt näher. Sie macht sich hinter einem Busch ganz klein. »Lieber Gott«, denkt sie, »mach, dass mich niemand sieht.«.

Jemand geht ganz dicht an ihr vorbei. Dann hört sie ein hartes metallisches Geräusch. Es ist wohl ein Bahnwärter, der eine Weiche umgestellt hat. Singend verschwindet er in der Dunkelheit.

Lillian atmet auf.

Dann fährt der Nordexpress in den Bahnhof ein. Das ganze Gelände ist hell ausgeleuchtet. Suchscheinwerfer schwenken über die Gleise, von links nach rechts und wieder zurück. Der Signalmast, zu dem Lillian soll, ist noch ein ganzes Stück entfernt.

Tief gebückt läuft sie die Gleisen entlang, bis sie ihn erreicht hat. Sie kauert sich in das Gras und wartet. Laute Rufe sind zu hören. Das müssen die Bahnarbeiter sein, die die Dampflok vom Nordexpress abkoppeln. Funken blitzen von der Oberleitung. Die dänische Elektrolok ist vorgefahren und hat den Zug übernommen. Gleich wird Schlohfeld mit seiner Dampflok für die Rückfahrt da sein. Lillian sieht zu ihrem Entsetzen, wie die abgekoppelte Lok plötzlich an einer Weiche eine andere Richtung nimmt und vor einem ganz anderen Signal hält. Wie soll sie das schaffen? Sie muss über mindestens vier Gleise! Lillian gibt sich einen Ruck. Sie läuft in gebeugter Haltung über die Gleisanlagen, springt über die Bohlen und Schwellen. Zum Schluss versagen ihr die Kräfte. Sie stolpert und fällt gegen die Trittleiter am Führerstand von Schlohfelds Lokomotive.

Jemand beugt sich über sie, greift nach ihr und zieht sie hinauf zum Führerstand, wo sie gleich nach hinten auf den Tender geschoben wird.

»Kein Wort und das Gesicht nach unten.« Es ist Schlohfeld, der das sagt. Er zeigt auf eine Vertiefung im Kohlehaufen.

Dann schippt er ein paar Schaufeln Koks auf sie.

Die Lokomotive setzt sich in Bewegung und rumpelt über Weichen und Gleise. Bei jedem Schienenstoß sackt der Koks ein bisschen nach. Aber es geht weiter, Richtung Deutschland. Lillian weiß nicht, wie viel Zeit verstrichen ist, als sie wieder aus ihrem Versteck gezogen wird.

»Willkommen in Deutschland!« Der Lokführer und die beiden Heizer schauen sie lächelnd an. Lillian ist wie benommen. Hat sie es jetzt wirklich geschafft? Oder kommen noch neue Hindernisse?

Sie blickt an sich hinunter. Am besten, sie klopft sich erst einmal den Kohlenstaub vom Mantel ab. Wie wohl erst ihr Gesicht aussieht! Dann greift sie in ihre Tasche und verteilt die Wurstbrote aus der Metzgerei Karing. Schlohfeld isst nur ein kleines Stück. »Der Rest ist für meine kranke Frau.«

In Flensburg fährt die Lok direkt ins Depot.

»Jetzt müssen Sie nur noch runter vom Gelände, ohne dass es jemand sieht«, raunt Schlohfeld Lillian zu. »Ich bringe Sie gleich zu einer Stelle, an der ich ein Loch in den Zaun gemacht habe. Sie warten dann hinter dem Zaun auf mich. Ich muss erst die Papiere wegbringen.«

Lillian klettert durch den Zaun und wartet auf den Lokomotivführer. Sie kann es immer noch nicht fassen, dass sie jetzt in Deutschland ist.

Schlohfeld bringt sie zu einer Baracke, in der er mit seiner Frau wohnt. Sie liegt im Bett und sieht sehr krank aus. »Wer ist das Mädchen?«

»Ich habe sie über die Grenze gebracht. Sie wird heute Nacht hier bleiben.« Schlohfeld holt den Proviant aus seiner Tasche und reicht ihn seiner Frau. »Ist von ihr. In den nächsten Tagen soll es noch mehr geben.«

Am nächsten Morgen bringt Schlohfeld sie zu Frau Matz. Lillian spürt erst jetzt, wie die Anspannung langsam von ihr abfällt. Sie hat es tatsächlich geschafft. Sie ist in Deutschland. Alles ist gut gegangen. Jetzt ist der Weg zu Helmut nur noch kurz.

Herr und Frau Matz haben schon alles für ihre Weiterfahrt vorbereitet: »Sie fahren morgen mit dem Fern-D-Zug nach Düsseldorf. Hier ist Ihre Zugkarte zusammen mit der offiziellen Bescheinigung, dass Sie für das Flensburger Rationierungsamt ins Düsseldorfer Rationierungsamt reisen müssen, um dort etwas zu erledigen.«

»Für das Rationierungsamt?«, wiederholt Lillian.

»Ja, Fräulein Berthung«, sagt Herr Matz, »es gibt in Deutschland nur Fahrkarten, wenn man einen Grund für seine Reise hat. Und Familie Crott schicken wir ein Telegramm mit Ihrer Ankunftszeit.«

Um 9 Uhr steigt Lillian auf dem Flensburger Bahnhof wieder in einen Zug. Diesmal nicht auf den Tender der Lokomotive, sondern in ein Abteil des Fern-D-Zuges nach Frankfurt über Hamburg und Düsseldorf.

Es ist eine Fahrt durch ein ihr unbekanntes Land, durch völlig zerstörte Städte und Bahnhöfe, die nur Ruinen sind. Im Zug sind viele Kriegsopfer, Männer, denen ein Arm oder Bein fehlt, und Frauen mit harten, verschlossenen Gesichtern. Während der Fahrt schreibt Lillian auf, was sie in diesen langen Stunden auf dem Weg zu Helmut erlebt und fühlt. Sie wird es ihm ein halbes Jahr später gebunden als kleines Büchlein zu Weihnachten schenken:

> *Fredag, den 13. Juni 1947, begynte et nytt kapitel for meg. Etter to lange adskillelsens aar mötte VI hverandre igjen. Og boken forteller* ... – Freitag, den 13. Juni 1947, begann ein neues Kapitel für mich. Nach zwei langen Jahren sind WIR uns wieder begegnet. Und das Buch erzählt ...

Als der Zug in den Düsseldorfer Bahnhof einfährt, steht Lillian am Fenster. Der Bahnsteig ist voller Menschen. Lillians Augen suchen nach Helmut. Ist er nicht da? Hat er das Telegramm nicht bekommen? Oder erkennt sie ihn nicht mehr?

Sie steigt aus. Da steht Helmut. Helmut im grauen Anzug. Und mit roten Nelken in der Hand.

Lillian weiß nicht, warum, aber sie versteckt sich hinter einer Säule. Sie beobachtet, wie er nach ihr sucht. Langsam geht seine Hand mit den Blumen nach unten. Er wendet sich dem Ausgang zu. Der Bahnsteig ist jetzt fast leer.

»Helmut!«, ruft sie. »Helmut!« und läuft auf ihn zu. Die Nelken fallen zu Boden.

»*Vi saa ingen, det var bare oss to* – wir sahen niemanden, es gab nur uns beide.«

Zum Schluss

Die Briefe und Dokumente meiner Eltern und Großeltern sind fortgeräumt. Auch die Bücher, die ich für meine Suche benötigt habe, stehen wieder im Regal.

Geblieben sind die Bilder an der Wand. In der Mitte das Bild meiner Eltern, strahlend, glücklich, am 5. April 1948, ihrem Hochzeitstag. Direkt daneben das erste Foto von Lillian und Helmut, aufgenommen beim Skiausflug am 5. April 1942. Sechs Jahre voller Sorgen und Ängste liegen zwischen den Aufnahmen. Aber auch eine Zeit, geprägt vom unbedingten Willen, dies alles durchzustehen und zueinander zu kommen. Erst durch die Suche nach meiner, nach unserer Geschichte ist mir richtig bewusst geworden, wie sehr meine Mutter für ihre Liebe kämpfen musste und was sie dafür alles auf sich genommen hat.

An ihrem Hochzeitstag war unter den Glückwünschen auch ein Telegramm aus Harstad. Ihre Eltern schrieben: »*Også vi vil være blandt gratulantene idag.* Auch wir wollen heute unter den Gratulanten sein.« Das war für meine Mutter das schönste Hochzeitsgeschenk.

Hochzeit in Wuppertal am 5. April 1948

Carola und Heinz Crott haben meine Mutter so herzlich aufgenommen, wie sie es in all den Briefen an sie schon versprochen hatten. Über das, was Carola Crott, meiner Großmutter, in Minkwitz, Zeitz und schließlich Theresienstadt widerfahren ist, wurde allerdings nicht gesprochen. Auch sie hatte es vorgezogen zu schweigen.

Der *Ausschuss für die Entschädigung für Freiheitsentziehung* sprach meiner Großmutter 1949 eine »Haftentschädigung« von 1200 DM für die »Freiheitsentziehung aus rassischen Gründen« zu. Nach längerem Verfahren gab es von der Rentenbehörde am 25. November 1955 einen vorläufigen Bescheid auf Entschädigungszahlung wegen des »auf Grund nationalsozialistischer Gewaltmaßnahmen erlittenen Körper- bzw. Gesundheitsschadens«. Den endgültigen Bescheid konnte meine Großmutter nicht mehr in Empfang nehmen. Sie kam bei einem Unfall ums Leben.

Am 27. Dezember 1955 fuhren meine Großeltern nach dem Weihnachtsbesuch bei meinen Eltern zurück nach Wuppertal.

Wenige Meter vor ihrer Wohnung kam der Wagen auf regennasser Fahrbahn ins Schleudern und prallte gegen einen Baum. Meine Großmutter war sofort tot, mein Großvater schwer verletzt. Später wurde mein Großvater wegen fahrlässiger Tötung angeklagt. Als er die Anklageschrift gelesen hatte, brach er zusammen. Obwohl er im Prozess von jeder Schuld freigesprochen wurde, hat mein Großvater den Tod seiner geliebten Frau und die Anklage gegen ihn nicht verkraftet. Zehn Monate nach Carola starb auch Heinz.

Wenn ich als Kind mit meinen Eltern zu Besuch bei Freunden in Wuppertal war, gingen wir nachher immer auch zum Friedhof und besuchten das Grab meiner Großeltern. Ich wusste damals nicht, dass es ein jüdischer Friedhof war. Als ich alt genug geworden war, um das zu erfassen, hatte ich es mir schon angewöhnt, auf den Friedhof nicht mehr mitzukommen. Meine Eltern hatten auch nie gedrängt, dass ich doch mal wieder mit zum Grab gehen sollte. Ich glaube, ich weiß jetzt, warum.

In den letzten beiden Jahren bin ich mehrmals wieder dort gewesen. Ich wollte denen nah sein, an die ich keine Erinnerung habe, die für mich aber durch die Beschäftigung mit ihrem Leben, durch ihre Briefe fassbarer, lebendiger geworden sind. Ich habe jetzt eine Vorstellung, ein Gefühl von meinen Großeltern.

Ist das nicht in deinem Sinne, Paps? Dass ich weiß, wo ich herkomme? Dass ich begriffen habe, warum du nach dem Krieg nicht über das Erlittene sprechen wolltest? Du hattest eine Sehnsucht, genau wie alle Verfolgten, Ausgegrenzten, Gedemütigten. Du wolltest wieder dazugehören. Und ich, dein Kind, sollte das auch. »Ich will keine Anerkennung und kein Mitleid« – das war dein Satz, wenn deine Frau, meine Mutter, außer sich vor Wut über eine antisemitische Bemerkung im kleinen Kreis kurz davor war, alles zu erzählen.

Von dem Gefühl der Scham ganz zu schweigen. Weißt du, Ilse Kassel hat mir in Zeitz erzählt, dass sie sich geschämt hat, als auch ihr Name anlässlich einer Einladung der Stadt Krefeld an jüdische Mitbürger in der Zeitung stand. Da war sie bereits über 60 Jahre alt. Natürlich hatte ihr Mann recht, der ihr sagte, dass nicht sie, sondern die anderen sich schämen müssten. Aber das Gefühl der Scham saß tief.

Du gehörtest wie Ilse zu den Menschen, denen die Nationalsozialisten die Rolle der »Mischlinge« zugewiesen haben. Einer der wenigen deutschen Historiker, die sich mit dem Schicksal dieser Opfer des Nationalsozialismus beschäftigt haben, ist Beate Meyer. Auch ihr Buch über »jüdische Mischlinge« hat mir vor Augen geführt, was die Ausgrenzung für dich bis und auch nach 1945 bedeutet hat. Du hast mit viel Kraft versucht, dem zu trotzen. Dein unerschütterlicher Humor hat dir dabei geholfen. Davon konnte ich profitieren. Deine durchaus auch vorhandene Strenge half dir, die Nähe nicht zuzulassen, die ich mir gewünscht hätte. Du musstest mich auf Distanz halten, damit ich dir nicht zu nah kam. Ich verstehe das jetzt sehr gut.

Zum Schluss möchte ich dir noch von der Karte erzählen, die Ilse mir in diesem Jahr zum Geburtstag geschickt hat. Ich bin sicher, dass sie dich genauso berührt wie mich. Zumal sie so auch von deiner Mutter, meiner Großmutter, hätte geschrieben werden können.

»Seit ich weiß, dass du am 17. September Geburtstag hast, ist dieser Tag für mich nicht nur traurige Vergangenheit, sondern auch freudige Gegenwart.«

In der Hütte am Steinsåsvann, also dort, wo sich meine Eltern damals kennengelernt haben, ist alles so geblieben, wie es vor siebzig Jahren war. Für mich ist alles anders geworden. Nur nicht, wenn ich die Tür zur Hütte öffne. Dann sitzen sie dort – meine 19-jährige Mutter auf der Treppe und mein junger Vater auf einem der blauen Stühle mit den gedrechselten Beinen …

Anmerkungen

S. 14: Kertész, Imre, *Galeerentagebuch*, Reinbek 1993, S. 58

S. 23: Walk, Josef, *Das Sonderrecht für die Juden*, Heidelberg 1996, S. 292

S. 26: Loock, Hans-Dietrich, *Quisling, Rosenberg und Terboven. Zur Vorgeschichte und Geschichte der nationalsozialistischen Revolution in Norwegen*, Quellen und Darstellungen zur Zeitgeschichte, Bd. 18, Stuttgart 1970, S. 235

S. 26: ebenda, S. 238

S. 26/27: ebenda, S. 241

S. 27: Levsen, Dirk, Operation »Weserübung«, Ein militärhistorischer Überblick, in: Henningsen, Bernd, *Hundert Jahre deutsch-norwegische Begegnungen*, Berlin 2005, S. 185

S. 28: Bohn, Robert, *Reichskommissariat Norwegen*, München 2000, S. 281

S. 32: *Kampf um Norwegen*, hrsg. vom Oberkommando der Wehrmacht, Berlin 1940, S. 143

S. 32: *Morfar* (Mutters Vater) heißt in Norwegen der Großvater mütterlicherseits (der väterlicherseits *Farfar*)

S. 33: www.deutsches-marinearchiv.de

S. 35: Dagre, Tor, *Norwegen und der Zweite Weltkrieg*, hrsg. von Nytt fra Norge für das Königl. Norwegische Außenministerium

S. 38: Loock, a.a.O., S. 210

S. 39: ebenda, S. 222

S. 39: Gemzell, Carl-Axel, *Raeder, Hitler und Skadinavien*, Lund 1965, S. 272

S. 40: ebenda, s. 272–273

S. 48: Arneberg, Sven T. u. Hosar, Kristian, *Vi dro mot nord*, Oslo 1989, S. 17

S. 48: ebenda, S. 21

S. 48/49: Bundesarchiv (Hrsg.), Die Okkupationspolitik des deutschen Faschismus in Dänemark und Norwegen (1940–1945), in: *Europa unterm Hakenkreuz*, Bd.7, Berlin, Heidelberg 1992, S. 250

S. 50: Salewski, Michael, Das Wesentliche von Weserübung. In: Robert Bohn et al. (Hrsg.): *Neutralität und totalitäre Aggression. Nordeuropa und die Großmächte im Zweiten Weltkrieg.* Stuttgart 1991, S. 117

S. 50: Arneberg u. Hosar, a.a.O. , S. 32

S. 52: Hubatsch, Walter, »Weserübung«, *Die deutsche Besetzung Dänemarks und Norwegens 1940*, Göttingen, Berlin, Frankfurt 1960, S. 234

S. 53: Arneberg u. Hosar, a.a.O., S. 66

S. 53: Arneberg u. Hosar, a.a.O., S. 68

S. 59: Lang, Armin, Die Besetzung Norwegens in deutscher und norwegischer Sicht, in: Michalka, Wolfgang (Hrsg.), *Der Zweite Weltkrieg*, München 1989, S. 139

S. 59: Arneberg u. Hosar, a.a.O., S. 95 f

S. 62: Arneberg u. Hosar, a.a.O., S. 90

S. 69: Bohn, Robert, *Reichskommissariat Norwegen*, München 2000, S. 356

S. 74: *bestemor*: Großmutter

S. 74: *altan*: vorgebaute Veranda

S. 86: Tent, James F., *Im Schatten des Holocaust, Schicksale deutsch-jüdischer »Mischlinge« im Dritten Reich*, Köln, Weimar 2007, S. 99

S. 87: Rigg, Bryan Mark, Hitlers »jüdische Soldaten«, Paderborn 2003, S. 33 f

S. 87/88: Bundesarchiv, *Das deutsche Militärwesen – Deutsches Reich 1933–1945*

S. 89: Meyer, Beate, *Jüdische Mischlinge«. Rassenpolitik und Verfolgungserfahrung 1933–1945*, München, Hamburg 1999, S. 96 ff

S. 98/99: Friedländer, Saul, *Das Dritte Reich und die Juden, Die Jahre der Verfolgung 1933–1939*, München 2007, S. 247

S. 105: Frankfurter Zeitung, 27.11.1929, zit. nach: Stuchlik, Gerda, *Goethe im Braunhemd*, Frankfurt am Main 1984, S. 73

S. 106: Frankfurter Zeitung, 28.7.1932, zit. nach Stuchlik, a.a.O., S. 81

S. 106: Stuchlik, a.a.O., S. 82

S. 107: Dokumente zur Geschichte der Frankfurter Juden, hrsg. von der Kommission zur Erforschung der Geschichte der Frankfurter Juden, Frankfurt am Main 1963, S. 97

S. 107/108: Stuchlik, a.a.O., S. 116

S. 108: Bonavita, Petra, »Nichtarier werden gebeten, den Hörsaal zu verlassen«, in: *Forschung Frankfurt*, hrsg. von der Goethe Universität Frankfurt, S. 52

S. 109: ebenda, S. 54

S. 116/117: Bundesarchiv (Hrsg.), Dok. Nr. 28, in: *Europa unterm Hakenkreuz*, a.a.O., S. 107 f

S. 117: Grimnes, Ole Christian, »Die Besatzungszeit 1940–1945«, in: *Hundert Jahre deutsch-norwegische Beziehungen*, Berlin 2005, S. 182

S. 118: Der Krieg 1939–1945, »Als die Welt in Flammen stand«, in: SPIEGEL Geschichte, 3/10

S. 119: Loock, a.a.O., S. 547 ff

S. 119/120: Grimnes, a.a.O., S 182

S. 126/127: Augenblick. Berichte und Informationen der Mahn- und Gedenkstätte Düsseldorf, Nr. 20/21, 2002

S. 128: Ulrike Schrader, *Tora und Textilien. Zur Geschichte der Juden im*

Wuppertal, hrsg. vom Trägerverein Begegnungsstätte Alte Synagoge Wuppertal, Wuppertal 2007, S. 204

S. 128: ebenda, S. 205

S. 129: ebenda, S. 204

S. 138: Bohn, a.a.O., S. 233

S. 156: *Europa unterm Hakenkreuz*, a.a.O., S. 193

S. 157: Isachsen, Harald, *Die Adolfkanonen*, Harstad 2008, S. 52

158/159: ebenda, S. 24

S. 169: Dokument der Ausstellung der Ruprecht-Karls-Universität Heidelberg zur Geschichte der jüdischen Studenten 1933–1945, Heidelberg 2002

S. 170/171: ebenda

S. 172: Prantl, Heribert, Suche nach Gerechtigkeit. Zum Tod von Karl Engisch, Süddeutsche Zeitung vom 17.9.1990, S. 12

S. 173: Friedländer, Saul, a.a.O., S. 249

S. 182/183: Lang, Arnim, Die Zerstörung Nordnorwegens durch deutsche Truppen 1944, in: Militärgeschichte, Zeitschrift für historische Bildung, Ausgabe 4/2004, S. 14

S. 183: *Europa unterm Hakenkreuz*, a.a.O., S. 220

S. 187/188: Berschel, Holger, *Bürokratie und Terror, Das Judenreferat der Gestapo Düsseldorf 1935–1945*, Essen 2001, S. 364

S. 195/196: Lang, Armin, Operation Nordlicht, in: *Kriegsende im Norden*, hrsg. von Bohn, Robert u. Elvert, Jürgen, Stuttgart 1995, S. 32

S. 196: Breivik, Rolv, *Finnmark krigsvinteren 1944/45*, Bodø 1993, S. 10

S. 197: ebenda, S. 10

S. 197: Lang, *Die Zerstörung Nordnorwegens . . .*, a.a.O., S. 15

S. 197: ebenda, S. 17

S. 198: ebenda, S. 17

S. 223: *Grini*: Deutsches Gefängnis bei Oslo

S. 232: Nøkleby, Berit, *Josef Terboven, Hitlers mann i Norge*, Oslo 1992, S. 290

S. 233: Moll, Martin, Kapitulation oder heroischer Endkampf in der »Festung Norwegen?«, in: Bohn u. Elvert, a.a.O., S. 50

S. 233: ebenda, S. 75

S. 233/234: ebenda, S. 78

S. 236: Vidkun Quisling, Führer der Nationalen Partei, wurde wegen Hochverrats zum Tode verurteilt und am 24. Oktober 1945 in der Festung Akershus hingerichtet

S. 236: Der 17. Mai ist der norwegische Nationalfeiertag

Quellen und weiterführende Literatur

Amery, Jean, *Jenseits von Schuld und Sühne. Bewältigungsversuche eines Überwältigten*, Stuttgart 1977

Arneberg, Sven T. u. Hosar, Kristian, *Vi dro mot nord*, Oslo 1989

Berschel, Holger, *Bürokratie und Terror, Das Judenreferat der Gestapo Düsseldorf* 1935–1945, Essen 2001

Benz, Wolfgang, *Die Juden in Deutschland 1933–1945: Leben unter nationalsozialistischer Herrschaft*, 4. Aufl., München 1996

Bohn, Robert, *Die deutsche Herrschaft in den »germanischen« Ländern 1940–1945*, Stuttgart 1997

Bohn, Robert u. Elvert, Jürgen (Hrsg.), *Kriegsende im Norden, Vom heißen zum kalten Krieg*, Historische Mitteilungen – Beihefte, Bd. 14, Stuttgart 1995

Bohn, Robert, *Reichskommissariat Norwegen*, München 2000

Bohn, Robert (Hrsg.), *Neutralität und totalitäre Aggression. Nordeuropa und die Großmächte im Zweiten Weltkrieg*, Stuttgart 1991

Breivik, Rolv, *Finnmark krigsvinteren 1944/45*, Bodø 1993

Bundesarchiv (Hrsg.), *Europa unterm Hakenkreuz*, Bd. 7, Berlin, Heidelberg 1992

Eckart, Wolfgang U., Sellin, Volker u. Wolgast, Eike (Hrsg.), *Die Universität Heidelberg im Nationalsozialismus*, Heidelberg 2006

Friedländer, Saul, *Das Dritte Reich und die Juden, Die Jahre der Verfolgung 1933–1939*, München 1998

Gemzell, Carl-Axel, *Raeder, Hitler und Skandinavien*, Lund 1965

Gensch, Brigitte u. Grabowsky, Sonja (Hrsg.), *Der halbe Stern, Verfolgungsgeschichte und Identitätsproblematik von Personen und Familien teiljüdischer Herkunft*, Gießen 2010

Henningsen, Bernd, *Hundert Jahre deutsch-norwegische Begegnungen*, Berlin 2005

Hilberg, Raul, *Die Vernichtung der europäischen Juden*, Bd. 1–3, Frankfurt am Main 1990

Hubatsch, Walther, *›Weserübung‹ –Die deutsche Besetzung Dänemarks und Norwegens 1940*. Göttingen, Berlin, Frankfurt 1960

Kertész, Imre, *Galeerentagebuch*, Reinbek 1993

Klemperer, Victor, *LTI*, Stuttgart 1975

Kommission zur Erforschung der Geschichte der Frankfurter Juden (Hrsg.), *Dokumente zur Geschichte der Frankfurter Juden*, Frankfurt am Main 1963

Lekebusch, Sigrid, *Not und Verfolgung der Christen jüdischer Herkunft im Rheinland 1933–1945*, in: Schriftenreihe des Vereins für Rheinische Kirchengeschichte, Bd. 117, Köln 1995

Loock, Hans-Dietrich, *Quisling, Rosenberg und Terboven. Zur Vorgeschichte und Geschichte der nationalsozialistischen Revolution in Norwegen*, Quellen und Darstellungen zur Zeitgeschichte, Bd. 18, Stuttgart 1970

Meyer, Beate, *›Jüdische Mischlinge‹ – Rassenpolitik und Verfolgungserfahrung 1933–1945*, München/Hamburg 1999

Michalka, Wolfgang (Hrsg.), *Der Zweite Weltkrieg*, München 1989

Militärgeschichtliches Forschungsamt Freiburg, *Das Deutsche Reich und der Zweite Weltkrieg*, Bd. 2, Stuttgart 1970

Oberkommando der Wehrmacht (Hrsg.), *Kampf um Norwegen*, Berlin 1940

Rigg, Bryan Mark, *Hitlers ›jüdische Soldaten‹*, Paderborn 2003

Schrader, Ulrike, *Tora und Textilien, Zur Geschichte der Juden im Wuppertal*, Wuppertal 2007

Stuchlik, Gerda, *Goethe im Braunhemd*, Universität Frankfurt 1933–1945, Frankfurt 1984

Tent, James F., *Im Schatten des Holocaust, Schicksale deutsch-jüdischer Mischlinge im Dritten Reich*, Köln 2007

von Olenhusen, Albrecht Götz, *Die »nichtarischen« Studenten an den deutschen Hochschulen: Zur nationalsozialistischen Rassenpolitik 1933–1945*, in: Vierteljahresheft für Zeitgeschichte, Nr. 2, Stuttgart 1966

Walk, Josef, *Das Sonderrecht für Juden*, Heidelberg 1996

Weil, Heinz, *Am Rande des Strudels – Erinnerungen 1913–1983*, Stuttgart 1983

Inhaltsverzeichnis